[illegible]

貳叁年肆月貳拾伍
購於倫敦光華書店

一坛猪油

迟子建

作家出版社

目录

亲亲土豆

如果你在银河遥望七月的礼镇，会看到一片盛开着的花朵。那花朵呈穗状，金钟般垂吊着，在星月下泛出迷幻的银灰色。当你敛声屏气倾听风儿吹拂它的温存之声时，你的灵魂却首先闻到了来自大地的一股经久不衰的芳菲之气，一缕凡俗的土豆花的香气。你不由在灿烂的天庭中落泪了，泪珠敲打着金钟般的花朵，发出错落有致的悦耳的回响，你为自己的前世曾悉心培育过这种花朵而感到欣慰。

那永远离开了礼镇的人不止一次通过梦境将这样的乡愁捎给他的亲人们，捎给热爱土豆的人们。于是，晨曦中两个刚刚脱离梦境到晨露摇曳的土豆地劳作的人的对话就司空见惯了：

“昨夜孩子他爷说在那边只想吃新土豆，你说花才开他急什么？”

“我们家老邢还不是一样？他嫌我今年土豆种得少，他闻不出我家土豆地的花香气。你说他的鼻子还那么灵啊？”

土豆花张开圆圆的耳朵，听着这天上人间的对话。

礼镇的家家户户都种着土豆。秦山夫妇是礼镇种土豆的大户，他们在南坡足足种了三亩。春天播种时要用许多袋土豆栽子，夏季土豆开花时，独有他家地里的花色最全，要紫有紫，要粉有粉，要白有白。到了秋天，也自然是他们收获最多了。他们在秋末时就进城卖土豆，卖出去的自然成了钱存起来，余下的除了再做种子外，就由人畜共同享用了。

秦山又黑又瘦，夏天时爱打赤脚。他媳妇比他高出半头，不漂亮，但很白净，叫李爱杰，温柔而贤惠。他们去土豆地干活时总是并着肩走，他们九岁的女儿粉萍跟在身后，一会儿去采花了，一会儿又去捉蚂蚱了，一会儿又用柳条棍去戏弄老实的牛了。秦山嗜烟如命，人们见他总是叼着烟眯缝着眼自在地吸着。他家的园子就种了很多烟叶，秋天时烟叶长成了，一把把蒲扇似的拴成捆吊在房檐下，像是古色古香的编钟，由着秋风来吹打。到了冬天，秦山天天坐在炕头吸烟，有时还招来一群烟友。他的牙齿和手指都被烟熏得焦黄焦黄的，嘴唇是猪肝色，秦山媳妇为此常常和他拌几句嘴。

秦山因为吸烟过量常常咳嗽，春秋尤甚，而春秋又尤以晚上为甚。李爱杰常常跟其他女人抱怨说她两三天就得洗一回头，不然那头发里的烟味就熏得她反胃。女人们就打趣她，秦山天天搂着你吸烟不成？李爱杰便红了脸，说去你们的，秦山才没那么多的纠缠呢。

可是纠不纠缠谁能知道呢？

秦山和妻子爱吃土豆，女儿粉萍也爱吃。吃土豆的名堂在秦家大得很，蒸、煮、烤、炸、炒、调汤等等，花样繁杂得像新娘子袖口上的流苏。冬天的时候粉萍常用火炉的二层格烤囫囵土豆，一家人把它当成饭后点心来吃。

礼镇的人一到七月末便开始摸新土豆来吃了。小孩子们窜到南坡的土豆地里，见到垄台有拇指宽的裂缝了，便将手指顺着裂缝伸进去，保准能掏到一个圆鼓鼓的土豆，放到小篮里，回家用它炖豆角吃真是妙不可言。当然，当自家地的裂缝被一一企及、再无土豆露出早熟的迹象时，他们便猫着腰窜入秦山家的土豆地，像小狐狸一样灵敏地摸着土豆，生怕被下田的秦山看见。其实秦山是不在乎那点土豆的，所以这个时节来土豆地干活，他就先在地头大声咳嗽一番，给小孩子们一个逃脱的信号，以免吓着他们。偷了土豆的孩子还以为自己做贼做得高明，回去跟家长说："秦山抽烟落下的咳嗽真不小，都咳嗽到土豆地去了。"

初秋的时令，秦山有一天吃着吃着土豆就咳嗽得受不住了，双肩抖得像被狂风拍打着的一只衣架，只觉得五脏六腑都错了位，没有一处舒服的地方。李爱杰一边给他捶背一边嗔怪："抽吧，让你抽，明天我把你那些烟叶一把火都点着了。"

秦山本想反驳妻子几句，可他无论如何都没有那力气了。当天夜里，秦山又剧烈咳嗽起来，而且觉得恶心。他的咳嗽声把粉萍都惊醒了，粉萍隔着门童声童气地说："爸，我给你拔个青萝卜压压咳吧？"

秦山捶着胸说："不用了，粉萍，你睡吧。"

秦山咳嗽累了便迷迷糊糊睡着了。李爱杰担心秦山，第二天早早就醒了。她将头侧向秦山，便发现了秦山枕头上的一摊血。她吓了一跳，想推醒秦山让他看，又一想吐血不是好事，让秦山知道了，不是糟上加糟吗？所以她轻轻抬起秦山的头，将他的枕头撤下，将自己的枕头垫上去。秦山被扰得睁了一下眼睛，但捺不住咳嗽之后带给他的巨大疲乏，又睡去了。

李爱杰忧心忡忡地早早起来，洗了那个枕套。待秦山起来，她便一边给他盛粥一边说："咳嗽得这么厉害，咱今天进城看看去。"

"少抽两天烟就好了。"秦山面如土灰地说，"不看了。"

李爱杰说："不看怎么行，不能硬挺着。"

"咳嗽又死不了人。"秦山说，"谁要是进城给我捎回两斤梨来吃就好了。"

李爱杰心想："咳嗽死不了人，可人一吐血离死就近了。"这种不祥的想法使她在将粥碗递给秦山时哆嗦了一下，她甚至不敢看他的眼睛，只是无话找话地说："今天天真好，连个云彩丝儿都没有。"

秦山边喝粥边"唔"了一声。

"老周家的猪这几天不爱吃食，老周媳妇愁得到处找人给猪打针。你说都入秋了，猪怎么还会得病？"

"猪还不是跟人一样，得病哪分时辰。"秦山推开了粥碗。

"怎么就喝了半碗？"李爱杰颇为绝望地说，"这小米子我筛了三遍，一个谷皮都没有，多香啊。"

"不想吃。"秦山又咳嗽一声。秦山的咳嗽像余震一样使李爱杰战战兢兢。

早饭后李爱杰左劝右劝，秦山这才答应进城看病去。他们搭着费喜利家进城卖菜的马车，夫妇俩坐在车尾。由于落过一场雨，路面的坑坑洼洼还残着水，所以车轱辘碾过后就溅起来一串串泥浆，打在秦山夫妇的裤脚上。李爱杰便说："今年秋天可别像前年，天天下雨，起土豆时弄得跟个泥猴似的。”

费喜利甩了一下鞭子回过头说：“就你们家怕秋天下连绵雨，谁让你们家种那么大的一片土豆了？你们家挣的钱够买五十匹马的了吧？”

秦山笑了一声，“现在可是一匹也没匹呢。”

费喜利“咦嗬”了一声，说：“我又不上你家的马房牵马，你怕啥？说个实话。”

李爱杰插言道：“您别逗引我们家秦山了，卖土豆那些钱要是能买回五十匹马来，他早就领回一个大姑娘填房了。”

费喜利“嗬嗬”地笑起来，马也愉快地小跑起来。马车颠簸着，马颈下的铃铛发出银子落在瓷盘中的那种脆响。

秦山气喘吁吁地说：“咱可没有填房纳妾的念头，咱又不是地主。”

李爱杰追问道：“真要是地主呢？”

“那也只娶你一个，咱喜欢正宫娘娘。”秦山吐了一口痰说，“等我哪天死了，你用卖土豆的钱招一个漂亮小伙入赘，保你享福。”李爱杰便因为这无端的玩笑灰了脸，差点落泪了。

医生给秦山拍了片子，告诉三天后再来。三天后秦山夫妇又搭着费喜利家进城卖菜的马车去了医院。医生悄悄对李爱杰说：“你爱人的肺叶上有三个肿瘤，有一个已经相当大了。你们应该到哈尔滨做进一步检查。”

李爱杰小声而紧张地问：“他这不会是癌吧？”

医生说：“这只是怀疑，没准是良性肿瘤呢。咱这儿医疗条件有限，无法确诊，我看还是尽早去吧，他这么年轻。”

“他虚岁才三十七。”李爱杰落寞地说，“今年是他本命年。”

“本命年总不太顺利。”医生同情地安抚说。

夫妻俩回到礼镇时买了几斤梨，粉萍见父母回来都和颜悦色的，以为父亲的病已经好了，就和秦山抢梨吃。也许梨的清凉起到了很好的祛痰镇咳作用，当夜秦山不再咳了，还蛮有心情地向李爱杰求温存。李爱杰心里的滋味真比调味店的气味还复杂。答应他又怕耗他的气血使他情况恶化，可不答应又担心以后是否还有这样的机会。整个的人就像被马蜂给蜇了，没有一处自在的地方，所以就一副尴尬的应付相，弄得秦山直埋怨她：“你今晚是怎么了？”

第二天李爱杰早早就醒来，借着一缕柔和的晨光去看秦山的枕头。枕头干干净净的，没有一丝血迹，这使她的心稍稍宽慰了一些。心想也许医生的话不必全都放在心上，医生也不可能万无一失吧。两口子该做啥还做啥，拔土豆地里的稗草，给秋白菜喷农药，将大蒜刨出来编成辫子挂在山墙上。然而好景不长，过了不到一周，秦山又开始剧烈咳嗽，这次他自己见到咯出的血了，他那表情麻木得像蜡像人。

“咱们到哈尔滨看看去吧。”李爱杰悲凉地说。

“人一吐血还有个好吗？”秦山说，“早晚都是个死，我可不想把那点钱花在治病上。”

“可有病总得治呀。”李爱杰说，“大城市没有治不好的病。况且咱又没去过哈尔滨，逛逛世面吧。”

秦山不语了。夫妻二人商量了半宿，这才决定去哈尔滨。李爱杰将家里的五千元积蓄全部带上，又关照邻居帮她照顾粉萍、猪和几只鸡。邻居问他们秋收时能回来吗？秦山咧嘴一笑说：“我就是有一口气，也要活着回来收最后一季土豆。”

李爱杰拍了一下秦山的肩膀，骂他：“胡说！”

两人又搭了费喜利家进城卖菜的马车。费喜利见秦山缩着头没精打采，就说：“你要信我的，就别看什么病去。你少抽两袋烟，多活动活动就好了。”

“我见天长在土豆地里干活，活动还算少吗？”秦山干涩地笑了一声，说，“看什么病，陪咱媳妇逛逛大城市去，买双牛皮鞋，再买个开长衩的旗袍。”

“我可不穿那东西给你丢人。”李爱杰低声说。

两个人在城里买了一斤烙饼和两袋咸菜，就直奔火车站了。火车票没有他们想象的那么贵，而且他们上车后又找到了挨在一起的座位，这使他们很愉快。所以火车开了一路李爱杰就发出一路的惊诧：

“秦山，你快看那片紫马莲花，绒嘟嘟的！”

“这十好几头牛都这么壮，这是谁家的？”

“这人家可真趁，瞧他家连大门都刷了蓝漆！”

“那个戴破草帽的人像不像咱礼镇的王富？王富好像比他瓷实点。”

秦山听着妻子恍若回到少女时代的声音，心里有种比晚霞还要浓烈的伤感。如果自己病得不重还可以继续听她的声音，如果病入膏肓，这声音将像闪电一样消失。谁会再来拥抱她温润光滑的身体？谁来帮她照看粉萍？谁来帮她伺候那一大片土豆地？

秦山不敢继续往下想了。

两人辗转到哈尔滨后并没心思浏览市容，先就近在站前的小吃部吃了豆腐脑和油条，然后打听如何去医院看病。一个扎白围裙的胖厨子一下子向他们推荐了好几家大医院，并告诉他们如何乘车。

“你说这么多医院，哪家医院最便宜？”秦山问。

李爱杰瞪了秦山一眼，说：“我们要找看病最好的医院，贵不贵都不怕。”

厨子是个热心人，又不厌其烦地向他们介绍各个医院的条件，最后帮助他们敲定了一家。

他们费尽周折赶到这家医院，秦山当天就被收入院。李爱杰先交了八百元的住院押金，然后上街买了饭盒、勺、水杯、毛巾、拖鞋等住院物品。秦山住的病房共有八人，有两个人在吸氧气。在垂危者那长一声短一声的呼吸声中有其他病人的咳嗽声、吐痰声和喝水声。李爱杰听主治医生讲要给秦山做 CT 检查，这又是一笔不小的开销。但李爱杰豁出去了。

秦山住院后脸色便开始发灰，尤其看着其他病人也是一副愁容惨淡的样子，他便觉得人生埋伏着的巨大陷阱被他踩中了。晚饭时李爱杰上街买回两个茶蛋和一个大面包。与秦山邻床的病人也是中年人，很胖，头枕着冰袋，他的妻子正给他喂饭。他得的好像是中风，嘴歪了，说话含混不清，吃东西也就格外费力；喂他吃东西的女人三十来岁，齐耳短发，满面憔悴。有一刻她不慎将一勺热汤洒在了他的脖子上，病人急躁地一把打掉那勺，吃力地骂：“婊子、妖精、破鞋——”女人撇下碗，跑到走廊伤心去了。

李爱杰和秦山吃喝完毕，便问其他病人家属如何订第二天的饭，又打听茶炉房该怎么走。大家很热心地一一告诉她。李爱杰提着暖水瓶走出病室的门时天已经黑了，昏暗的走廊里有一股阴冷而难闻的气味。李爱杰在茶炉房的煤堆旁碰到那个挨了丈夫骂的中年妇女，她正在吸烟。看见李爱杰，她便问："你男人得了什么病？"

"还没确诊呢。"李爱杰说，"明天做 CT。"

"他哪里有毛病？"

"说是肺。"李爱杰拧开茶炉的开关，听着水咕噜噜进入水瓶的声音，"他都咯血了。"

"哦。"那女人沉重地叹息一声。

"你爱人得了中风？"李爱杰关切地问。

"就是那个病吧，叫脑溢血，差点没死了。抢救过来后半边身子不能动，脾气也暴躁了，稍不如意就拿我撒气，你也看见了。"

"有病的人都心焦。"李爱杰打完水，盖严壶盖，直起身子劝慰道，"骂两句就骂两句吧。"

"唉，摊上个有病的男人，算咱们命苦。"女人将烟掐死，问，"你们从哪里来？"

"礼镇。"李爱杰说，"坐两天两夜的火车呢。"

"这么远。"女人说，"我们家在明水。"她看着李爱杰说："你男人住的那张床，昨晚刚抬走一位。才四十二岁，是肝癌，留下两个孩子和一个快八十的老母亲，他老婆哭得抽过去了。"

李爱杰提水壶的胳膊就软了，她低声问："你说真要得了肺癌还有救吗？"

"不是我嘴损，癌是没个治的。"那女人说，"有那治病的钱，还不如逛逛风景呢。不过，你也别担心，说不定他不是癌呢，又没确诊。"

李爱杰愈发觉得前程灰暗了，不但手没了力气，腿也有些飘，看东西有点眼花缭乱。

“你家在哈尔滨有亲戚吗？”

“没有。”李爱杰说。

“那你晚间住哪儿？”

“我就坐在俺男人身边陪着他。”

“你还不知道吧，家属夜间是不能待在病房的，除非是重病号夜间才允许有陪护。看你的样子，家里也不是特别有钱的，旅店住不起，不如跟我去住，一个月一百块钱就够了。”

“那是什么地方？”李爱杰问。

“离医院不远，走二十分钟就到了。是一片要动迁的老房子，矮矮趴趴的。房东是老两口，闲着间十平方米的屋子，原先我和那个得肝癌病的人的老婆一起住，她丈夫一死，她就收拾东西回乡下了。”

“太过意不去。”李爱杰说，“你真是好心人。”

“我叫王秋萍。”女人说，“你叫我萍姐好了。”

“萍姐。”李爱杰说，“我女儿也叫萍，是粉萍。”

两个女人出了茶炉房，通过一段煤渣遍地的甬道回到住院处的走廊。她们一前一后走着，步履都很沉重。一些病人家属来来往往地打水和倒剩饭，卫生间的垃圾桶传出一股刺鼻的馊味儿。

秦山在李爱杰要离开他跟王秋萍去住的时候忽然拉住她的手说：“爱杰，要是确诊是癌，咱可不在这儿遭这份洋罪，我宁愿死在礼镇咱家的土豆地里。”

“瞎说。”李爱杰见王秋萍在看他们，连忙抽回手，并且有些脸红了。

“你别心疼钱，要吃好住好。”秦山嘱咐道。

“知道了。”李爱杰说。

房东见王秋萍又拉来新房客，当然喜不自禁。老太太麻利地烧了壶开水，还洗了两条嫩黄瓜让她们当水果吃。那间屋子很矮，两张床都是由砖和木板搭起来的，两床中央放着个油漆斑驳的条形矮桌，上面堆着牙具、镜子、茶杯、手纸等东西。墙壁上挂着几件旧衣裳，门后的旮旯里有个木盖马桶。这所有的景致都因为那盏低照度的灯泡而显得更加灰暗。

王秋萍和李爱杰洗过脚后便拉灭了灯，两人躺在黑暗中说着话。

“刚才看你男人拉你手的那股劲，真让我眼热。”王秋萍羡慕地说，“你们的感情真深哪。”

“所以他一病我比自己病还难受。”李爱杰轻声说。

“唉，我男人没病前我俩就没那么好的感情，两天不吵，三天早早的。他病了我还得尽义务，谁想这人脾气越来越随驴了。我伺候了他三个月了，他的病老是反复，家里的钱折腾空了，借了一屁股的债，愁得我都不想活了。两个孩子又都不立事，婆婆还好吃懒做，常对我指桑骂槐的。”

“你家也靠种地过日子？”李爱杰问。

“可不，咱也是农民嘛。前年他没病时跟人合开了一个榨油坊，挣了几千块钱，全给赌了。”

“那你的钱怎么还呢？”

“我现在就开始干两份活了。”王秋萍说，“每天早晨三点多钟我就到火车站的票房子排队买卧铺票，然后票贩子给我十五块钱。

中午我给一家养猪场到几家饭店去收剩饭剩菜，也能收入个十块八块的。一天下来，能有二十几块吧。”

“你男人知道你这么辛苦吗？”

“他不骂我就烧高香了，哪还敢指望他疼我。”王秋萍长长叹口气，“他将来恢复不好，真是偏瘫了，我后半辈子就全完了。有时候真巴不得他——”

李爱杰知道她想说什么，她在黑暗中吃惊地“啊”了一声。

“你要是摊上了就知道了。”王秋萍乏力地说，“要是你男人真得了癌，得需要一大笔钱，还治不出个好来。到时我帮你联系点活干，卖盒饭，给人看孩子，送牛奶……”

王秋萍的声音越来越细，沉重的疲惫终于遏止了她的声音，将她推入梦乡。李爱杰辗转反侧，一会儿想秦山在医院里能否休息好、夜里是否咳嗽，一会儿又想粉萍在邻居家住得习惯吗，一会儿又想礼镇南坡她家那片土豆地，想得又乏又累才昏昏沉沉睡去。等到醒来后天已经大亮了，房东正在扫地，有几只灰鸽子在窗台前咕咕叫，王秋萍的铺已经空了。

“夜里睡得踏实吗？”房东热情地问。

“挺香的。”李爱杰说，“一路折腾来的乏算是解了。”

房东一边忙活一边絮絮叨叨问李爱杰一些事。男人得的什么病呀，家里几口人呀，住几间房呀。她告诉李爱杰，王秋萍一大早就上火车站排队买卧铺票去了，让她早起后到街角买个煎饼馃子吃。

李爱杰洗过脸，就沿着昨夜来时的路线去医院。街上无论是汽车还是行人都多得让她数不过来，她想，城里的马路才真正是苦命的路。天有些阴，但大多数的女人都穿着裙子，她们露着腿，背着精致考究的皮包，高跟鞋将人行道踩得咯噔咯噔响。她本想在街角买个煎饼馃子吃，但因为惦记秦山，还是空着肚子先到医院去了。一进走廊，就见秦山住的病室的门被推开了，一下子拥出来五六个手忙脚乱的人，有医生，也有神色慌乱的陌生人。跟着推出了一个病人，吓得李爱杰腿都软了。直到看到那病人不是秦山，这才缓口气来，看着他们朝抢救室急急而去。

秦山帮助妻子订了一份小米粥，怕粥凉了，用饭盒扣得严严实实的，搁在自己的肚子上，半仰着身子用手焐着。李爱杰一来，他就笑着从被窝里拿出饭盒，说："还温着呢，快吃吧。"

李爱杰鼻子一酸，轻声问："夜里没咳嗽吧？"

秦山眨眨眼睛，摇摇头，轻声说："你不在身边就是睡不踏实。"

李爱杰眼睛湿湿地看了眼秦山，然后垂头去吃那盒粥。病室窗外的树叶被风吹得飒飒响，像秦山年轻时用麦秸拨弄她耳朵逗她发痒的那股声音。李爱杰看了一眼王秋萍的丈夫，他四肢僵硬地躺在床上，歪着头，贪馋地看着邻床的病人吃烙饼。那表情完全像个不谙世事的小孩子。

秦山的检查结果很快出来了。当李爱杰被医生叫到办公室后她知道一切都完了。

医生说："他已经是晚期肺癌了，已经扩散了。"

李爱杰没有吱声，她只觉得一下子掉进一口黑咕隆咚的井里，她感觉不出阳光的存在了。

"如果做手术，效果也不会太理想。"医生说，"你考虑吧，要么就先用药物维持。不过最好不要让病人知道真实情况，那样会增加他的心理负担。"

李爱杰慢吞吞地出了医生办公室，她在走廊碰到很多人，可她感觉这世界只有她一个人。她来到住院处大门前的花坛旁，很想对着那些无忧无虑的娇花倩草哭上一场。可她的眼泪已经被巨大的悲哀征服了，她这才明白绝望者是没有泪水的。

李爱杰去看秦山的时候为了掩饰自己内心的慌乱，特意从花坛上偷偷摘了一朵花掖在袖筒里。秦山正在喝水，雪亮的阳光投在他青黄瘦削的脸颊上，他的嘴唇干裂了。李爱杰趁他不备将花从袖筒掏出来，“闻闻，香不香？”她将花拈在他的鼻子下。

秦山深深闻了一下，说：“还没有土豆花香呢。”

“土豆花才没有香味呢。”李爱杰纠正说。

“谁说土豆花没香味？它那股香味才特别呢，一般时候闻不到，一经闻到就让人忘不掉。”秦山左顾右盼见其他病人和家属都没有注意听他们说话，才放心大胆地打趣道，“就像你身上的味儿一样。”

李爱杰凄楚地笑了。就着这股笑劲，她装作兴高采烈地说：“你知道我为什么偷花给你吗？咱得高兴一下了，你的病确诊了，就是普通的肺病，打几个月的点滴就能好。”

“医生跟你说了？”秦山心凉地问。

“医生刚才告诉我，不信你问问去。”李爱杰说。

“没有大病当然好，我还去问什么呢。”秦山说，“咱都来了一个多礼拜了，该是收土豆的时候了。”

“你放心，咱礼镇有那么多的好心人，不能让咱家的土豆烂到地里。”李爱杰说。

“自己种的地自己收才有意思。”秦山忽然说，“钱都让你把着，你就不能给我几百让我花花？”

“我才没那么抠门呢。”李爱杰抿嘴一乐，“你现在躺在医院里又不能出去逛，你要钱有什么用？”

“订点好饭呀，托人买点水果呀什么的。”秦山端起水杯喝了几口水，然后说，“身上有钱踏实。”

李爱杰就从腰包数出三百块钱给了秦山。

当天下午，护士便来给秦山输液了，是一种没贴药品标签的液体。李爱杰一边陪他输液一边和他说着温暖话。到了黄昏，输完液，送饭的来了。他们又一起吃了米饭和豆角。秦山吃得虽然少，但他看上去情绪不错，因为他一直在说话。

黄昏了。王秋萍来给丈夫送饭，她黑着眼圈，手上缠着绷带。她这两天特别倒霉，铁路打击票贩子，票贩子都不敢出现了。她想自己买票暗中高价卖掉，不料这一段天天起得迟，到了售票处只能排到队尾，自然毫无所获，而且手又不巧被铁栅栏给划破了。她丈夫虽然脾气不好，但食欲却比往日还要旺盛，整天指着名要鸡要鱼的，王秋萍只能硬挨着。

“秦山，你也喝点鸡汤吧。”王秋萍说。

“我和爱杰刚吃过。”秦山和悦地笑笑，“谢谢了。”

王秋萍的丈夫恨恨地瞪了王秋萍一眼，说：“你看他比我年轻，让他喝我的鸡汤，你勾引人——”

王秋萍摇头叹口气，无可奈何地给丈夫一勺一勺地喂鸡汤。喂完丈夫，她和李爱杰一起上厕所，突然说：“那么多不该进太平房的人都进了那里，他这该进的却天天活着磨人。有时候真想毒死他。”

李爱杰怔怔地看着王秋萍，失神地说：“秦山确诊了。”她突然扑到王秋萍怀里哭起来，“我还不如你，想让他磨我也没这个日子了！”

两个中年女人相抱在一起哭成了泪人，将一些上厕所的人吓得大惊失色。

那一夜王秋萍和李爱杰几乎彻夜未眠。两个人买了瓶白酒，喝得酩酊大醉，将在厕所没有哭完的泪水又哭了出来。刚开始时两人都觉头昏沉沉的，奇怪的是哭得透彻了倒把酒给醒了，毫无睡意。两人便讲起各自的家世，说得天有晓色，才觉得眼睛发涩，便都酣然沉睡于蓓蕾般的黎明中。

李爱杰梦见自己和秦山去土豆地铲草，路过草甸子，秦山为她采一枝花，掉进了沼泽中。眼看着人越陷越深，急得李爱杰大喊起来，一个激灵从睡梦中坐了起来。揉揉太阳穴，看着矮桌上的空酒瓶和吃剩的香肠、豆腐干、花生米，她才忆起昨夜和王秋萍喝酒的事。王秋萍裹条薄绒毯子，睡得头发披散，鼻翼微微翕动，面色也比白日里看上去好多了。李爱杰抓过手表，一看已经是正午时分了，吓得非同小可，连忙推醒王秋萍，“萍姐，中午了，咱们还没去医院呢。”

王秋萍也“哎哟”一声坐起来，用手背使劲揉了下眼睛，懊恼地自责，“唉，排不成车票，连猪食也收不成了。”她直了直腰，忽然又四仰八叉躺倒在床，一副听天由命的样子，“反正已经中午了，不如睡到晚上，还能省顿饭。”

李爱杰知道她在说气话。待她梳洗完毕回到小屋，王秋萍果然已经起床了。她对李爱杰说，过两天她要回明水一趟，夜里她梦见两个孩子让狗给咬了，“一个咬在胳膊上，一个咬在腿上，扑在我面前哭得起不来，孩子托生在我家真是可怜。”

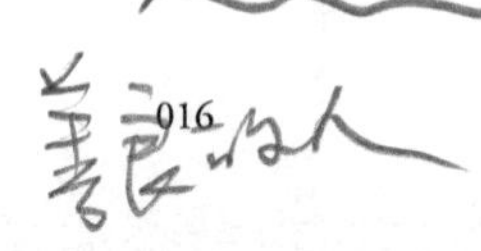

“梦都是反着来解的。”李爱杰安慰她，“你梦见他们哭说明他们笑。”

“咳，我想孩子了。”王秋萍又是一声长长的叹息，“也该秋收了，总不能老指着我娘家人帮忙吧？”

“是该秋收了，我们家有好大一片土豆地呢。”李爱杰说这话的感觉就像没过足秋天双脚却踩在了初冻的薄冰上，有一种说不出的失落和凄楚。

两个人说着话来到街上，各自买了一个煎饼馃子，倚着浮灰重重的栅栏吃起来。阳光很灿烂，她们眯缝着眼睛，百无聊赖地看着行人、车辆、广告牌，听着汽车喇叭声、磁带销售摊前录音机播放的流行歌曲声以及此起彼伏的叫卖声。

她们赶到医院时午饭已经过了。李爱杰一进病房就傻了眼。秦山不见了，病服堆在床上，床头柜上的饭盒等东西也不见了。

护士正在给患者扎针，见了李爱杰便态度生硬地说：“五号床的家属，你们家的病人怎么不见了？”

“昨晚我离开时他还好好地待在这里，他怎么会出了医院？”李爱杰气急地说，“该问你们医院吧？”

“医院又不是托儿所。”护士没有好气地说，“还住不住了？不住还有其他病人等着床呢。”

李爱杰掀开秦山的床单，见床下的拖鞋也不见了，她便害怕地坐在床头哭起来。邻床的一位患者说，晚上秦山还睡得好好的，凌晨四点左右，天才放亮，秦山就下床了，他以为他去解手了。

秦山会不会去死呢？昨天她和王秋萍在厕所哭了一场，尽管回病房前洗了好几遍脸，又站在院子的风中平静了一番，可她红肿的眼睛也许让他抓到蛛丝马迹了。他没有告别就走了，看来是不想活了。

王秋萍顾不上自己的丈夫了，连忙陪同李爱杰去找秦山。她们去了松花江边、霁虹桥的铁路交叉口以及公园幽深的树林，一切可以自杀的场所几乎都让她们跑遍了，然而没有什么人投江、卧轨或是吊在公园的树下。天黑的时候，她们仍不见秦山的影子，有的只是源源不断的、形形色色的陌生的归家人。李爱杰趴在霁虹桥的绿铁栏前痛哭起来。

她们绞尽脑汁想秦山会去哪里，最后王秋萍说也许他去极乐寺出家了。李爱杰也觉得有些道理，也许秦山以为遁入佛门会使他的病和灵魂都得到拯救。于是她们又挨过一个不眠之夜后，一大早就去了极乐寺。她们找到住持，问昨天是否有人要来出家。住持双手合十念了声“阿弥陀佛”，然后微微摇头。她们便又去了大直街上的天主堂和一处基督堂。她们为什么去教堂？也许她们认为那是收留人灵魂的地方。转到下午，仍不见秦山的影子。她们又跑回住处看房东家的电视，看本市午间新闻是否有寻人启事或者是意外事故的发生，结果她们毫无所获。

一直到了下午两点，处于极度焦虑状态的李爱杰才突然意识到秦山一定是回礼镇了。一个要自杀的人怎么会带走饭盒、毛巾、拖鞋等东西呢？她又联想起秦山那天朝她要钱的事，就更加坚定地认为秦山回了家乡了。李爱杰开始打点回家的行装。

“萍姐，一会儿跟我去办出院手续。”李爱杰头也不抬地说，“秦山一定是回了家了。”

“他不想治病了？”王秋萍大声叫道。

“他一定明白他的病是绝症了，治不好的病他是不会治的。”李爱杰哽咽地说，“他是想把钱留下来给我和粉萍过日子，我知道他。”

“这么善良的人怎么让你摊上了？”王秋萍抽咽了一下，“他回家怎么不叫上你？”

“叫上我，我能让他走吗？”李爱杰说，“今天的火车已经赶不上了，明天我就往回返。”

一旦想明白了秦山的去处，李爱杰就沉静下来了。下午王秋萍陪她去办出院手续，院方开始不退住院押金，说病人已经住了一周多了，而且又用了不少药。李爱杰说不过他们，便去求助于秦山的主治医生。医生听明情况后，帮助她找回了应退还的钱。

晚间，李爱杰打开旅行袋，取出一条很新的银灰色毛料裤子，递给王秋萍，“萍姐，这是我三年前的裤子，就上过两回身。城里人爱以貌取人，你去哪儿办事时就穿上它。你比我高一点，你可以把裤脚放一放。”

王秋萍捧着那条裤子，将它哭湿了好大一片。

李爱杰赶回礼镇时正是秋收的日子，家家户户都在南坡地里起土豆。是午后的时光，天空极其晴朗，没有一丝云，只有凉爽的风在巷子里东游西逛。李爱杰没有回家，她径直朝南坡的土豆地走去。一路上她看见许多人家的地头都放着手推车，人们刨的刨、捡的捡、装袋的装袋。邻家的狗也跟着主人来到地里，见到李爱杰，便摇着尾巴上来叼她的裤脚，仿佛在殷勤地问候她：“你回来了？”

李爱杰远远就看见秦山猫腰在自家的地里起土豆，粉萍跟在他身后正用一只土篮捡土豆。秦山穿着蓝布衣，午后的阳光沉甸甸地照耀着他，使他在明亮的阳光中闪闪发光，李爱杰从心底深深地呼唤了一声："秦山——"双颊便被自己的泪水给烫着了。

秦山一家人收完土豆后便安闲地过冬天。秦山消瘦得越来越快，几乎不能进食了。他常常痴迷地望着李爱杰一言不发。李爱杰仍然平静地为他做饭、洗衣、铺床、同枕共眠。有一天傍晚，天落了雪，粉萍在灶间的火炉上烤土豆片，秦山忽然对李爱杰说："我从哈尔滨回来给你买了件东西，你猜是啥？"

"我怎么猜得出来。"李爱杰的心咚咚地跳起来。

秦山下了炕，到柜子里拿出一个红纸包，一层层轻轻地打开，抖搂出一条宝石蓝色的软缎旗袍，那旗袍被灯光映得泛出一股动人的幽光。

"哦！"李爱杰吃惊地叫了一声。

"多亮堂啊。"秦山说，"明年夏天你穿上吧。"

"明年夏天——"李爱杰伤感地说，"到时我穿给你看。"

"穿给别人看也是一样的。"秦山说。

"这么长的衩，我才不穿给别人看呢。"李爱杰终于抑制不住地哭着扑倒在秦山怀里，"我不愿意让别人看我的腿……"

秦山在下雪的日子里挣扎了两天两夜终于停止了呼吸。礼镇的人都来帮助李爱杰料理后事，但守灵的事只有她一人承当。李爱杰在屋里穿着那条宝石蓝色的软缎旗袍，守着温暖的炉火和丈夫，由晨至昏，由夜半至黎明。直到出殡的那一天，她才换下了那件旗袍。

由于天寒地冻，在这个季节死去的人的墓穴都不可能挖得太深，所以覆盖棺材光靠那点冻土是无济于事的。人们一般都去拉一马车煤渣来盖坟，待到春暖花开了再培新土。当葬礼主持差人去拉煤渣的时候，李爱杰突然阻拦道："秦山不喜欢煤渣。"

葬礼主持以为她哀思深重，正要好言劝导，她忽然从仓房里拎出几条麻袋走向菜窖口，打开窖门，吩咐几个年轻力壮的人："往麻袋里装土豆吧。"

大家都明白李爱杰的意图，于是就一齐动手捡土豆。不出一小时，五麻袋土豆就装满了。

礼镇人看到一个不同寻常的葬礼。秦山的棺材旁边坐着五麻袋敦敦实实的土豆，李爱杰头裹孝布跟在车后，虽然葬礼主持不让她跟到墓地，她还是坚持随着去了。秦山的棺材落入坑穴，人们用铁铲将微薄的冻土扬完后，棺材还露出星星点点的红色。李爱杰上前将土豆一袋袋倒在坟上，只见那些土豆咕噜噜地在坟堆上旋转，最后众志成城地挤靠在一起，使秦山的坟豁然丰满充盈起来。雪后疲惫的阳光挣扎着将触角伸向土豆的间隙，使整座坟洋溢着一股温馨的丰收气息。李爱杰欣慰地看着那座坟，想着银河灿烂的时分，秦山在那里会一眼认出他家的土豆地吗？他还会闻到那股土豆花的特殊香气吗？

李爱杰最后一个离开秦山的坟。她刚走了两三步，忽然听见背后一阵簌簌的响动。原来坟顶上的一只又圆又胖的土豆从上面坠了下来，一直滚到李爱杰脚边，停在她的鞋前，仿佛一个受宠惯了的小孩子在乞求母亲那至爱的亲昵。李爱杰怜爱地看着那个土豆，轻轻嗔怪道："还跟我的脚呀？"

腊月宰猪

礼镇的百姓一进腊月就开始忙年了。喝过了腊八的杂米粥，女人们就开始围着锅灶蒸面食。馒头、花卷、豆包、糖三角、枣山、菜包等等五花八门地蒸个遍，这才觉得正月的主食跟皇帝后宫的嫔妃一般像模像样了，女人们用手背捶捶腰，去摸针线盒里的剪子，在缜密光亮的红纸上铰起窗花来。鸳鸯、鲤鱼、荷花、山雀、菊花、百合花、小老虎的形象就在剪子曲曲弯弯的走动中脱颖而出。小孩子最乐意做的一件事，就是用稚嫩的手去接从母亲的剪刀下婀娜脱落的窗花，忙不迭地一层层掀开那剪纸，看看鲤鱼胖不胖、百合花是否带着长长的蕊。

蒸过了干粮，铰过了窗花，又拆洗了被褥，糊了灯笼，买了飘逸着吉祥话语的春联，备下了一帘鞭炮，一个声色兼备的年才初具雏形了。接下来女人们热衷的事情便是买水豆腐。

别以为男人在腊月里便闲着了，他们也不能对年袖手旁观。清理院子的积雪、劈柴、竖灯笼杆、采买、冻冰灯的活儿非他们莫属。当然，他们最盼望做的一件事就是请齐大嘴来宰猪。

礼镇的大多数人家开春时都要抓头猪崽来养。灶上的剩饭剩汤，地里的野菜，外加几袋麦麸子，一头猪便养了下来。当然，猪也有命不好的，没等人杀它，它自己得瘟病先死了，但活下来的还是大多数。活下来的一到腊月便全成了齐大嘴刀下的“阶下囚”。女人们在去买水豆腐的路上，常常能听见猪嗷嗷嗷的叫唤声，便知有人在捆它，齐大嘴要动刀子了。

礼镇唯一不养猪的人家养着一头驴，这便是齐大嘴家。齐大嘴每给人家宰完猪，主人总要送些头、蹄、下水或肉酬谢他。几十头猪宰下来，他家仓房的冻肉就相当不薄了，放开量吃到二月二也绰绰有余。

齐大嘴宰猪，他妻子齐二嫂做豆腐。豆腐房临着他们的睡房，是土坯房，很矮，很宽敞。他们的儿子齐小放十四岁了，单薄内向，见人爱脸红，连年在校蹲级，所以齐大嘴对他的前程不抱太大希望，宰猪时便带上他，希望能把手艺传给儿子。齐小放不喜欢宰猪的行当，看到刀要往猪脖子里进了，他便先扭歪了脖子去看其他东西，雪、云、栅栏，或者墙上的辣椒串，根本不知道他父亲是如何游刃有余用刀的。齐小放喜欢做的事是牵驴。每天凌晨，天还黑得很，他便起来牵驴拉磨。他跟在驴身后，一边往磨眼里添泡胀了的黄豆，一边用铁铲子将磨好的豆浆刮到铁桶里。有时候驴走多少圈他就走多少圈，他也不晕。不过驴蒙着黑皮眼罩，他睁着晶亮的眼睛望着磨盘上一盏昏暗的灯。他有时还低声给驴唱歌。他和驴昏天黑地走了不知多少圈后，齐二嫂才起来烧水做豆腐。

齐二嫂每天起来对他说的第一句话就是：“小放，让驴歇着吧。”

好像他不该歇着似的。不过驴的确是够累的。拉完磨，身上都是汗，腿打着哆嗦，见了豆饼都没胃口。齐小放便心疼地抚摸驴的脸，牵它到户外透透好空气。那时候天色还蒙昧着呢。

齐小放最受不了的一件事就是父亲喝酒后老爱奚落他。齐大嘴有一副无与伦比的大嘴，说话时两个嘴角都要和耳根连成一处了，齐小放在聆听父亲的教诲时从来不看他的嘴。他酒后说齐小放的话永远是那么一句："小放，你连着蹲级，咱礼镇有第二个你这样的孩子吗？没有！你真英雄！"

齐小放这时候就恨不能藏到驴的肚子里去。他讥讽他"你真英雄"时，齐小放好几次都眼泪汪汪几乎喊出"你就骂我狗熊得了"，可他从来没有反抗过。这时齐二嫂便过来用鞋掌打一下齐大嘴的脚心，骂："明天阎王爷就来缝你的臭嘴了。"

齐小放的屈辱才在母亲温存的目光中化解一些。

礼镇过了腊月就忙年，最忙的当然是齐家。一个要不停地宰猪，一个要不断地做水豆腐。水豆腐买回后大都放在案板上在外面冻成坨，然后装到纸箱中，随吃随取。一家买一板豆腐还是少的，几代同堂的人家就要买三四板了，忙得齐二嫂直怕过年。她做豆腐的手艺出名的好，礼镇的人又个个相熟，不做不妥，只好挨累了。齐二嫂因此落下了好人缘。当然，她也不是白给人做豆腐，除了收取黄豆和加工费外，一些女人还主动帮她拆洗被褥、送些蒸好的干粮，甚至连窗花也为她铰好了。齐二嫂长得胖，脸颊终日赤红，腊月里她常常忙得头晕眼花，一天的活儿做下来，她歪在泡纱包的铁盆前连话都懒得说。受到连累的还有驴和齐小放，更要起大早拉磨。有时候齐二嫂从睡梦中醒来，听到驴"嘚嘚"单调的走动声和铁铲子刮磨盘的“嚓嚓”声，她便为驴和儿子叹息。

齐大嘴在腊月的晚上通常是一身酒气提着块猪肉回来。他的腰间掖着一把刀，有一次醉倒半道，刀尖扎了他的软肋，齐二嫂便为他缝了一个刀鞘。约他宰猪的人家，都在他还家前仔细把刀插入鞘中再挂在他腰上。齐大嘴摇摇晃晃走在礼镇被白雪覆盖的小巷里，常常兀自指着天上的星星开玩笑：“你们下来看我呀，那么高你们看得清我的大嘴吗？男人嘴大吃四方！瞧你们那小贫嘴子，没福气！”星星当然不屑与他作答，也不会下凡来看他的大嘴，他便仰着脖子骂不绝口。有一次主人送他一叶肝，他正骂着星星，脚下被冰滑了一下，一头栽倒在地，那叶肝被他压在身下，碎成一摊紫泥。他起身便转而骂毙命于他刀下的猪：“心都让人吃了，你还吝惜你的肝？走你的魂吧！”他以为那猪嫌自己死得冤，来讨债了。他吭哧吭哧地爬起来，趔趔趄趄朝家走去，正赶上齐小放牵着驴从磨房出来，这下又找到了出气的对象，他张开大嘴“啊哈”叫了一声，老生常谈地数落道：“小放，你连着蹲级，咱礼镇你可是独一份啊，你真英雄！”

齐小放吐了口唾沫，没理睬狼狈不堪的父亲，只管牵着驴朝前走。驴在经过齐大嘴身边时，突然用蹄子猛地踢了他一下，齐大嘴“哎哟”一声摔倒在地，气得他疯了似的在院子里大叫着要宰驴，直到齐二嫂出来哄孩子一样劝回他去。

齐小放从此就更视驴为自己的伙伴了。

这年的腊月同往年的腊月一样忙碌不堪。齐大嘴天天去宰猪，每日都烂醉如泥地提块肉回来。齐二嫂在热气缭绕的豆腐房里一板接一板地压豆腐。她用脚压木棒给豆腐挤水时常常觉得头晕眼花，还有些恶心，可她是不能停下来休息片刻的，那些等着豆腐的女主人快把她家的门槛踏平了。腊月二十三，正是送灶王爷升天的日子，不少人家开始给列祖列宗上香了，齐二嫂午后给豆腐点卤水，只觉头重得很，肩膀仿佛不是自己的不听使唤，她花着眼叫了声“小放”，便栽倒在地，卤水泼了她一手。齐小放当时正在院子里劈柴火，他是听不见齐二嫂的呼唤的，何况齐二嫂使尽全身力气的那喊声本身就绵软无力。

齐二嫂在屋里昏厥着，灶里的柴火和睡房中的挂钟却该燃的燃，该走的走。齐小放劈完柴火，又把它们摞到墙角，刚想进屋喝口水，忽然听见驴一声一声地叫了起来，他便去看驴。驴的眼睑处蒙着白霜，并不像是害病的样子，想必它是累极了。齐小放用手抚摸了一下它的腿，不料驴用蹄子踹了他一脚，将他掀翻在地，并且更加急促地声声叫唤着。

齐小放不由委屈落泪了，倒在地上对驴说：“你累我也累呀，这不是要过年了吗？家家都要吃豆腐。要不以后一进腊月你就逃出齐家，到了正月再回来。”

驴仍然忧戚地叫着。

齐小放不明白驴究竟怎么了，他便想着进屋让母亲出来看个究竟。他推开豆腐房的门，便大声说：“妈妈，你快出来看看驴，它今天老是叫个不停。”没有人回答，齐小放只看见灯泡在强烈的热气中朦朦胧胧地泛出虚弱的黄光。他便移动着脚步朝前走，结果他被横躺在地的母亲给绊倒了，“妈——妈——”这一声呼喊是恐惧而凄厉的。

齐二嫂没气了，她七窍出血。齐大嘴其时正在尤前家的八仙桌子旁吃血肠喝烧酒，咧着大嘴与尤前猜拳行令。邻居来人慌慌张张报与他齐二嫂出了事时，他竟嘻哈笑着说：“她那么红的脸，那么个肥屁股，她会有病？她不是想我了，诳我早点回去吧？”

邻居上前打了他一巴掌，他这才趿上鞋光着脑袋回家。一进屋见到齐二嫂直挺挺的样子，他的眼睛就不会转了。齐小放蜷缩成一团哭得眉眼不分了，他上前踹了儿子一脚，“我出去宰头猪，你妈就没了，她可真会找时间。你别哭她，你啐她这个狠心婆，她让我打光棍没什么，她怎么舍得让你没个娘！”骂着，就跟儿子哭到一处了。

腊月二十五，全礼镇的人都来给齐二嫂送葬。念着她生前数不尽的好处，她的葬仪可以说是十全十美了。厚重的红松木棺材，棺檐飞着云字卷，齐二嫂一身黄袍躺在里面，手指上挂满了金箔纸做的戒指。灵柩一起来，女人们就抬着纸糊的马、牛、房子、椅子、聚宝盆、灯、箱子等等，簇拥着满身孝服打着灵幡的齐小放朝墓地走去。哭声连成一片。齐大嘴跟在棺材后，哭得爹一声妈一声的，样子分外可怜。走到出镇的十字路口，遵照夫妻不送到墓地的旧俗，齐大嘴要反身回家。礼镇几个常帮齐大嘴捆猪的男人上来架住齐大嘴，要把他劝回家去。齐大嘴哭哑了嗓子，他拼命跺着脚，显出一副夫妻恩爱难以割舍的样子。不料他在胡乱跺脚时被人扭结着，竟蹬飞了一只鞋子，他光着一只黄赤赤的脚，惹得几个涉世不深的孩子笑起来。

葬过了齐二嫂，便是腊月二十六了。礼镇的百姓怕齐大嘴闲下伤心，便仍来请他宰猪。他日日都醉着回来。好心的女人们为齐小放做了新衣裳，还帮齐家拾掇屋子。因为死了齐二嫂，家家都不想吃豆腐了，豆腐会让他们想到齐二嫂的死。

该贴窗花的人家贴上了窗花，该挂灯笼的人家挂上了灯笼，该贴春联的人家也贴出了春联，当然这就是除夕的时辰了。齐小放坐在一个磨盘上，呆呆地看着煮豆子的锅，看着X形的压豆腐的木架，压杆又光又亮，他想起母亲的那双手，他哭了。齐大嘴看见儿子哭，又因为和不好饺子面，也跟着呜咽了一番。

正月一过，学校就开学了，齐小放照例去上学。齐大嘴无猪可宰，就天天倒在火炕上蒙头大睡。每每睡到黄昏时，感觉到已经退热的炕又忽然热燎燎起来，便知齐小放从学校回来烧火了。他便起来给儿子弄饭吃。他切的土豆丝比小拇指细不了多少，炖萝卜时常常爆糊了葱花，齐大嘴这才明白一个家没有了女人是多么的失败。所以刚一开春，齐大嘴就去找礼镇的媒婆，让她好歹给他找个女人，丑俊无关紧要，健康就行。谁知媒婆深深念着齐二嫂的贤惠，齐大嘴前脚一走，她就跺脚痛骂："老婆死了没几天就起花心了，真没出息！"当然也就不会帮他物色人选了。媒婆又不失时机将齐大嘴要找后的消息传播出去，弄得女人们个个切齿痛骂："就是装也得装半年吧，这么快就要寻新了！"本来有一个比齐大嘴年长五岁的黄脸寡妇有意于他，但听了众人的话，也认为齐大嘴是一个薄情寡义的人，怕自己的余生被齐大嘴弄得比现在还黯淡，也就不想秦晋结好之事了。

齐大嘴求亲不成又丢了面子，便知趣地待在家里找点营生干。他将厕所的粪刨出来，堆在园子里预备种地用。他还将仓房里积存多年的破烂当垃圾一样清理出来，破胶鞋、烂棉花、被虫蛀了的蘑菇、霉烂的豆角干、油光可鉴的猪皮等等，统统收拾到粪堆上，想让粪沤烂它们，也变成肥料。不料这给那些经常盘桓在礼镇上空的乌鸦设下了一道丰盛的筵席，它们连日来呱呱叫着纷纷落到齐大嘴家的粪堆旁，悠闲地聒噪觅食，轰也轰不走。齐大嘴因为寂寞，倒觉得乌鸦的到来其乐融融，索性也就不轰它们了。春日的奶白的阳光将乌鸦的羽翼照得格外柔和，齐大嘴甚至觉得它们是这世界上最美丽的大鸟了。

因为齐家的园子招来了乌鸦，又因为齐大嘴闭门不出，每日频频地站在粪堆旁看乌鸦，礼镇的女人又动了恻隐之心，纷纷找媒婆为齐大嘴求亲了。媒婆心中有数，她去找那位年长齐大嘴五岁的黄脸寡妇，不料寡妇嫌齐大嘴家招来乌鸦，并非吉兆，说齐大嘴“克妻”，说什么也不肯。媒婆绞尽脑汁，再无人选可挖，也就只能抱着同情的份了。

礼镇到了五月才进入春播时节，因为四月末积雪才全部消融。家家户户的屋前屋后都种着园子，羊角葱返出拇指般的绿芽后，最先被播上的就是菠菜。菠菜泛出抽丝般的嫩芽后，小白菜、水萝卜也就开播了。跟着便是香菜、豆角、黄瓜等等。而被大面积播种的就是土豆了。土豆生长期长，好伺候，能当粮吃，所以为礼镇的百姓所喜爱。种土豆也就成了一件大事。家家此时都架起手推车，将土豆栽子装到麻袋里，抬到手推车上，还将土筐、镐头等工具放上去。土豆地大都在礼镇南坡下的草甸子上，面积很大，一家挨着一家，每户至少都有两三垧地，所以大多数人家都要种一两天。以往齐二嫂在世时，齐大嘴一家也推着手推车去土豆地，齐小放远远地跟在身后，像是只离群的羊。现在齐二嫂不在了，齐家的驴就担起了拉手推车的任务。车并不沉，所以驴走得悠闲而斯文。齐小放坐在驴车上，看着远远跟在驴车后的父亲。往年拖后的位置总是他，父亲和母亲在前面不厌其烦地说话。如今是父亲孤孤单单地落在后面了。他耷拉着脑袋，步子拖拖沓沓，老像是被什么东西给绊了脚似的。齐小放那一刻觉得父亲是可怜的。

齐小放对父亲态度的转变就始于那一瞬间。种完土豆后，齐小放照例很用功地上学，虽然说学业毫无长进。他回到家就主动和父亲说话，帮他干点农活和家务活。齐大嘴对着越来越懂事的儿子慈爱有加。人们常常看见爷俩一起喂驴，一起夹障子，一起给土豆打垄，一起支豆角架。清晨的雾气里或者黄昏的夕照中就常常出现这一高一矮的父子俩的身影。

七月末的时光是礼镇最热的一段日子。那时节菜园里已经一片翠绿了。爬蔓的豆角、豌豆和遍地匍匐的葫芦瓜使绿色高高低低起伏着，家家户户晚饭后都坐在院子里点起艾蒿来熏蚊子，齐家也不例外。这天的傍晚空气燠热，一大堆火烧云翻涌在西边天，礼镇弥漫着熏艾蒿的苦香气。齐大嘴和儿子也守在艾蒿旁乘凉。驴在不远处悠闲地吃草，咀嚼声温柔地舔着暮色，使齐家洋溢着和平之气。暮色深沉的时候，齐大嘴忽然听见大门“吱嘎”一声响了，尤前笑嘻嘻地走了进来，他俯身趴在齐大嘴耳边小声说：“齐哥，你有喜事了。”

“喜”字使齐大嘴打了个寒噤。

尤前仍然小声说：“刚才我在路上遛猪，碰到一个女人，一看就是外地来的，挽着个包袱，管我叫‘大哥’，说她家是河北农村的，闹了饥荒，出来找口饭吃，想让我帮她找个人家。我一问她，她男人才死没多久，我就把她领到你这儿来了。”

齐大嘴咽了口唾沫，说：“这保险吗？”

“还有什么不保险的。”尤前说，“人我都给你领来了，就在大门外，你今晚想洞房花烛夜也行。”

齐大嘴张口结舌地看了看齐小放。

齐小放什么也没说，只是往火上又添了把艾蒿，烟气更浓了。齐小放拼命咳嗽了几声。

尤前打开大门领进来的小媳妇使齐大嘴目瞪口呆。虽然天色昏暗不堪，他还是一眼望穿这是一个有着身孕的女人。她明显地腆着肚子，盯着齐大嘴看。

齐大嘴不由贴着尤前的耳朵咒他：“不干不干，揣着崽的人你也给我领来了，我可不当这个土鳖！”

尤前这才恍然大悟地埋怨外乡女说：“你肚子里有了种，怎么还让我帮你找人家！”

外乡女忽然“扑通”一声跪倒在地，眼泪汪汪地对齐大嘴说：“大哥，你收留我吧，我会缝衣做饭，我还会种地喂猪。俺男人死时这孩子在肚子里都四个月了，舍不得做下来，俺兄弟媳妇不生养，等生下孩子，送给她，不会给你添这个累赘的。”

齐小放用棍子挑了一下艾蒿，然后一摔门回屋了。

当夜这外乡女就睡在了齐家的磨房，她开始了在齐家的生活。那女人说话侉声侉气，眼睑处生满雀斑，皮肤粗糙，长长的鼻毛总是伸出鼻孔。她每每烧火蹲下时要“嗯嗯”叫着，这“嗯”也带着与众不同的侉气，使心中对她存着旺盛火气的齐小放在听她“嗯嗯”时忍不住要发出笑声。

不过她料理家务的本事简直无可挑剔。无论里屋、外屋、仓房、磨房，都被她那双手给拾掇得有板有眼。厨房的各种餐具也被她用灶底灰吭哧吭哧地擦得油光可鉴。她最热衷的事情就是做饭，一天三顿地换着花样做，不厌其烦。而且她食欲惊人，一个人的饭量顶得上齐大嘴爷俩的。她吃饭时总是发出“吧唧吧唧”的声音，眼睛贪婪地盯着菜盘，仿佛穷人看见了金子。她对待齐小放也细心周到，为他补衣裳，有时也词不达意地关心关心他的学习。

外乡女名正言顺成了齐家的女主人。但她并不允许齐大嘴碰她。她独自睡了半个月磨房，直到有天深夜齐大嘴借着酒劲去搂抱她，说她再让他晾鱼干他就像轰条野狗一样将她赶出家门，她这才跟齐大嘴睡一铺炕，不过一个炕头，一个炕尾。她说自己身子沉不方便，要等到孩子生下满月后再和他在一起。齐大嘴是过来人，虽然心中不痛快，但想想她已经睡在自己屋中，煮熟的鸭子飞不了，便也心安理得。

外乡女的肚子一天天大起来。礼镇的女人路过齐家门口时都有意停下来朝里面张望一番。她有时站在园子里剥葱，有时在院子里喂驴，她总有活儿干。望见她形象的女人就回家跟自己的男人说：“齐大嘴的那个女人，脸黑得像头驴，没一处受看的，倒是能干得很！”

外乡女也从不走出屋门和其他女人打交道。齐大嘴一问她的家世，她便只是一个劲儿地哭，弄得他不好再惹她伤心。她的来路不明也隐隐使齐大嘴忐忑不安。但齐大嘴一看她对齐家的热爱也就抵消了怀疑。她似乎嘴馋得很，有一天她特别想吃桃，害得齐大嘴星夜进城为她买回好几斤，她坐在门槛前不出一个小时就全部吃光了。她吃东西累了的时候眼神特别柔和，那时齐大嘴就忍不住想亲她。逢到星期天，齐大嘴就起大早进城割块猪肉回来，让那女人为一家人包饺子吃。她包的饺子馅很大，往往饺子在沸水里没等打上三回滚就撑破了肚皮，仿佛只有饺子皮是齐家的，而肉馅则是别人家的，不狠狠打馅就吃亏似的。不囫囵的饺子就当面片汤喝，照样好吃。外乡女在齐家住了两个月。不唯养肥了肚子，还使她青黄的脸上现出了红晕。她开始跟齐大嘴有说有笑，齐大嘴也渐渐喜欢上了她。把家里的钱财数目毫不隐讳地告诉给她，还让她来理财。她开始推托不就，仿佛掌管财权是多么棘手的事，后来她还是笑意盈盈收下了钱匣子的钥匙。她用松紧带拴了钥匙，戴到手脖子上，齐大嘴要打酒或是齐小放要书本费时她就像头熊笨拙地靠近那个木匣子，打开它，一五一十地数着钱。她还喜欢夜晚坐在昏暗的灯下整理旧衣裳，尤其爱摆弄齐二嫂遗下的那些衣裳，有时手抚弄着衣裳，眼神却是呆滞的，心也不知飞到了何处。有一天她抖搂出一条齐大嘴的旧裤子，那上面缀了七八块补丁，她说："哎，这裤子旧成这样了，不要不行吗？"

齐大嘴一见那几块针脚匀密的补丁，便想起齐二嫂灯下飞针走线的情景，想起她赤红的脸蛋、丰腴的身段和腊月间马不停蹄压豆腐的情景，他心里有些酸，便语气强硬地说："这裤子可不能不要。"

"这么多的补丁。"外乡女嘀咕一句，"驴都不稀罕穿。"

"你要把它做什么？"齐大嘴压住火气问。

"我要把它扯碎了给孩子当尿布。"她理直气壮地说。

齐大嘴的火气就抑制不住地冒了出来，本来她肚子里的孩子已经使他在礼镇人面前折弯了腰，现在她居然毫无廉耻地要把他的裤子扯成尿布！齐大嘴踢翻了一只板凳，将脚踏上去，一字一顿地说:“听着，这条裤子是我老婆做的，那补丁也是她一个一个打起来的，你就是毁一条新裤子当尿布，也不能抽这条裤子的一根布丝!”

那女人努力睁圆眼睛，手哆嗦了几下，然后捂着那并不生动的脸，伤心地哭起来，她的哭声也有一股侉气，像是在唱地方戏。齐大嘴心下发狠地想:哭吧，哭伤了身子才好，流下那个野种才干净呢。

外乡女似乎明白并没有人对她怜香惜玉，所以她越哭越不主动，最后擤了几把鼻涕，打盆清水洗了脸，草草结束了那场哭。齐大嘴本以为她生了气，不会再给他们父子做饭了，不料第二天她仍然早早就起来架火淘米做饭，他起来后一盆香喷喷的小米粥已经熬好了，她正蹲下身子吃力地往灶坑里续柴，口中发出惹人发笑的“嗯嗯”声。

秋收过后，菜园便萎靡而荒芜了，屋檐上的白霜银光闪闪。家家户户都往地窖里储存越冬蔬菜，什么土豆、萝卜、白菜、大葱、芹菜等等。齐大嘴和儿子往地窖里下菜的时候常常听到大雁“嘎嘎”叫着南飞，他们便仰着脖子看大雁，雁阵过了再接下来干活。那女人并不懂得如何腌制酸菜，只能糊糊窗缝、晒晒干菜。到了十月的某一天，忽然狂风大作，湛蓝的天不见了，半空里弥漫着烟尘、落叶和纸屑。风一住，黄昏的时候，礼镇下了第一场雪，大地白茫茫，空气寒冷清新，山雀一群一群地飞来，漫长的冬天开始了。

十一月底的一天，那女人忽然嚷着肚子疼，说是要临产了，唤齐大嘴快去叫产婆。那是傍晚，齐小放正在他小屋的灯下费力地看课本，听着那声声凄厉的叫唤，不禁害怕起来。齐大嘴叮嘱儿子烧一锅开水，然后就出门了。他甩着大脚走得飞快飞快的。孩子早出生一天他离幸福之日也就近了一天。接生婆来到齐家后一言不发，脸色阴沉，她是太不想为这个来历不明的女人接生的，但她又却不过齐大嘴乡里乡亲的面子。孩子很顺利地出生了，是个七斤四两的男婴，像只热气腾腾的刚出炉的大面包。齐大嘴看了一眼，心下骂："这小孽障！"

外乡女像模像样地坐了一周的月子，当然是齐大嘴笨手笨脚地伺候她。为了让她发奶，他炖猪蹄、熬鲇鱼汤，吃得那女人的脸颊泛出滋润微红的光泽。礼镇的女人因为怀念齐二嫂，又因为这外乡女一副拒人于千里之外的姿态，所以并没有人来给她下奶。她们听说她生了个男孩，便凑在一处啧啧地说："那么难看的一张脸，倒生了个胖儿子，真有她的！"

外乡女在炕头享受了几天的好待遇后，就主动下炕做饭了。她的额头上包块花毛巾，依然如产前一样卖力地淘米、切菜、打扫房间，手脖上仍然戴着钱匣的钥匙。虽然她已经恢复了轻便的身子，但她在下蹲烧火时仍然发出费力的"嗯嗯"声，带着那种浑然天成的侉气，让人时时有乐的欲望。

那小孩子吃了半个月的奶后，肤色明显白净了，眉眼也越来越好看。齐大嘴常常悄悄观察孩子的相貌，他的大眼睛和小巧的鼻子都不像是外乡女的作品，这么说他亲爹一定是一表人才了。齐大嘴便咽口唾沫心里骂："小遗腹子，再俊也是个苦命的！"

满月一过就到腊月，礼镇的百姓又开始张罗着忙年了。齐大嘴和外乡女商量好了，由他送她和孩子回河北老家，将孩子送出去后，他们再回来完婚过年。外乡女开始准备回老家的东西，什么大蒜、干辣椒、破裤子、刨光的木板，在礼镇人眼里算不上东西的东西，在她眼里全都体面起来。腊八的一大早他们喝过杂米粥后就上路了。礼镇并没有人来送他们。齐大嘴反复叮嘱齐小放一个人在家要锁好门，看好炉子里的火，别烧了房子，还唤尤前的女人常来照看齐小放。虽然说外乡女蒸足了够齐小放吃一个月的馒头，可他却不会做菜。齐大嘴跟礼镇人许下愿，他腊月二十前准能回来，那时再挨家挨户去宰猪。

腊八的深夜，齐小放正在灯下为一道算术题愁眉不展，忽然听到有人敲门。他吓了一跳，父亲才走，谁来打他家的主意？齐小放心惊胆战地挨到门口，刚要问来人是谁，齐大嘴粗哑的声音便响了起来："小放，开门！"

齐小放打开门，见父亲一脸沮丧和寒气地走了进来，一进来就哆嗦到炉门前烤火。身上没了背囊，鞋带也走飞了，脸抽搐着，像是哭不出来的样子。

齐小放明白发生了什么事，他懂事地给父亲烧了盆洗脚水，并且为他烫了一壶热酒。齐大嘴喝过酒，又洗了脚，感觉舒服多了，他钻进被窝，对儿子说："贱货！到了城里买了火车票，她就说要下馆子。我问火车几点开，她说下午三点多钟，我信了。我领她下馆子。她还要了酸菜汆白肉，吃了两大碗，后来她说要上厕所。我就让她去了。我喝了点酒，左等右等她也不回来，心想她不是掉进厕所了吧？你说我也真糊涂，她上厕所抱着个孩子，又背着两个包，我怎么就没警惕呢？等回过味来，跑到火车站，火车已经开了十来分钟了。我真是蠢透了！"说完，便用被头蒙住脸，小孩子一样委屈地哭了。

齐大嘴挨骗的消息很快传遍了礼镇，大家对他又恨又同情。人们猜测这女人并没有死了丈夫，而是躲出来生孩子的，也许她已经生过几个女孩了。还有人说也许她家里穷，孕期吃不到好东西，找地方寻营养来了。当然，归根结底，人们一致认为她是一个十恶不赦的骗子，并且把引荐外乡女的尤前视为元凶。齐大嘴自觉窝囊，嘴上却硬气地说毕竟那女人给他当了半年的牛马，只是没有真的被他使唤住，这使他觉得自己太老实了。

“谁让你不对她下手呢！”尤前骂他，“活该你倒霉！”

“她说她身子沉，又说生过孩子出了满月后要正正经经举行个仪式。”齐大嘴分辩道。

“你还想洞房花烛夜呀？”尤前讥讽道，“一个二手货。”

齐大嘴便无话了。过了腊月初十，他便挨家挨户去宰猪。放了寒假的齐小放开始牵驴拉磨，他竟然能做出不比齐二嫂做的逊色的豆腐，又白又嫩。这使得礼镇的百姓欢喜异常。女人们照例帮助齐家打年糕、剪窗花、拆洗被褥、糊灯笼。齐小放出院子倒脏水的时候能听到捆猪的“嗷嗷嗷”的叫唤声，他便明白父亲又要麻利地动刀子了。齐大嘴每至黄昏都要喝得酩酊大醉地提块猪肉回来，他的杀猪刀插在齐二嫂为他缝的刀鞘里，他每每晃进热气缭绕的磨房就要含糊不清地呼唤：“小放，你出来，你可真有本事，能做这么好的豆腐，咱礼镇有第二个像我这么有福气的爹吗？”

到了年根，齐大嘴才去为尤前家宰猪。他这次只让人捆了猪的前蹄，刀子软绵绵地下去后，猪竟然挣脱了束缚，“嗷”的一声带着刀子沿着墙根疯了似的跑起来，甩得尤前家的院子到处是血，别人都不敢靠前，只能眼睁睁瞅着这猪一点点耗尽气血。气得尤前指着齐大嘴鼻子直骂：“你生我的气，拿我家的猪出什么气呀？大腊月的，它死得那么不痛快，我还怎么忍心吃它的肉？！”

除夕的那天早晨，礼镇的百姓早早就起来了。小孩子们穿上了新衣，兜里塞满了糖果瓜子。大人们忙着贴对子和挂签。齐大嘴和儿子很晚才从被窝爬出来。两个人心灰意懒地架起火，不知该吃什么馅的饺子好，这饺子又如何能捏得天衣无缝。正愁着，镇里管妇女工作的林金兰领着两个妇女上门来了。林金兰快五十了，却穿上了大红缎子袄，脸上拍了脂粉，像是要去扭秧歌。她领来的两个妇女一进门就找活儿干去了。林金兰笑意盈盈地从兜里摸出一张包裹单说：“大嘴，这儿有你一张包裹单，河北来的，敢情是那个小媳妇邮来了东西？”

齐大嘴狐疑地接过包裹单，一看落款的地址真是河北的辖地，心就打鼓似的咚咚地跳了起来。

“谁能给我邮东西？”齐大嘴说，“我那儿没亲戚，又没朋友！”

“邮的啥东西？”齐小放问。

齐大嘴看了看包裹单说：“写的是衣服，咱又不缺衣服穿。”

林金兰说：“为你的事我可挨了批评，上次进城开会，领导说你们镇齐大嘴让一个女人骗了你知道吗？我说那咋能不知道。领导就说，一个无名无姓的外乡女与齐大嘴非法同居半年多，就没过问一下吗？我说那哪叫‘同居’？他们又没睡过觉。会场上的人就全笑了，会都开不下去了。你说说咱就是没文化，以为进了你家门的女子，天经地义就是你的媳妇了。”

齐大嘴愣着，并没在意林金兰的话。

林金兰又说：“今晚的饺子一会儿我们三人就给你包好冻在外面，到时你们只管下就是了。”

齐大嘴什么也没有说，他反身进屋取了户口簿和图章，戴上棉帽子就往屋外走。

齐小放追着父亲问：“爸，你要进城吗？”

齐大嘴点点头。

“我也要去。”齐小放说。

齐大嘴爷俩很快就走在进城的路上了。他们默不作声地一前一后走着，有时抬头看看灰白的天。山路被白雪覆盖着，使通向城里的路明亮光滑。他们走到城里的邮局时出了满身的汗，眼睑和胡子都挂满了白霜。

邮局只有两个值班的人，齐大嘴填好包裹单，将户口簿和图章一并交与服务员。不久，服务员懒洋洋地拎出一个蓝布包裹，将它甩在柜台上。齐大嘴看着那个包裹，像是看着一团活物，有一种说不出的企盼和担忧。

“小放，你把它给我拆开。”他说。

齐小放将包裹放在邮局的长椅上，用指甲勾断了线，细心地拆开了包裹。包裹里有一件崭新的黄布上衣，一看就合齐小放的身，衣服里还裹着一双黑条绒棉鞋，一看尺码便知是为齐大嘴做的。

“他妈的手倒巧！”齐大嘴骂了一句，然后解开鞋带，将旧鞋子脱下，一只臭烘烘的汗脚就钻进了绵软的鞋窠里。他觉得脚底发出一阵窸窣的响声，便拔出脚，伸手一摸，将一张纸条抠出递给齐小放：“给我念念。”

齐小放抽了一下鼻涕，念道：“大哥，对不起了，让我下世当牛做马还你让我平安生个儿子的人情吧。以后年年我都给你做鞋穿。”

齐小放将纸条还给父亲。

“就写这么两句？”齐大嘴问。

“嗯。”齐小放说。

“他妈的。”齐大嘴骂了一句，麻利地将一双新鞋换上，只觉得一双脚掉进了温柔乡，心里直发痒，“手艺真不孬！”说着就领儿子出了邮局。

刚走了几步，齐小放忽然说：“爸，你的鞋子忘在邮局了。”

“不要了。”齐大嘴拍拍儿子的肩膀。

齐大嘴爷俩走在返回礼镇的路上时仍然默不作声，爷俩一前一后走着。快近礼镇的时候，走在前面的齐大嘴忽然听到背后传来儿子嘻嘻的笑声，他停下脚步反回身问：“你笑啥？”

“我想起她说话的侉劲来了。”

齐大嘴便说：“你说她蹲下烧火时那‘嗯嗯’声怎么就让人忘不掉？”

齐小放便越发笑得厉害了。

“咳，”齐大嘴叹气说，“这个骗子，还有点良心是不是？”

“嗯嗯。”齐小放努力学着那女人的声音回答着父亲，惹得齐大嘴辛酸地笑起来。

雾月牛栏

宝坠在暗夜中倾听牛反刍的声音。这种草料与唾液杂糅的声音使他陷入经常性的回忆。他总觉得有什么重要的事情就裹在这声音里，可回忆像深渊一样难以洞穿，他总是无功而还。

继父大约是快死了的缘故，这一段他几乎天天都来牛屋和宝坠说话。有时他一言不发地抚摸宝坠的脑袋，眼睛里漫出混浊的泪水。宝坠就说："叔，你饿了？"因为他饿极了就想哭。

继父摇摇头，青黄的面颊抽搐着，他哆哆嗦嗦地拉住宝坠的手说："等叔死了，你就回屋里去睡。"

"我乐意和牛在一起。"宝坠嘻嘻笑着，"花儿快生小牛犊了。"

花儿是一头棕白相间的花母牛，它左脸有块形似兰花的白斑，这使它比扁脸和地儿都显得漂亮。地儿是一头三岁的黑公牛，是家里耕田犁地的主要劳力；而扁脸矮矮的个子，深棕色，是头年长的公牛，由于尾巴太粗，拉屎时老是弄脏尾巴。宝坠便埋怨它，夜里往槽子里添食时就拍一下扁脸的肚子，"别贪吃个没完啊，吃东西要有时有晌的。”

这话是母亲经常说给他的，如今他转嫁给扁脸。扁脸可不管这一套，它食量惊人地照吃不误，身后的卫生自然也就每况愈下。宝坠曾试图将它的尾巴用绳子拴起，高高地吊在牛栏上，可他仅仅试验着刚把绳子系在牛尾上，扁脸就拉下一盘屎，用尾巴卷着扬到宝坠的脸上，气得宝坠直想割下它的尾巴。

“割下你的尾巴喂狼！”宝坠威胁着，却把扁脸尾巴上的绳子解了下来。

继父已经好些天不来牛屋了。雪儿每次来给他送饭，宝坠就问：“我叔死了吗？”

雪儿就将洁白的牙齿咬得咯吱咯吱地响，恨恨地说：“你才死呢！”

雪儿是宝坠同母异父的妹妹。她清清瘦瘦的，不爱吃荤腥食物，眼睛又黑又大，有几分倔强。母亲常说雪儿的肚子里长满蛔虫。

牛反刍的声音衰竭了，宝坠咂摸咂摸嘴合上了眼睛。才睡着不久，一道强光刺痛了他的眼睛，一股浓烈的汗酸味袭来，母亲声音嘶哑地吆喝道：“宝坠，你醒醒，你起来看看你叔。他要撒手了，想要瞅瞅你。”

“你别让它刺我的眼睛。”宝坠嘟囔着，指着那道射向他的电筒光。

母亲连忙将那光转向别处，正照在中间的牛栏上。三朵拴牛的梅花扣朵朵清幽，只是没有香气沁出。

宝坠坐了起来。

“你快去呀，你叔等不了多久了。”母亲带着哭音说，“虽然说他是你后爸，可待你多好呀！你一住牛屋，他就把这儿拾掇得比人住的屋子还暖和，他还天天给你来送饭，宝坠——”

“我不回人住的屋子。”宝坠复又躺下，“我要和牛睡在一起。”

“你就去这一回。”母亲乞求地俯身抚摸了一下儿子的额头，“明天妈给你烙葱花油饼。”

“卷土豆丝吗？”宝坠的胃因为兴奋而跳了一下。

母亲点点头。

宝坠再一次坐起来，他觉得母亲的那张脸跟冻白菜一样难看，她的头发也跟扁脸的尾巴一样脏。他穿上鞋，为着天明后的一顿美味而出了牛屋。外面有些凉，星光像蟋蟀一样在院子里跳荡，他看见了屋子里的灯光。就在开门的一瞬他害怕了，他瑟瑟颤抖着后退，屋子里的气息使他想哭，他哀哀地说：“我要回牛屋——”

“宝坠！”母亲说，“妈给你跪下不成？”

“宝——坠——”继父的声音像在海浪中颠簸的小船一样晃晃悠悠地飘来。

母亲就势一把将他推进屋子，然后将背后的门关上。

宝坠持续地颤抖着，他见雪儿正端着个黄茶缸给继父喂水。继父斜倚在炕头，眼睛睁得大大的，垂在炕边的胳膊像根干柴棒一样僵直。

宝坠被母亲给推到炕沿前。雪儿瞪了一眼宝坠，把茶缸余下的水泼到地上，然后到窗前去了。

继父的嘴唇像蚯蚓一样蠕动着，他喘着粗气说：“叔要死了，你答应叔，以后你回屋来住，你自己住一个屋，你妈和雪儿住一个屋。”

“妈和叔住一起。”宝坠说。

“可叔要死了，她不能和叔住一起了。”继父说。

“再来个活的叔和她住一起。”宝坠说。

母亲声嘶力竭地上来打了宝坠一下，“孽——障——”

宝坠趔趄了一下，站定后不知所措地看着继父。

“我要和牛住。”宝坠说，“花儿要生牛犊了。”

继父怜爱地看着宝坠，大颗大颗的泪水流到凹陷的双颊。

“叔——”宝坠忽然说，“你死后就不回来了？”

继父“呃”了一声，依然泪流不止。

“那我问你个事。”宝坠说，“牛为什么要倒嚼呢？”

继父曾当过兽医，对牲畜的事自然了如指掌。

“牛长着四个胃。”继父说，“牛吃下的草先进了瘤胃，然后又从那儿到了蜂巢胃。到了这里后它把草再倒回口里细嚼，接着，接着——”

“接着又咽下去了？”宝坠目不转睛地盯着继父问。

继父疲乏地点点头，说：“咽下的草进了重瓣胃，然后再跑到皱胃里去。”

宝坠把“皱胃”听成了“臭胃”，他不由嘻嘻笑道：“牛可真傻，倒来倒去，把那么香的草给弄到臭胃里了。到了臭胃就变成屎了吧？”

继父的泪水流得更凶了，他仍然徒劳地想拉一拉宝坠的手，可他的每一次挣扎都使得他与继子之间的距离在增加。

宝坠惦记着该给三头牛再添些夜草，所以他就转过身朝屋外走。

母亲哽咽着挡住宝坠的去路，她说："你不谢谢你叔这些年对你的养育之恩？"

"他都要死了。"宝坠说，"谢他，他也记不住多一会儿了，还累脑子。"

"你这个傻——"母亲号啕大哭。

宝坠绕开母亲，他朝屋外走去。雪儿蹲在门槛上呜呜地哭。宝坠一脚跨过她，说："你又不死，你哭什么。"

"明天我屁也不给你吃！"雪儿咬牙切齿地指着宝坠的背影说。

"葱花油饼，还卷土豆丝呢。"宝坠得意扬扬地说。

"做梦！"雪儿呸了宝坠一口。

宝坠一回到牛屋花儿就低低地叫了一声，小主人从不夜间出门，它大约为他担心了。地儿也随之温存地"哞——"了一声，就连脾气暴躁的扁脸也短促地应和了一声，加入了问候者的行列。宝坠心下感动着，连忙去给它们添草。取草的路上他被铡刀给绊倒了，爬起后他数落铡刀："白天你还要干活呢，晚上不好好睡觉，伸手拽我干啥。"

干草在槽子里柔软地起伏着，宝坠对着他的仨伙伴说："你们急了吧？我叔要死了，他想瞅瞅我。"他摸着花儿圆鼓鼓的肚子说："我现在知道了，你们长着四个胃，最后的那个胃是臭胃。"

花儿、地儿和扁脸吃过草后慢条斯理地反刍，宝坠支持不住回炕睡下了。

雾气使牛屋的早晨根本不像早晨。有雾的日子宝坠就格外想哭。他坐在炕上，环顾着愈发显得昏暗的牛屋，不明白那雾怎么年年都来。

牛槽上横着的牛栏被一东一西两根柱子支撑得永远那么牢固。那道栏是白桦树做成的，黑色的树斑像是一群人的大大小小的眼睛嵌在那里，有的炯炯有神，有的则呆滞不堪。三朵拴着牛的梅花扣在雾气中颤颤欲动，仿佛真正的花在盛开。宝坠每天要爬到牛槽两次接触牛栏，早晨打落三朵梅花使牛获得去野外的自由，晚上又将三朵梅花重新盘上。他每次在解和结梅花扣的时候都怦然心动，仿佛这个瞬间曾发生过什么重大事情。可他无论如何也想不起什么，一如他听到牛的反刍声就努力回忆仍终无所获一样。

宝坠在雾气中望着那道牛栏。这时牛屋的门开了，一汪亮色如泉水一般涌入，雾气纷纷扬扬地漫了过来。雪儿清脆的声音响了起来：“宝坠，你的饭！”

自从继父病危后，一直都由雪儿来为他送饭。

宝坠没有答应。

雪儿飞快地走到南墙的饭桌旁，将一个碗和一个盘子摆上去。她穿着翠绿色的短褂子，三头牛为着这黯淡光线中的鲜润翠色而无比纵情地叫起来。

“葱花油饼卷土豆丝！”雪儿说，“你别一顿都吃了，留下两张中午吃。”

宝坠还是没有答应。

“妈说了，今天下雾了，路滑，别把花儿带出去了，它要是摔着了，肚子里的牛犊就保不住了。”雪儿伶牙俐齿地说。

宝坠答应了一声，然后问：“叔死了吗？”

“你才死呢！”雪儿几步蹿到宝坠面前，“他要死了你哪有葱花油饼吃，吃个屁！”

“你肚子里都长虫子了，还这么厉害。”宝坠说。

“狗肚子才长虫子呢！”雪儿蹿了一下，那样子像只绿鹦鹉。

“叔怎么还没死。”宝坠颇为失落地说。

雪儿气鼓鼓地离开牛屋，走到门口时她又大声重复：“别带花儿出去啊，外面下雾了，路太滑！”

宝坠跳下炕去吃葱花油饼。他将饼平摊在桌子上，然后将土豆丝卷上。奇怪的是他以回屋见叔为代价换来的美食并未给他带来快乐，他的胃里好像塞满了棉花，再吃进什么都显得多余。他只咽了一张就离开饭桌。

从矮矮的东窗可以看到外面的雾仍然很大。

宝坠跳上牛槽，他站在上面，头颅就越过了牛栏，三朵梅花扣盈盈欲动地望着他。宝坠先解开了两朵，地儿和扁脸就朝门走去。轮到花儿，他踌躇了一下，但还是把那朵花打落了。他跳下牛槽摸着花儿的鼻子说：“今天你要慢点走，外面下雾了。你要是摔倒了，肚子里的牛犊也会跟着疼。”

花儿“哞——哞——”地叫了两声，温顺地答应了。

宝坠将两张饼卷起放进饭袋，背上水壶，赶着三头牛出了牛屋。

雾气轰轰烈烈地在大地上浮游。太阳像团刺猬一样在浓雾背后变幻不定地动着。宝坠视线模糊，只觉得脚下的路仿佛涂了猪油，踩上去东摇西晃的。扁脸显示出长者风范，冲锋在前，地儿紧随其后，只有花儿听话地跟在宝坠身边。他们四个在大雾中穿行，经过一座座房屋。屋外的黑栅栏在白雾中像是在水中漂游的青鱼。几声清冷的狗吠声响起，接着是一缕金色的鸡鸣。宝坠和花儿同时停下步子，等待鸡鸣声落下。他们都喜欢这声音。偶尔有几个过路人与宝坠擦肩而过，虽然看不清他们的脸，但那声音宝坠却是熟悉的。

“放——牛——去——？”拉长声调的人是老张头，他喜欢喝酒，舌头总是不听使唤。

“花儿还莫（没）生？”这是做豆腐的邢婶，她说话很快，口腔中老是散发出一股葱味。

“你叔还撑得住吗？”问这话的一定是李二拐了，他扯着三岁的儿子红木。他因为死了老婆，老是一副惨兮兮的样子，每天领着孩子在村子的小路上转悠，谁吆喝去吃饭他就进谁家的门。他老婆死了一年，他便领着儿子吃遍了全村的人家。现在他每碰到宝坠都要打听他叔的病。

宝坠回答这三个人的话都很简短：

“嗯。”

“没生。”

“快死了。”

宝坠和三头牛走向离村两里的草场。这里的雾气更大一些，草湿漉漉的。宝坠很快听到了牛垂头啃草的声音，那声音“嗤——嗤——”的，可见草的柔韧性和纯度之好。他站在草丛中，伸出手抓了一把雾气，觉得抓空了，就再抓一次，仍是空的，手上什么也没存下。他不明白能看得见的近在咫尺的东西为什么会抓不住。

宝坠的继父本以为自己夜里就会撒手人寰，而到了凌晨竟然能悠徐自如地喘气了。为了证实自己还活着，他咳嗽了一声，这时他身边的女人便翻了一下身，有气无力地问一声：“你行吗？”

他“嗯”了一声，便试探着下地走几步路，出乎意料地能走到东窗前。天色灰蒙蒙的，外面白雾汹涌，弥漫着犹如传说中的天堂气息。这使他心中的隐痛再次发作，泪水无声地漫下。女人见他没事了，就穿衣起来点火做饭。她一边拨弄柴火一边说：“昨晚答应了宝坠，今天要给他烙葱花油饼，他还要卷土豆丝呢。你说他傻，可他吃的心眼一点也不缺，唉。”

雪儿不久也起来了，她出了自己的小屋就冲灶房的母亲喊：“下大雾了，外面什么也看不清，全都糊涂着。”

“雾月到了。”母亲淡淡地说，接着无限忧伤地叹息了一声。

“这雾是什么变成的呢？”雪儿惆怅地自问着。

母亲说：“一会儿你给哥哥送饭时，告诉他今天别带花儿出去。雾这么大，滑倒了花儿，那肚子里的牛犊可就遭殃了。”

雪儿看了一眼母亲正和着的面团，惊叫一声：“真给宝坠烙葱花油饼呀！”

“雪儿——”宝坠的继父从东窗转过身来说，“以后不能老是‘宝坠’‘宝坠’地叫，要喊‘哥哥’——”

“傻子也算是哥哥吗？”雪儿满不在乎地说，“他天天和牛在一块，别人都说咱家养着四头牛。”

“三头。”母亲强调，“那一头还没生下来呢。”

“宝坠也算头牛！”雪儿说完，跑到院子里给鸡雏喂食。

雾气到了上午十点左右才渐渐稀薄了。太阳依旧曚昽如窗纸后的油灯。宝坠的继父喝了一些汤水，就走向院子另一侧的牛屋。女人小心翼翼地跟在他身后。他推开牛屋的门，看着他亲手盘起的火炕、垒起的火墙，看着墙上挂着一些熟悉的物件：狍皮、马鬃、成捆的棕绳、捕鼠夹子、挂网等等，想起他初见宝坠时他是一个多么聪明伶俐的孩子，他的泪水又滚了下来。

“花儿怎么不在——”女人忽然在背后慌慌张张地说，“这个傻子，告诉他下雾天别带花儿出去，它快要生了，要是摔倒了揣不住牛犊可怎么好！”

女人反身快步地回屋去找雪儿，“你怎么没把妈的话传给宝坠？花儿不在牛屋里！”

“我说了——”雪儿大声争辩，“说了两遍呢！”

“他今天能带它们去哪片草场？”

“我怎么知道。”雪儿说，“他晚上回来就知道了。”

“他晚上能回来，可花儿不知能不能回来。”女人不由咒骂起已来的雾月，直骂得嘴角发麻，气喘吁吁，然后才定下心来想着去寻宝坠。她刚刚换上胶鞋，突然想起丈夫卧炕半月已病入膏肓却突然奇迹般地能行走，内心甚感不祥，唯恐她出去的这一刻会有意外。虽然对于未来来说，牛比丈夫更重要，但她还是选择了丈夫。

宝坠的继父把目光转向那道白桦木的牛栏。他的眼前闪现出八年前的宝坠。他第一次见到这孩子时就喜欢上了他。他生得虎头虎脑，很爱笑，生父因为打草遭毒蛇咬而丧了命。那时宝坠的妈妈不像现在这么邋遢，炕上的被褥拆洗得有皂香味，锅碗瓢盆绝不存一丝污垢。他虽然比她小两岁，还是心满意足地与她结婚了。那时他们只有一间屋子，宝坠睡在炕梢。由于新婚，他几乎每夜都要和女人在一起，如果月光好，他就能看清宝坠熟睡时的脸。宝坠每翻一下身或发出一声梦呓，他都要为之一抖，觉得已故的男主人的阴魂还在角落里监视他。他曾发誓说要尽快造一座房子，让已经七岁的宝坠独自去睡。然而未等他的房子造起来，雾月来临了。

他们居住的村子三面环山，一面临水。每逢六月，雾就不绝如缕地飘来了。从早到晚，只有正午时分雾气才会消散一刻。由于日照不充分，所以这个月庄稼长得很慢。人都说连着三四天的雾都难得一见，可他们这里的雾却能持续一个月。一些气象学专家曾来此地做过考察，也终未能做出一个合理的解释，倒是老百姓的民间传说占了上风。说是三百年前有位仙人云游四方经过此地，但见田里庄稼长势喜人，牛羊成群，家家户户仓廪殷实，一派欣欣向荣的气象。只是很多人家的男人都在骂老婆，骂的又都是一个词："丑婆娘"。仙人大惑不解，问了几家因挨骂而啼哭的女人，她们都说一到六月，阳光灿烂而农事稍闲的时候，男人们就嫌她们丑陋而牢骚不止。仙人一笑，遂将此地的六月点化成雾月，斩首了泼辣的阳光。袅袅雾气中的女人恍若仙女，男人都少了脾气，有一种羽化登仙的感觉，消逝的柔情又湿漉漉地复活。

宝坠的继父在那个雾月格外渴望自己的女人。有一天晚上，他们被大雾包裹着尽情地欢娱，宝坠不知什么时候醒了，坐起来看着他们跃动的影子，后来发出嘻嘻的笑声。宝坠的笑声彻底摧毁了他的激情，他胆怯地从女人身上哆哆嗦嗦地下来，觉得受到了莫大的羞辱。

第二天早晨，宝坠到牛屋去，他便也跟去了。牛屋里飘着雾气，他小心翼翼地问宝坠："昨晚你看见什么了？"

"我看见叔和妈叠在一起。"宝坠认真地说。

宝坠跳上牛槽，解拴在牛栏上的牛绳，这时忽然问："叔，你们弄出的动静怎么跟牛倒嚼的声音一样？"

他就是在这一刻蹿上牛槽，一拳将宝坠打倒在牛栏上的。宝坠的脑袋重重地磕在牛栏上，"呃"了一声，然后像股水一样泻倒在牛槽里了。他当时以为不过是把宝坠打昏了，于是就抱着他回屋，对正在灶房忙碌的女人说："宝坠把头磕到牛栏上了。"

"他是个灵巧孩子，怎么会磕到那儿？"女人叫着去试宝坠的鼻息，她感觉到了他的呼吸，就放宽心说，"磕昏了，睡一觉就会好的。"

宝坠在雾中一直昏睡了一天。他起来后是又一个雾天的早晨了。他看着一切都觉得陌生，目光呆滞，母亲喊他"宝坠"时他也不知道答应。

"你觉得头疼吗？"继父问他。

宝坠看着外面的雾说："不疼。"

当天夜里宝坠就闹着要去牛屋住，他说不能和人住在一起。继父以为他不过是糊涂一两天而已，并未太放在心头，于是就去牛屋给他临时搭了一张铺。宝坠从此开始了与牛生活的日子。他坚持不回人住的屋子。后来他们发现宝坠不断地说一些似是而非的话，而且贪吃贪睡，逢到有雾的日子就泪水涟涟。他们便知宝坠丧失了一部分意识，沦为一个弱智儿童了。女人为此哭得抽过好几回。那时她已怀孕，动了胎气，所以雪儿是个早产儿。继父更是悔恨难当，他怎么也想不明白那一拳会葬送继子的前程。那道白桦木的牛栏在他看来跟屠刀一样可恶。他不敢把真实的一幕说给老婆，只是默默地把牛屋装修起来，为宝坠盘了一铺火炕。他每天给宝坠送饭，跟他说话，希望能打开他记忆的闸门。三九天北风呼啸的时候，他几乎每到半夜都要起炕到牛屋给宝坠的炕添些柴火，顺便也喂喂牛。宝坠无法像其他孩子一样上学，只能天天放牛。宝坠也喜欢牛，三头牛的名字都是宝坠给取的。每年的除夕，他一大早晨就来到牛屋为宝坠换上新衣，将窗户贴上“福”字，还送给宝坠一盏他亲手糊的灯笼。宝坠喜欢金黄色的南瓜灯，他就年年送他一盏。夜半吃饺子放鞭炮的时候，他还把宝坠带到院子，让他看火花和听响儿。宝坠乐得忘乎所以，能吃下两大盘饺子。

雪儿的降生并没有给身为父亲的他带来任何快乐。因为他觉得雪儿的诞生与宝坠的病有着某种微妙的联系。雪儿两岁的时候，他便丧失了与女人亲热的能力。他不敢再想那件他曾乐此不疲的事。负疚感使他沉默寡言，健康备受滋扰侵蚀。宝坠的母亲因为丈夫的病而讨了无数个偏方，最终他还是萎靡不振。她的脾气便一天天坏起来，整日面目浮肿，不事修饰。当丈夫瘦得已经全然脱相的时候，她便张罗着借钱去大城市给他看病。可丈夫坚决不同意。说以后的钱都要攒着，留给宝坠治脑袋。女人便落着泪说丈夫善心肠，对原方的孩子这么好，是宝坠前世修来的福分。

雾气使白桦木的牛栏显得更粗了一些。他盯着那道罪恶的牛栏，恨不能将它当成脆骨嚼碎，咽进肚子，把它带到地狱去。四年前他便倾其所有翻盖了房屋，使一间屋变为了两间，雪儿有了自己的一铺小炕。他知道自己将不久于人世，他希望宝坠能回到人住的屋子，这样也许会使他的病慢慢好转。可宝坠昨晚的话却使他最后的一口气没能畅快地吐出来。他说继父死后还会来个活叔，人住的屋子依然没有宝坠的位置。这朴素的道理他怎么就没想到？可他再也没有力气翻盖房子了。

“宝坠——”他对着那道惨白的牛栏低低叫了一声。

牛栏在整个牛屋里处于极其显赫的位置，正当牛槽上，而且是牛屋的中心。它的白色树皮已经被拴牛的绳子给磨出亮光，但大大小小的黑色树斑依然清晰入目。除了牛栏别具一格地横空出世外，其他物件都是竖的。竖的柱子、竖的墙、竖的门，这使得被支撑在半空的白色牛栏格外抢眼。宝坠的继父只在传说中听过狰狞的鬼的长而尖的利牙，在他看来，这道牛栏就是谁栽在他家的一颗牙。

“我要拔下这颗牙。”他暗暗对自己说。

他环顾牛屋，在西北角的工具箱里翻出一把劈松明用的小斧子，然后反身走到牛槽前，试探着往上攀，可他觉得身上的力气已经逃命在先了，他拼足劲也站不到牛槽上，只能眼巴巴地举着斧子看着那道高高在上的牛栏。他这样僵持了大约不到两分钟，忽然觉得更浓的雾气涌来，白色的牛栏狡猾地隐身其中，仿佛一道云层后的闪电让人捉摸不定。他的眼前渐渐模糊，先是无边的白色，接着是强大的黑色，再接着是激烈的紫色，他摇摇晃晃地冲着牛栏唤了一声：“宝坠——”然后扑倒在地。他死时手里还握着斧子，那斧子因为久不使用，已经锈迹斑斑了。

宝坠赶着三头牛回村时已是晚炊时分了。扁脸和地儿走在头里，他和花儿落在后面。傍晚时的雾气更大一些，宝坠走得很慢很慢，他生怕花儿有个闪失。他想好了，要是叔还没死，他就再问他个事。

他未进家院就听见一阵锯声和刨木板的声音传来。他停下来拍了一下花儿，说：“咦，听听，家里怎么有动静？”

花儿沉默了一刻，然后仰起头短促地叫了一声，它肯定小主人的话时总是这副举止。

宝坠只觉得院子里游动着许多人影。刨木板的声音“嚓嚓”的像收割麦子。他不小心撞上一个人，那人说：“是宝坠回来了？”

宝坠“嗯”了一声，然后问：“你们这是干啥？”

“打棺材。”那人平静地说，“你叔死了。”

“叔死了。”宝坠嘀咕一句，然后偏过脸对花儿说，“我还想问他个事呢。”

宝坠忽然委屈起来，他呜呜地哭了。哭声在雾气中流窜，几乎所有的人都听到了这声音，人们不约而同地问：“谁在哭？”

“是宝坠。”

“宝坠哭他叔。”

“宝坠舍不得他叔走。”

大家七嘴八舌地说着内容相同的话，然后品评宝坠的哭声：

“比亲生儿子哭得还真。”

“不和他叔有这么深的感情，哪能这么哭。”

宝坠的哭声使得屋里已经歇了的母亲的哭声再次号啕而起，雪儿明亮的哭声也加入进来。一些人屋里屋外地走来走去，一会儿劝老的，一会儿又劝少的。最后宝坠被一个人给领回牛屋，花儿一声不吭地跟在小主人身后，地儿和扁脸已经在里面等候多时了。那人将牛屋的灯拉亮，昏黄的灯光照着白色的牛栏、翘起的铡刀以及继父亲手为他盘的那铺火炕。宝坠哆嗦了一下，内心有一股异常凄凉的感觉。领他的人见他不哭了，就关上牛屋的门去打棺材了。

宝坠跳上牛槽，将三头牛拴在牛栏上。他每系一个梅花扣眼前都要闪现出一下叔的形象。因为他想问叔的那个问题是：我怎么会系梅花扣？这是他一个人白天在草场时所想的唯一事情。他再也无法从叔那里得到这问题的答案了。

宝坠跳下牛槽给它们添了些豆饼，然后坐在炕沿望着牛栏上的三朵梅花扣。花儿离开槽子，远远地走到一堆干草前，这使它脖颈上的绳子绷紧了一刻。牛栏的一朵梅花扣也跟着颤动了一下。宝坠不由冲口而出："谁也别想弄开我系的花！"

继父的红棺材被浓雾包裹着，那红色就显得有几分温柔了。停尸三天入殓后，继父就要被埋了。一大清早门外就来了一挂载灵柩的马车，宝坠被人给戴上孝帽子，腰间扎上长长的孝布，这使他很不高兴。雾气缭绕的院子里人影幢幢，灵幡像支硕大的芦苇一样斜插在院门口。母亲来到牛屋叮嘱宝坠，一会儿送他叔时要大声地哭，到十字路口要朝着东西南北各磕一个头，口中还要吆喝："叔你好走——"

"你记住了？"母亲凄怨地问。她的满嘴起了燎泡，大约是抹眼泪和鼻涕的缘故，她的袄袖像涂了层糨子一样，泛出干硬的白色。

宝坠没有搭腔。

母亲加重语气说："你叔对你那么好，你要好好送他，那样他在地下会保佑你好起来。"

宝坠很不理解，母亲的话仿佛说明他哪儿出了毛病似的。可他觉得自己一切正常。

母亲一出牛屋，宝坠就把孝帽子摘下扔到干草上，孝布也扯了下来，这样他觉得身上的血又流淌自如了。他熟练地跳上牛槽打开三朵梅花扣，然后带着地儿、扁脸和花儿走出牛屋。他们经过院子的时候有很多人都指着牛问宝坠：“你不送你叔了？”

宝坠“嗯”了一声，说：“我要放牛去。”

“你不送你叔，你妈不生气吗？”

“她生气就生气去吧。”宝坠说，“叔都死了，送他他也不知道。”

人们看着宝坠赶着牛走上湿漉漉的村路，谁也没有上前阻拦他，也没有人去通报他屋里的母亲。大家都在想：宝坠已经很不幸了，还难为他送葬做什么呢？

雾气使白天跟黄昏一般朦胧，而黄昏又比以往的黄昏更加灰暗。宝坠赶着牛回家时隐约能看见路上飘散的圆圆的纸钱，牛蹄把它们踏碎了很多。

他一进院子母亲就迎了过来，她一言不发地抚摸了一下花儿的头，然后长吁一口气。

“叔走了？”宝坠问。

“走了。”母亲平静地说，“你今天还回牛屋住？”

“嗯。”宝坠说，“我喜欢和牛在一起。”

“你叔不是说了吗？”母亲慢条斯理地说，“他走后让你回屋来住。”

“不。”宝坠坚决地说，“花儿要生了。”

“那等花儿生了后你回屋？”

“花儿一生，牛就更多了，牛离不开我。”宝坠赶着牛回到牛屋。他跳上牛槽，将三朵梅花扣结结实实地盘在牛栏上，然后给牛饮水。

牛屋里灯影黯然。空气很静，这使得牛饮水的声音格外清脆。这时牛屋的门开了，雪儿穿件蓝褂子进来了，她捧着一个碗，辫梢上系着白头绳。她默默地把碗摆在饭桌上，然后转身定定地看着宝坠。

“你今天送叔去了？”宝坠问她。

雪儿“嗯”了一声。

“去的人多吗？”宝坠又问。

雪儿依旧“嗯”了一声。

牛嗞咕嗞咕地饮水不止。

“哥——哥——”雪儿忽然带着哭音对宝坠说，“以前我叫你‘宝坠’你生气吗？”

宝坠摇摇头，说：“我就叫‘宝坠’呀，你喊我‘哥哥’是什么意思？”

“‘哥哥’就是亲人的意思，就是你比我大的意思。”雪儿说。

“扁脸还比你大呢，你也喊它作‘哥哥’吗？”宝坠问。

“跟牛不能这么论。”雪儿耐心地解释，“人才分兄弟姐妹。”

“噢。”宝坠惆怅地说，“我是哥哥。”

三头牛饮足水匍匐在干草上。

“怎么以前我不是哥哥呢？”宝坠糊涂地问。

雪儿委屈地说：“那时我恨你，才不会叫你‘哥哥’呢。爸活着时从来没有抱过我一回，他就在乎你，天天惦记你的牛屋。他快死的时候上不来气，我就给他喂水，可他老喊你的名字。我还是他亲生的呢！”

“你就恨我了？”宝坠问。

雪儿点点头，说：“爸一死就不恨你了。”

“不恨了？”

“没人像爸那么疼你了。”雪儿说，“还恨你干什么。”

“那你恨我叔？”宝坠又问。

雪儿噙着泪花摇摇头，说：“我可怜他。他天天半夜都要挨妈的骂。她一骂他，他就哭，边哭还边‘宝坠’‘宝坠’地叫。”

“你怎么知道呢？”宝坠问。

“我听到的啊。”雪儿说，“妈骂他的声音很大，传到我的屋子里了。后来一到半夜我就醒，醒来就能听见妈在骂他。到了雾月妈骂他就更凶。”

“妈骂他什么呢？”

“窝囊废。”雪儿答，“就这一句话。”

宝坠满面迷惑。

“‘窝囊废’就是不中用的意思。”雪儿解释。

“妈半夜要用叔干什么？”宝坠问。

“我也不知道。”雪儿说。

“叔挨骂后喊我的名字做啥？”宝坠又问。

“我也不明白。”雪儿说，“是不是你让他变成窝囊废了？”

宝坠正言厉色地说：“我能放牛，我都不是窝囊废，我怎么能让叔变成窝囊废呢？妈净胡说，叔什么活儿都会干，还知道牛长着四个胃，他多了不起。不过他不会系梅花扣。”宝坠说：“你说叔和妈都不会系梅花扣，我是跟谁学的呢？”

“你自己的亲爸呗。”雪儿说。

“他在哪儿？”宝坠兴奋地问。

“地下。”雪儿一努嘴说，“听人说，早死了。”

宝坠颇为失落地“呃”了一声。

“今天才把爸埋了，李二拐就领着红木来咱家了。”雪儿说。

“妈给他们饭吃了？”宝坠问。

“给了。”雪儿说，“还把你小时候穿过的衣裳给了红木。”

“你不乐意他们来？”宝坠问。

雪儿凄怨地说：“爸才死，妈就给他们饭吃，我都不想跟她说话了。”

“那就不跟她说话。”

“可屋子里就我和妈两个人。”雪儿忧心忡忡地说，“要是不说话，我怕她生气，以后她半夜没人骂了，会不会骂我呢？”

“她凭什么骂你？”宝坠颇为认真地说，“你又没让肚子里的蛔虫跑到她肚子里。”

雪儿听后忍不住笑了一声，然后她泪光点点地望着宝坠。

宝坠说：“你不用怕，她半夜要是骂你，你就来牛屋找哥——哥——”

宝坠在说到“哥哥”一词时结结巴巴的。

雪儿“嗯”了一声，指着饭说：“快吃吧，一会儿热气都跑没了。是剩下的丧饭。”

宝坠将目光转移到丧饭上。

花儿生产了，是头黑白相间的花牛。宝坠给它取名为“卷耳”，因为它生下来时有一只耳朵像花苞那样蜷曲着。卷耳给一家人带来了雾月当中从未有过的融洽和快乐。雪儿天天来逗弄卷耳，不是用粉色的头绫子缠它的腿，就是用笤帚篾扎它的黑鼻头。母亲也夜夜来给卷耳喂豆浆。花儿对卷耳慈爱备至，总用舌头舔它的脸，地儿也对它无限怜爱。只有脏尾巴的扁脸常常出其不意地冲着卷耳锐利地叫几声，企图吓唬它。而卷耳对此毫不在意，扁脸的恶作剧也就只好偃旗息鼓了。一周后，卷耳就溜光水滑地四处闲逛了。它很调皮，不是用嘴去拱地里的青苗，就是用蹄子把柴垛蹬散。它唯一安静下来的时候便是望雾。白茫茫的雾气使它刚熟识的人和场景变得恍惚的时候，它就现出若有所思的神情。

宝坠再去草甸子放牛时队伍就扩大了。他想他的队伍会不断壮大下去，最终他会被牛群所包围。他会了解每一头牛的脾性，懂得它们每做出的一个举止所蕴含的内容。牛屋的白桦木牛栏的梅花扣会越聚越多，一朵朵相挨着开放。那时他赶着一群牛走在村路上会有多么风光啊。

雾月将尽的一个黄昏，宝坠赶着牛刚回到牛屋，雪儿就兴高采烈地跑了进来。她气喘吁吁地说：“哥哥，妈今天把李二拐骂出门去了，他以后再也不会来了。”

宝坠木讷地说：“他不来就不来。”

“你知道妈为什么骂他吗？”雪儿压低声说，“李二拐说跟妈过日子后，要把你送到金矿点去给人看点儿。说你傻，不懂得偷金子，人家愿意雇你。说你去金矿点还能帮家挣钱，省下家里的饭，他都帮你把活答应下了。”

宝坠吃惊地看着雪儿。

“妈听完后就骂李二拐——”雪儿挺了挺胸脯，憋粗了嗓子绘声绘色学说道，“你给我滚蛋，别想这么作践我们宝坠！他叔活着时对宝坠比亲生的还好，谁要拿我的宝坠不当人看，这辈子就别想再踏我的门槛！”

“李二拐就给骂走了？”宝坠问。

“嗯。”雪儿说。

“好。”宝坠赞叹道。

雪儿接着有些羞怯地说：“哥哥，你以后不用惦记我半夜可能会挨妈的骂了，她现在天天搂着我睡觉，还帮我捉头发里的虱子。”

宝坠放心地笑了，他跳上牛槽，到牛栏那儿去拴牛。他异常熟练地系着梅花扣，这时雪儿对他说：“哥哥，我昨天梦见爸和你了。”

宝坠跳下牛槽探询地看着雪儿。

“我梦见爸领着你过年。”雪儿颤着声说，“天很黑，还下着雪，爸领着你在院子里放炮仗。炮仗声很响，爸怕吓着你，还帮你捂耳朵。”

宝坠非常想哭，因为梦和雾气一样都不能使他抓到手。他不知道梦会是什么滋味。

“我还梦见爸来到牛屋看卷耳，他伸手摸卷耳的鼻子。卷耳不认识他，就伸出蹄子踢他。”

“卷耳怎么能那样。”宝坠伤感地说，“那不是叔吗。”

那一夜宝坠听着牛反刍的声音，再一次竭尽全力回忆这声音里曾包裹着什么重大事情。他想得脑袋发麻，可回忆的周围仍然是森严的高墙，难以逾越。他又打开灯去看那道白桦木的牛栏，漆黑的树斑睁着永不疲倦的眼睛望着悬在它身上的梅花扣。他的回忆缥缈如屋外的白雾，暗无天日。宝坠发了一会儿呆，然后望着睡态可爱的卷耳。他对自己说："和牛过得好好的，想那些不让我想起的事情干什么。"

宝坠关了灯，睡了。他的睡眠没有梦，因而那睡眠就干干净净的，晶莹剔透。早晨，他忽然被"吱扭"的声音和一道亮光所扰醒，他从炕上坐起来，只见卷耳把牛屋的门撞开了。花儿、地儿和扁脸都充满深情地望着屋外久违的阳光。

雾月过去了。

宝坠下了炕，他走到牛屋门口。卷耳歪着头，无限惊奇地看着屋外飞旋的阳光。宝坠拍了一下它的屁股，说："出太阳了，到外面玩去吧。"

卷耳试探着动了动蹄子，又蓦然缩回了头。宝坠这才想起卷耳生于雾月，从未见过太阳，阳光咄咄逼人的亮色吓着它了。宝坠便快步跨过门槛，在院子里踏踏实实地走给卷耳看，并且向它招手。卷耳温情地回应一声，然后怯生生地跟到院子。

卷耳缩着身子，每走一下就要垂一下头，仿佛在看它的蹄子是否把阳光给踩黯淡了。

河柳图

程锦蓝宰鸡，把鸡给宰飞了！

那是只气宇轩昂的大公鸡，它有着通红飘逸的鸡冠和泛着缎子一样诱人光泽的五彩羽毛。尤其是它尾巴处高高翘起的羽毛，既有湖绿色的，又有古蓝和玫红色的，让人觉得这鸡刚从彩虹上落下来，沾染了满身的姹紫嫣红。

程锦蓝第一次宰鸡，本来手就怯，再加上这只公鸡过于美丽，宰它时便心惊肉跳的。一刀下去，刀刃倒是沾上了些许鸡血，可鸡却一耸脖子大叫着飞了起来，从木栅栏一直蹦到仓棚顶上，对着猩红的夕阳又跳又叫着，仿佛对天控诉程锦蓝似的。

李程爱见母亲没宰死鸡，就嘻嘻笑着跑向塑料大棚向裴绍发报告："我妈把鸡给宰上天了！"

裴绍发正小心翼翼地将新鲜的草莓往篮子里摘，听见李程爱这么一说，连忙出了塑料大棚，去看那只逃了命的公鸡。

裴绍发见了那只依然昂首挺胸的鸡，先骂了一句："你神气个屁！”然后他搬过梯子，上了仓棚。鸡见裴绍发上来了，便一抖翅膀飞了下来，使他扑了个空。裴绍发没有翅膀，怕跌坏了成了瘸子，只能乖乖从梯子上再下来，这使李程爱笑得前仰后合的，觉得人在鸡面前实在是个笨蛋。公鸡落地后便绕过程锦蓝，向东侧的草垛跑去，裴绍发跟着跑去。他边跑边吆喝李程爱："你笑个屁，还不帮我捉鸡！"李程爱便也向草垛跑去。

程锦蓝见夕阳已经垂向山坳，那山上参差不齐的树仿佛一支支长矛和利箭，把夕阳的脸划破了，使它流出鲜血般的殷殷晚霞。程锦蓝想此刻河上的柳枝一定被夕照点染得楚楚动人，那河上的残雪不会是银白色的了，而应是粉红的。想到河上的柳树，程锦蓝觉得心脏抽搐了一下。

裴绍发终于捉住了公鸡。他提着鸡走过来。鸡身上没有沾上草，而裴绍发却弄了满身的草。他吆喝李程爱："快把你妈手上的刀给我拿来！"李程爱跟在裴绍发身后，头上也沾了不少草屑。他答应着快跑了几步从母亲手里拿过刀跑回父亲身边。裴绍发把鸡脖子麻利地一拧，然后将刀深深地割进鸡的脖颈。只见那鸡耸着身子剧烈地蹬着腿，伴随着滴滴鸡血的流下，它很快就奄奄无力了，当裴绍发将它"噗"的一声扔在地上时，鸡只是无奈地微微颤抖了几下，便一动不动了。裴绍发对着一直发愣的程锦蓝说："把鸡宰了两遍，身上肯定紫了，要是不赶快秃噜了，肉肯定就不新鲜了。"程锦蓝早已烧开了水，单等宰了鸡就煺毛开膛，于是连忙把死鸡扔进盆中，端到灶房去收拾。几瓢开水浇下去，一股腥气弥漫开来，那些鲜艳的鸡毛就变得黯淡和肮脏了。程锦蓝想想鸡命如此之短，不由得叹息了一声。裴绍发听到叹息声，似有不满地对程锦蓝说："前些年我过生日，莺莺她妈给我宰鸡，总是一刀就宰利索。”李程爱尖声说：“莺莺她妈会宰鸡，可她会写粉笔字吗？”裴绍发急赤白脸地啐了一口李程爱，说：“鸡能吃，那些粉笔字能吃吗？！”说完，他从灶房往出走，走出门时又教训了一声李程爱：“你只知道看热闹，怎么就不知道帮我摘摘灯笼果？”裴绍发非要把草莓果叫成“灯笼果”，说是那果子圆圆地垂吊着，就像一盏盏红灯笼。

程锦蓝和裴绍发结婚两年了。裴绍发的老婆张桂芝三年前暴病死了，而程锦蓝的丈夫李牧青四年前同她离了婚。裴绍发带着个女儿裴莺莺，而程锦蓝带着儿子李程爱。裴莺莺十六岁，李程爱十岁。裴莺莺如今在城里读高中，而李程爱则每天跟着母亲去学校读书。程锦蓝是林源镇学校的初三语文教师。程锦蓝觉得自己的新家庭就像一台自行组装的机器，运行时常常发生故障。有时这故障是人的因素，有时又是鬼的因素，还有时是河柳的因素。

程锦蓝进了裴家的门，裴莺莺最先对她发起攻击。裴莺莺那时还是程锦蓝班上的学生，她首先把亡母的放大照片挂在厅堂的北墙上，然后对程锦蓝声称她不能喊她“妈妈”，只能叫她“程姨”。程锦蓝心想谁让你喊我“妈妈”了，随你叫“老师”和“姨”都行。不过她不能容忍厅堂那张悬挂的照片，那上面的张桂芝每天都望着她，她进进出出时觉得脊背发凉，鬼气森森的。从照片下走过时，程锦蓝总是低着头。待到家里只她一人时，她却又忍不住要站在这照片前充满好奇地端详她半晌。照片上张桂芝圆脸，齐耳短发，眉毛很粗，唇角漾着微微的笑意，看上去朴素而又和善。本来这只是张表情凝固的照片，可程锦蓝却常常看出丰富的内容来。下雨天时，觉得那女人抽着鼻子告诉她，晾在外面的衣裳该收回来了，不然就淋湿了。大风天时，她提醒程锦蓝的头发乱了，该梳梳了。而雪天时，她似乎努着嘴指着炉子对程锦蓝说："多添点柴吧。"

裴莺莺不仅在家里与程锦蓝作对，在学校也常给她难堪。语文课上，程锦蓝在粉笔盒里发现过青蛙，也在黑板前见过被拴着尾巴吊着的死老鼠。事后她调查，那都是裴莺莺所为。程锦蓝觉得裴莺莺对自己总是满怀敌意，会影响家庭生活的气氛，于是就主动接触她，给她买新衣裳，做她喜欢吃的饭菜，关心她的功课，等等。裴莺莺对新衣和美食来者不拒，穿过吃过后对程锦蓝仍如从前一样，冷冰冰的。而李程爱对待继父则不一样了，也许他年幼好哄，程锦蓝婚后仅仅三天，裴绍发就让他开口叫自己"爸"了。裴绍发不过是带着李程爱进了次城，让他看了场电影，坐了一回馆子，照了两张相片，李程爱就欢天喜地地管裴绍发叫"爸爸"了。

程锦蓝煺好了鸡，续上柴火将鸡炖上，这时天已暗了。她把四四方方的八仙桌子搬到炕上，将两盘凉菜摆上去。之后又把酒倒入白瓷酒壶中，打算着吃饭时给他温酒。裴绍发每天晚上都要喝盅酒，这酒一定要是温的。以往程锦蓝只给他倒小半壶，想想今天是他的生日，料必要多喝两盅，就把壶给灌满了。收拾停当了桌子，程锦蓝便出门去倒脏水。兴许是在灶房的荤腥中忙得有些晕头转向了，这一出门，被清冽的晚风一吹拂，程锦蓝顿觉一身的清爽。东方的天空现出一轮淡白淡白的月影，随着夜色的加深，这月亮就会明显地凸现出来，白色也将成为金色的。程锦蓝倒过脏水，就仰头望着那轮月亮，直到脖子发酸了，月色由白转为淡淡的柠檬色。

裴绍发果然喝了一壶酒。他不断夹鸡肉往李程爱的碗里扔，说："吃吧，咱吃得起！这只没吃够，明儿就再宰它一个！"李程爱吃得满嘴油腻，鼻涕都下来了。程锦蓝嫌儿子吃相粗俗，很想教训他几句，但又怕当着裴绍发的面数落李程爱会引起误解，也就闭口不说了。裴绍发吃喝完毕，就坐在暖洋洋的炕头搓着脚哼小曲。裴绍发喜欢搓脚，说是活血通络。他还喜欢放屁，说是常放屁的人把体内的毒气都排出去了，就不会生病。因而他哼的小曲是伴着屁声呈现的。

程锦蓝收拾停当了灶房，她并没有马上到屋里去。她将灶房的灯关了，透过东窗看月亮。这时她听见裴绍发对儿子大声说："李程爱，你还想不想跟我进城吃水煎包去了？"李程爱响亮地说："想！"裴绍发说："想你怎么还不快把姓改了？叫什么李程爱，多难听啊！要是叫裴程爱，那听着多亮堂啊！"李程爱一抽鼻涕说："我妈说了，我的姓写在户口簿上，要是改姓，还得去派出所，麻烦！"裴绍发笑了，说："我早就跟管户口的说了，改姓的事还能麻烦着你个小屁孩？你只需跟你妈说通了，明儿我就去给改！"程锦蓝明白，裴绍发这话是说给她听的，他知道她会听到的，所以才这么大声。裴绍发虽然只有小学文化，但他在对程锦蓝的改造上，却显示了他的机敏和非凡才能。程锦蓝一过门，他先对她所带来的衣裳悄悄发难。程锦蓝常穿一件杏黄色圆领的棒线毛衣，这是李牧青送给她的礼物。裴绍发说他一看见这毛衣就胃疼，因为这颜色像黏米饼，他小时吃黏米饼把胃给伤着了，从此后一看见这种颜色就要胃痉挛。程锦蓝明白，他这是忌讳她穿着与李牧青生活时留下来的衣裳，只得把这件心爱的毛衣拆了，用那线给李程爱织了条毛裤。即便这样，若是李程爱穿着毛裤时没有套外裤，裴绍发也会吆喝李程爱："快穿上外裤！"程锦蓝有一条灰色亚麻布的连衣裙，这是夏季时阳光明媚的日子她从不离身的一件衣裳。有天程锦蓝下班，裴绍发颇为无辜地告诉她，说是他坐在炕头吸烟，出门时烟头没摁灭，把她放在炕上的裙子给烧了个大窟窿。程锦蓝见那裙子的前胸和后背都被烧透了，而且这窟窿大得能钻进人头，实在无法再缝补了，只能将它裁成一些碎布头，留着冬天做棉裤时拼里子用。这样两次下来，程锦蓝看透了裴绍发的用意，索性将自己带过门的旧衣裳打了个包裹，寄给乡下的亲戚。裴绍发为此很受感动地进城为程锦蓝买下了两大包衣裳，红绿紫粉都有，唯独不见程锦蓝所钟爱的灰色、黄色和白色。之后，裴绍发开始旁敲侧击地攻击程锦蓝的头发，说是一个女人披散着长发让人觉得她是一个疯子，而齐耳短发却显得人朴素和精灵。程锦蓝想想长发干起活来确实很啰唆，有时煮粥将发梢荡进锅里，会弄得又湿又黏的，况且她这两年脱发脱得厉害，剪成短发也无妨。一年下来，程锦蓝就不再是昔日那个长发飘飘、衣着典雅别致的女教师了，她梳着短发，穿着红袄绿裤，就连说话的语调也不像过去那样悄声慢语了，她在课堂上讲课时声音非常粗犷，以致一些喜欢她老声音的学生常常在她的课上堵耳朵。有时程锦蓝独自一人在家，就悄悄站在张桂芝面前与她对视，怎么看怎么觉得自己与照片上的人已经一模一样了。不同的是照片上的人始终如一地贴在墙上冷眼旁观，而她则要忙忙碌碌地操持一家人的生计。有一个夏日傍晚，落日融融，程锦蓝忽然觉得心很空，她独自出了家门，朝学校西侧的河流走去。这河名为“乌都河”，河段深浅不一，深处有三米左右，而浅处仅仅没膝。乌都河是条冷水河，每年有半年的时间是冰封的。河岸两侧生长着青杨和柳树，初春时柳枝一片殷红，尤其是有一带河的中心生长着一片柳树，更是红得不亦乐乎。程锦蓝和李牧青都喜欢河上的柳树，常来这里流连。李牧青离程锦蓝而去后，这片河柳只在她梦中出现，梦中河柳的颜色实在是无法无天了，有时是蔚蓝色的，有时是雪青色的，有时又是米黄色的。程锦蓝在那个夏日傍晚走到河畔，蓦然望见夕照中的河柳时，泪水不由夺眶而出。

程锦蓝听见裴绍发在吆喝李程爱早点睡觉，李程爱却说他不困。裴绍发说："你怎么一到晚上就跟猫头鹰似的，两眼直放光?！"李程爱说："我要是两眼不放光，不就成了死鱼了！"裴绍发说："你不去睡觉，那你还想不想进城跟我去吃水煎包了?"程锦蓝听到此不由微微一笑，她转身走进里屋，给李程爱铺好被窝，她明白裴绍发让儿子早睡是为了什么。今天是他的生日，他喝了酒，又吃了鸡肉，在酣然入睡前，性是必不可少的。程锦蓝最初和裴绍发在一起，觉得裴绍发是从死人堆里刚刚爬出来的人，带着隐隐的尸臭，因为曾与他终日厮守的张桂芝死了，她就有这种莫名其妙的感觉，以致被裴绍发搂在怀里的时候，她浑身冰凉，觉得和鬼盘踞在了一起。而裴绍发也曾兴味索然地跟她抱怨过，说是睡别人睡过的女人，总有用别人使过的水洗澡的感觉，浊得很。因而他们在一起时总是显得有些别扭，某些时候甚至显出狼狈，没有那种水乳交融的感觉。直到最近，程锦蓝和裴绍发在一起时才觉得他是一个活生生的人，对他油然而生某种依恋感，现在仔细想来，这完全是由于一家小酒馆的出现。

张桂芝过世了，可她的娘家人依然生活在林源镇上。去年夏天，张桂芝的母亲死了。葬礼结束后不久，林源镇忽然出现了一个中年女人的身影，她四十来岁，齐耳短发，面容憔悴，提着个旅行包，向人打听张桂芝家怎么走。碰到她的人无论是谁都吓得掉头就跑，原来她竟与张桂芝长得一模一样，人们以为死去的张桂芝的鬼魂出来了！她出现的当天晚上，有两个撞见她的老人犯了心脏病，而一个九岁的孩子则吓得尿了炕。其实她是张桂芝的孪生妹妹张桂兰。张桂兰两岁时被没有女儿的舅舅给抱走，张桂兰的母亲说好了不再往回要她，两家亲戚自此也不再走动，因而张桂兰一直把舅舅舅母当作生身父母。张桂兰生活在河北的一个平原小镇上，她结婚后仍与舅舅舅母生活在一起。去年初夏，张桂兰的丈夫在家里的小作坊制作鞭炮，预备新年时拿到集市上卖，谁承想作坊的火药引起爆炸，将张桂兰的舅舅、丈夫和她自己十三岁的儿子都给崩死了。张桂兰当时正在自家的园田剥葱，见葱胡子上爬着只灰色瓢虫，就对它说："你跟我家是一个姓吗？不是一个姓敢吃我家的葱胡子？"张桂兰生性活泼，常常会拿牛马猪羊、鸡鸭鹅狗开个玩笑。她的话音刚落，只听背后传来巨大的"轰隆"声，回头一望，只见作坊已訇然解体，爆炸使砖瓦像花朵一样怒放，葱胡子上的瓢虫首先被吓得掉了魂儿，一个跟头栽到了地上。张桂兰颤抖着走向爆炸现场，发现亲人们已经被炸得面目皆非了。丈夫的鼻子和耳朵像烂草莓一样落入鸡槽，儿子的胳膊挂在栅栏上，而舅舅的一条腿被甩在了门口狗窝旁。张桂兰自此后非常惧怕响声，稍有风吹草动都会令她战栗。埋葬了亲人之后，有多家报社的人前来采访，反复问她相同的问题：为什么私开小作坊非法制作鞭炮？张桂兰嗫嚅着嘴唇，说："为着这个'穷'"。没有人对她抱有同情的目光，似乎她落到如此凄凉境地是罪有应得的。有两次她对着采访的记者大喊大叫，任谁也劝不住，似乎要把喉咙喊破才罢休。舅母见她精神即将崩溃，就对她说了她的真实身世，说是你不愿意待在这小镇上，就去东北寻亲去吧。张桂兰就是这样出现在林源镇的。

张桂兰没有料到孪生姐姐和母亲已相继过世，她到她们坟上哭了几场后，就留在了林源镇。张桂兰的哥哥可怜妹妹的遭遇，出资为她开了家小酒馆。这小酒馆白日生意冷清，而到了夜晚几乎没有闲桌的时候，人们猜拳行令，有的酒客一直喝到凌晨时分才醉醺醺地离去。张桂兰就住在酒馆里，客人何时散净，她就何时打烊。人们常见她近中午时才哈欠连天地将幌子挂在小酒馆的门楣上。林源镇的男人喜欢到这小酒馆喝酒，说她做的豆豉炒白菜和熏鸭子是一绝，好吃得不行了。有人见到裴绍发，就爱和他开玩笑："不去兰那儿喝两盅啊？那也算是你老婆啊，该吃得去吃，一家人嘛！"这小酒馆的名字叫"兰"，所以常听别人在路上说："走，到兰喝两盅去！"裴绍发开始还沉得住气，但有一天他和程锦蓝闹了点小别扭，便一气之下来到了兰酒馆。裴绍发在这里一直待到午夜时分才回家。程锦蓝听说裴绍发去了兰酒馆，气得像泼妇一样对他大喊大叫，说是既然张桂芝已死了，你再寻她只能去坟墓，不能去兰酒馆！裴绍发一言不发，由着程锦蓝去发泄。程锦蓝平素从不说脏字，这一回却把掌握的下流词全都骂给裴绍发，令她自己也大吃一惊。自此之后，程锦蓝开始小心翼翼地服侍裴绍发，感觉这个以往离她仿佛分外遥远的男人突然间与她近了许多，她渴望着他拥抱和亲吻自己，渴望着完完全全地拥有他。

裴绍发算是林源镇的富人。他脑子灵活，很早就进城学习塑料大棚植物的栽培技术。别人种黄瓜、茄子和柿子，而裴绍发侍弄草莓和香瓜，这样他每年都有两万元左右的收入。裴绍发摘下了草莓和香瓜，会打电话给城里的货商，他们亲自来林源镇上货，一手交钱，一手交货。裴绍发每回收了钱，在点完钱后总要紧紧地捏住，奋力地甩上一通，使那纸币发出清脆的唰唰唰的声响。然后他反身进屋，把钱藏起来。每回藏钱，他都要把李程爱支出去，给他两元钱，让他到小卖店去买虾条，然后他叮嘱程锦蓝望着门，别让外人进来撞见。裴绍发藏钱的地方，不像别人一样放在褥子或枕头里，他放在墙洞或米袋里。程锦蓝说这样存钱很危险，老鼠随时随地都可以把它们啃成一堆碎屑。裴绍发一撇嘴说："钱和粮食放在一起，老鼠当然是要吃粮食的了！"程锦蓝心想：万一老鼠吃腻了粮食，想换一换胃口呢？裴绍发说他不能把钱存进银行，林源镇的人抬头不见低头见，谁不认识谁啊。银行的人谁会为他存钱的事保密呢？一旦有人惦记你的钱了，谁家手里有个短处朝你借点，你借不借？裴绍发还对银行的安全保卫措施疑惑重重，说是万一有人去银行抢钱，恰恰抢的是我裴绍发存的钱，那不得自认倒霉？听得程锦蓝乐不可支。裴绍发穿着简单，就那么两套衣裳，洗了这套换那套，但他在吃上却舍得花钱，鸡鸭鱼肉不能断了。按他的话说就是："我不能穿得溜光水滑的，肚子里却是一包草。我外面披着麻袋片，肚子里油水旺就行！你吃进肚子里的东西别人又看不见。"所以当有人见他衣着寒酸劝他买两套好衣裳时，裴绍发就一梗脖子说我哪有钱买衣裳啊，咱要是皇上还行，金缕玉衣也穿得！劝他的人就有些不快地说："又不朝你借钱，你装什么穷啊。"裴绍发便急赤白脸地扯着人家的胳膊说："你不信是不是？你去我家塑料大棚看看，那草莓和香瓜才结了几个果？你再上我家翻翻，能翻出钱来都算是你的！"其言之诚恳，让人觉得他一直在贫困线上挣扎。

程锦蓝在这个夜晚想起裴绍发的所作所为，不由得兴味寡然。把李程爱哄睡了，可程锦蓝却不想陪他了。她推脱她还有十几本作业没批改，要弄完了才睡。裴绍发从鼻子里“哼”了一声，说：“批那个作业又不挣钱，批它有个屁用！”这话像野蜂一样狠狠地蜇着了程锦蓝。学校已经连续五年每年只给开八个月的工资了。而今年春节之后，却一次也未发过。一些老师被逼无奈几乎要罢课，镇里这才让教师每人借了三百元钱暂渡难关。林源镇的书记曾对教师说过如下的安慰话：“这钱没发给你们，就跟把它们存进银行一样，早早晚晚还不是你们的。黄不了的！现在镇里经济不景气，到时候景气了，你求我欠你们工资，我还不干呢！”而镇里的经济什么时候景气，教师们却是不知道的。只知道城里三天两头就有方方面面的人下来检查指导工作，这时候免不了就到酒馆吃喝一通。不过据说兰酒馆是拒绝他们的，因为镇长常常是打个白条结账，而张桂兰只收现钱。

程锦蓝忧伤而落寞地在灯下批改作业。她给学生留了一篇一百字的有关春天的风景描写，有三位同学写到了柳树。张勇这样写道：“春天大大咧咧地来了，它见了谁家的门都进，见了任何东西都打招呼。比如它见了柳树，就拍打了它们一番，说：‘嗨，我回来了，你们怎么还愁眉苦脸的？’柳树被它这一拍，脸就红了，就有喜气洋洋的春天的感觉了。”张勇学习成绩很好，可他家里很穷，父亲是个酒鬼，母亲多病，张勇平素郁郁寡欢，他说初中毕业后他考中专，早点毕业好养家糊口。程锦蓝总觉得这样优秀的学生不上高中考大学实在可惜了。也许是因为内心太压抑了，张勇的作文总是写得异常奔放洒脱。王丽敏这样写柳树：“雪还没有化净，柳枝就微微泛红了。我想它之所以红了，是为了给这山间草畔还没开的野花做个榜样，告诉它们该开什么颜色的花，那就是火红火红的。红花一开，春天才显得热闹。”程锦蓝读后不由微微一笑，想如今学生的想象力实在比自己要丰富。记得当年她和李牧青去看春天的河柳，见那枝枝河柳在冰河上泛出炫目的红色时，程锦蓝最丰富的联想不过是把河柳比喻成女人，它们每年春天都来潮一次，这样柳枝就会变成鲜血一样的红色。当时李牧青听了这个比喻后不由站在河岸上拥吻了程锦蓝，当晚他们回到家里后也如胶似漆，李程爱就是那个夜晚水乳交融的结晶。第三个在作文中涉及柳树的王伦，他这样写道:“我最讨厌的就是春天，一到这时节，爸爸说膝盖疼，妈妈说腰疼，我讨厌听他们的哎哟声。我还讨厌春天的柳树，它们一旦变红了，柔软了，我爸爸就得吆喝我去割柳条，他用它们去编筐，拿到城里去卖。放学后割上两小时的柳条，手掌心的血泡就跟柳枝一个颜色了。”王伦的爸爸王铁林，是镇里有名的编筐能手，每逢春天，他就把一捆捆砍好的红柳往家里背，编筐进城去卖。近两年，他又编起了茶几和箱子，据说这种红柳编成的家具在城里很走俏。

批改完作业，程锦蓝走进屋里，发现裴绍发不见了。她看了看表，已经是十点一刻了，这时候的裴绍发一般是鼾声大作了，他会去哪里呢？程锦蓝出了屋，到厕所和塑料大棚找了一番，未见人影，想想也许去邻居家了，往邻里的房子一望，见灯影杳无，已是漆黑一团，又知裴绍发讨厌串门，心中便有一种不祥的预感，想裴绍发一定是去兰酒馆了。程锦蓝关好家门，急匆匆地朝兰酒馆走去。月亮高悬着，月光使栅栏在路上有着竖琴一样的影子，程锦蓝就有踩着琴弦的感觉。爱管闲事的狗冲她汪汪地叫着，没有行人出现在她的视野中。待走到兰酒馆时，她已是虚汗淋漓了。程锦蓝悲伤地望着兰酒馆的灯光，听着其中传来的裴绍发的隐约话语，恨不能将这酒馆一把火给烧了！她伫立良久，克制着愤怒，然后缓缓走向河岸，去看月光下的河柳。阳光下的河柳是猩红色的，而月光下它们却是紫色的。程锦蓝只觉得周围紫气浮动，她就像置身空中一样觉得自己的心无着无落的。她想若是李牧青不离开她该有多好啊，那就不会有今天面临的尴尬和无奈。李牧青当年在学校觉得自己作为一个名牌师范学校毕业的教师还领不到全额工资实在憋屈，于是愤然辞职，只身去了上海浦东开发区应聘教师。临走的前一天晚上他和程锦蓝一同来河岸看他们喜欢的河柳。这片河柳生长在河中心的浅滩上，非常茂盛。那夜月光稀薄，河柳看上去朦朦胧胧，就像一片浅灰色的云。李牧青对程锦蓝说，他一定要在浦东找到立足之地，一旦工作有了着落，立即接她们母子过去，彻底离开林源镇。程锦蓝无限伤感地说："离开林源镇，就看不到河柳了。"李牧青豪迈地说："到时我租一架飞机，把这些河柳移到浦东去！"明明一句戏言，可程锦蓝听后却无限感动。李牧青到了浦东后，很快就有了着落，他在一所中学做数学老师，月薪九百元。应聘的头一个月，他就给程锦蓝寄回了三百元钱，说是由于程锦蓝学历低，目前看还找不到接收单位，等待时机成熟了再接她们。就这样半年过去了，李牧青给家里写的信越来越少，只是每月从不间断地寄来两三百元，程锦蓝隐隐地预感到李牧青的生活可能有了变化。果然一年之后李牧青趁暑假之机回到林源镇时，告诉程锦蓝他已另有所爱。他想离婚。程锦蓝没有想到从报刊中读到的这类最庸俗的婚外恋故事发生在了她自己身上，她淡淡地对李牧青说："离就离吧。"程锦蓝未哭未闹，那么痛快地离了婚，令李牧青很意外。程锦蓝除了要求李程爱留在身边，还拒绝了李牧青的任何生活费。林源镇的人都骂李牧青是陈世美，咒他将来下地狱。李牧青带着离婚证和调转手续离开林源镇的那天，他请求程锦蓝再陪他看一看河柳，程锦蓝答应了。那是个晴朗的白天，又是个礼拜天，他们向河岸走去的时候很多人都看见了，人们都说程锦蓝没骨气，都跟他离了，还陪他逛什么风景呢？夏日的河柳枝条不再是红色的了，它是翠绿翠绿的。河柳的周围水流缓缓，炽热的阳光被冰凉的河水激得直跳脚，水面上光影浮动。李牧青含着泪水对程锦蓝说："锦蓝，我对不起你，你在这里打我一顿吧，这样我会好受些。"程锦蓝莞尔一笑说："其实这样分手很好，我还能和河柳留在一起。"自此之后，程锦蓝克制自己来看河柳，直至那个夏天傍晚她又忍不住看了河柳后，与它就更加难以割舍了。

程锦蓝伤感了一番，觉得不能纵容裴绍发再去兰酒馆。虽然兰酒馆与她近在咫尺，弄不好会成为第二个浦东，使她第二度失去丈夫。程锦蓝就在河岸上找了两块大的鹅卵石，打算给张桂兰制造第二次的爆炸。她离开河岸向兰酒馆走去时步履匆匆，热血沸腾，激情澎湃，以致看到兰酒馆温柔的灯光时，她就像见着了敌人一样义愤填膺，勇猛无畏地将两块鹅卵石准确无误地砸向兰酒馆的玻璃。玻璃的爆裂声使她痛快极了，她几乎是哼着歌快步走回家里。裴绍发还没回来，程锦蓝想他也许要帮她收拾了残局才回来。她希望张桂兰会吓得掉了魂儿，这家酒馆明天就会关门。程锦蓝不由得斗志昂扬地走到厅堂悬挂的张桂芝的像前，她鄙夷地撇着嘴角悄声却是严厉地说：“你得知道，现在谁是裴家的主人！”说着，她朝那相片“呸”了一口，然后熄灯上炕，蒙头大睡，这一觉竟然睡得很沉实，以至夜里裴绍发何时回家的她都不知道。等她起来时，城里来进货的车已停在门外，裴绍发正在车上搬草莓和香瓜。他收了钱点了一遍，仍像过去一样甩了甩。不过甩得没有劲头，轻飘飘的。他们沉闷地吃过早饭，程锦蓝见裴绍发脸上阴云密布，就早早打发儿子去上学。李程爱乐得独自上学，这样他可以在路上随心所欲地玩儿上一会儿，可以捡碎玻璃碴当作镜片看太阳，也可以用木棍在湿润的泥地上写他学会的一些字。他喜欢初春的泥地，它柔软而潮湿，写上的字个个扎扎实实地待在地上，就像他的伙伴一样。不过这些字活不了多久，有时是牲畜把它们断肢解体了，更多的时候是种地时人们翻地撒种子把这字给挖掉了。李程爱想自己写的那些字要是也能变成种子发芽该有多好啊。他写的“羊”就该长出只羊，写的“花”就该开出一带姹紫嫣红的花，写的“河”就该冒出又白又亮的水来。而“好”和“坏”能长出什么来，李程爱有点想象不出。也许“好”字能长出彩虹、小熊和糖果，而“坏”字长出的是毒蛇、狗屎和棺材。

李程爱一走，裴绍发便“哼”了一声，然后他清了清嗓子，说：“你砸玻璃的本事不错嘛。”

程锦蓝镇定地说：“这是头一回砸，下回砸得会更好。”

裴绍发一跺脚说：“我只不过去喝几口酒，你就不乐意了，你也不想想，你是个老师，教着几十号学生呢，说砸人玻璃就砸人玻璃，像话吗？”

程锦蓝说：“像画（话）我就贴在墙上了。”

裴绍发倒吸了几口冷气，说：“你这不是变得蛮不讲理了？”

程锦蓝笑笑，温和却又是坚定地说：“总之你以后不许去兰酒馆了！”

裴绍发说：“你怎么跟死人计较上了？”

程锦蓝指着张桂芝的照片说：“这个人是死的，而兰酒馆的女人是活的！”

裴绍发颇为伤感地说：“可我进了兰酒馆，就觉得像进了坟墓，看见了张桂兰，就像见了鬼似的！”

程锦蓝见时候不早了，不再与裴绍发理论，她拿着教案和作文本去学校了。路过兰酒馆时，她见张桂兰的哥哥在镶打碎了的玻璃，她很想上前劝阻一句：“先空着吧，万一再被砸碎，不是白白镶了吗？”当夜裴绍发对她说：“张桂兰给吓得犯了心脏病了，进城看病去了，这下你高兴了吧？”程锦蓝竟然鬼使神差地打起了口哨，吓得裴绍发目瞪口呆的。

兰酒馆很快又营业了，程锦蓝想张桂兰吓得还是不重。裴绍发不敢贸然再到兰酒馆去，他怕程锦蓝故伎重演，若被林源镇的人知道真相，岂不成为笑谈。

残雪消融，河柳越来越红了，柳枝吐出了银灰色的毛毛狗。它们绒嘟嘟的，光亮亮的，状如蚕豆，而神似烛火。如果月光如瀑，那些被微黄光晕笼罩着的毛毛狗就泛出光芒，感觉就像萤火虫在飞舞。

裴莺莺突然回家了。裴莺莺在城里住校，虽然城里离林源镇只有两小时的路，且每天都有中客往来，可裴莺莺一般是一两个月才回来一趟。有时裴绍发想女儿，就借进城办事之机去看她。裴莺莺此次回来既不是节日，也不是礼拜日，这使程锦蓝颇觉意外。裴莺莺看上去又黑又瘦，脸上长满了青春痘。裴绍发对她的突然而归也心生疑窦，他小心翼翼地问她是不是在学校里闯了祸，裴莺莺在饭桌上冷笑着对父亲说：“我回来干什么，你应该知道的。”

可裴绍发绞尽脑汁也想不明白裴莺莺回来要干什么。裴莺莺声言只在家住一夜，第二天上午办完了事就走。而她回来办什么事，裴绍发和程锦蓝百思不得其解。晚饭后程锦蓝问裴莺莺，高中的学习生活怎么样？裴莺莺做出很落拓不羁的神色说：“挺好啊，食堂里开了小灶，你只要有钱，就可以顿顿吃好的。”见程锦蓝不语，裴莺莺更加起劲地说：“我们同学中有吃摇头丸的，还有谈恋爱的。噢，对了，前些天有个女生还怀孕了呢！”程锦蓝说：“这种学生学校肯定会把她开除吧？”裴莺莺略带嘲讽地说：“你也太‘老土’了，那是过去。这女生打掉了孩子，她家有钱，到学校和教委那儿一疏通，学是照上不误！”听得程锦蓝一惊一乍的，心想把学生送到这样的学校去，还能指望着成才吗？

晚上趁裴绍发、裴莺莺和李程爱都不在的空当，程锦蓝悄悄地搜查裴莺莺的书包，祈望从中发现点什么。裴莺莺带了一本语文教材、一个日记本和一个剪贴本。剪贴本上贴着五花八门的东西，既有刘德华、周润发、梅艳芳、王菲的彩色肖像印刷照片，又有流行歌曲的歌词和报上登载的一些奇闻趣事。程锦蓝发现其中贴有一则“避孕常识”和“性病的预防和治疗”，不禁大惊失色。剪贴本上还有一些生活小常识，如怎样除去鱼的腥味，用什么办法会使玻璃擦得更明亮，等等，当然也有一些幽默对话。程锦蓝忧心忡忡地放下剪贴本，捧起了裴莺莺的日记本，她迅速翻到日记本的后面，想探明裴莺莺此次归来的动机。裴莺莺这样写道：

> 再过三天就是妈妈五周年的忌日了。我一定要请两天假赶回林源镇，给妈妈上上坟。爸爸娶了程锦蓝，肯定把妈妈忘得一干二净了。生活就是这样子，你死了，一切就得以活人为主了。我其实并不讨厌程锦蓝，只是讨厌她那么没有骨气地嫁给我爸爸。李牧青抛弃了她，她也不至于如此自暴自弃地嫁给我爸这样一个卑琐而没文化的人吧？难道钱就那么管用？我恨钱！我还恨爱情！李牧青和程锦蓝当时是多让我们做学生的羡慕的一对啊。常看他们手挽手到河边去，有人说他们喜欢看河柳。看来这世上没有什么爱情可言，从来不会背叛我的只能是自己，你将来要学会玩男人，别让男人玩了你！

程锦蓝读到此已是虚汗淋漓了。她听见院子里有脚步声，连忙把日记本合上，把裴莺莺的书包放好，面红耳赤地迎门走去。

来人是程锦蓝的同事张晶，她是教历史的。张晶的母亲得了脑血栓，正在恢复期，已经支付不起医疗费了，她是来借钱的。张晶说："锦蓝，学校再不发工资，我打算辞职当裁缝了。"张晶的裁缝手艺不错。程锦蓝说："当教师总比当裁缝好。"正说着，裴绍发领着李程爱进来了，张晶连忙起身对裴绍发说明来意。程锦蓝本来以为裴绍发会一口回绝，而且会装出一副穷样，不料裴绍发说："行，你们当老师的太穷了，手上有个短处，我该帮帮的。"裴绍发说着从桌上取来纸笔，递给张晶说："我最多能借你一千，你自己写，立个字据，什么时候还，利息我就不要了。”张晶喜出望外地拿过纸笔，哆哆嗦嗦地立下了一张一千元的借据。裴绍发看了字据后一言不发地走了出去，待他回来时，手上已经有一千元钱了。裴绍发使劲甩了甩钱，然后把它们小心翼翼地递给张晶。张晶接过钱，数了一遍，道谢后走了，程锦蓝问裴绍发："你不是从不借钱给人吗？"裴绍发用手揉着胳肢窝尖声说："老王头跟我说过，这个张老师当年说你嫁给我算白瞎了，我想让她知道你嫁给我白瞎不白瞎！"

程锦蓝呆望着丈夫，无言以对。

程锦蓝哄李程爱睡下后，裴莺莺回来了。她进屋后便取下了张桂芝的照片，仔细擦拭着。程锦蓝拿起一个三角布兜，出了家门，到小卖店买了两刀烧纸和几个苹果，然后把它们悄悄放在仓房里，之后，她到校长家请了一上午的假，把她的语文课挪到下午上。等她回家时，裴莺莺已经睡了。裴绍发忧心忡忡地对程锦蓝说："过两天我得进城跟莺莺的班主任聊聊，这孩子恐怕要学坏。"程锦蓝问他何以见得，裴绍发一抽鼻涕说："她刚才唱歌唱的词才下流呢，一口一个'亲爱的'。"程锦蓝听后不由"扑哧"一声乐了，她觉得裴绍发在某种时刻是单纯可爱的。

次日细雨霏霏。也许是春雨的缘故，这雨有些脏，落到玻璃窗上很快就会有浑浊的印迹道道出现，而且这雨很阴凉，带给人某种惆怅。早饭后程锦蓝给李程爱找了把伞，唤他先去上学，她上午有事就不去了。李程爱自然是欢天喜地地走了。他想中午这雨一旦停了，自己就可以在放学的路上随心所欲地多玩儿一会儿，那时他会把更多的字写在湿地上。

程锦蓝从仓房取出兜里的烧纸和苹果，对裴莺莺说："我跟你一起去给你妈妈上坟吧。”裴绍发这才明白裴莺莺回来是为了什么。他怔了半晌，脸一阵凉一阵热的，有些羞愧，有些自责，又有些伤感。裴莺莺满含泪水地看着父亲，她突然抽泣着说：“你还不如程阿姨，她都记着妈妈的忌日！”这回轮到程锦蓝不自在了，她的脸红一阵白一阵的。

他们三人给张桂芝上过坟后，裴莺莺就返校了。裴绍发和程锦蓝一前一后地朝家走。到家后，裴绍发忽然很动情地抓住程锦蓝的手哽咽地说：“以后我再也不去兰酒馆了！”

程锦蓝甩开裴绍发的手，她见离做午饭的时间还早，就独自出了门，去看细雨中的河柳。她还从来没有在雨中看过河柳。路很湿，淅淅沥沥的雨落在伞上，听上去就像亲吻声一样，温柔而又湿润。田野和山峦微微地绿了，这绿由于还嫩着，又被雨雾所笼罩，因而朦朦胧胧的，显得有些羞涩，就像初恋的姑娘眼里的神色。河岸上一个人影都没有，偶尔可见几只鸟从河上掠过，它们很快消失在柳树丛中。程锦蓝见乌都河已是彻底冰消雪融了。它簇拥着河上被细雨敲打出的无数涟漪，哗哗地朝前奔流着。程锦蓝不知道乌都河会不会流到黄浦江去，否则她会折上一枝河柳，让它轻舟一样地一路漂荡下去。她想李牧青纵然忘记了她，该不会忘记这里的河柳。程锦蓝把伞收束，沐浴着细雨看河中心浅滩上的那片河柳。此刻的红柳因了雨的滋润，显得更加鲜润明媚，它们如一条条鞭子伸向天空，企图放牧那上面如牛羊一样涌动的乌云；它们又像一群腰肢纤细的穿红裙的舞女，以河水为伴音，轻歌曼舞着。程锦蓝爱这片河柳，她幻想着有一天她的头发会变成河柳，每时每刻嗅着它清新而微甜的气息。

程锦蓝离开河岸时，浑身已经湿透。她见远方有个人影在望着她，她想那一定是裴绍发。

裴绍发在这个下午领着李程爱到派出所把户口簿上的姓改了。从此李程爱就叫裴程爱了。裴绍发显得兴致勃勃的，给李程爱改过姓后，给了他十元钱，说：“裴程爱，天晴了，你去小卖店买点零嘴吃吧，愿意玩儿到几点就几点回家！”

裴绍发觉得今天这个日子值得纪念，就捉了只公鸡，唤程锦蓝把鸡宰了。这鸡也有着通红飘逸的鸡冠和五彩羽毛，可程锦蓝一点也未觉得可惜，她沉着地拧过鸡脖子，深深地割了一刀，这鸡很快就气绝身亡了。

浓香的鸡汤味徐徐弥漫的时候，天已暗了。李程爱还没有回家。程锦蓝正要出去找，见副镇长仄着身子进来了。副镇长大约闻到了鸡的香气，他深呼吸了两下，咂了咂嘴，对程锦蓝说：“你得管管你家孩子了，到处乱写什么字！他在镇委门口写了‘狗屎、坏蛋’四个字，这要是搁在过去，还不算反标？你们大人还不得跟着倒霉？”裴绍发在旁听了连忙给副镇长赔笑脸，说是小孩子不懂事，就爱往地上划拉几个字，以后不让他乱写就是了。裴绍发还说，赶巧家里炖了鸡，这口福既是赶上了，就别错过了，留下来一起吃鸡吧。副镇长吐了一口痰，然后咽了一口口水说：“恭敬不如从命。”

程锦蓝出去寻找李程爱，她去了镇委、学校、小卖店、卫生院等李程爱常去的地方，未见其人影。后来卖豆腐的刘老汉告诉程锦蓝，他见李程爱去河边了。程锦蓝便有些心慌意乱，她飞快地朝乌都河走去。晚霞散了，雨后的空气清冽湿润，分外宜人。河岸的柳树在暮色中显得宁静而安详。程锦蓝看见李程爱孤零零地站在河岸上，垂头看着地上。虽然光线已经黯淡了，程锦蓝还是清清楚楚地辨出了李程爱用柳枝写在地上的三个大字“李牧青”，这三个字一定是被李程爱描画了多次，每一个笔画都深深的，像是一道道纵横交错的鸿沟。程锦蓝鼻子一酸，她抱住李程爱，泪水夺眶而出。

又一日清晨。程锦蓝起床后发现裴绍发不在，她以为他在塑料大棚劳作。程锦蓝走向院子，准备抱柴生火。这时她看见裴绍发呼哧呼哧地背着结结实实一大捆红柳进来了！裴绍发把红柳扔在地上，抹着额上的汗说：“河中心的这片柳条真不错，我把它们全都割了，回头让王伦他爸给咱家编上几个筐，用它来盛香瓜和灯笼果！”说完，裴绍发拍了拍手，指着李程爱住的那间屋子说：“裴程爱还没起来？河岸还有一捆河柳没背回来，让他起来，帮我去分担点！”接着，他豪气十足地畅快地喊了一声：“裴程爱——”

月白色的路障

王张庄在长林公路上是臭名昭著的。常跑这条路的司机没有没受过它的宰割的，也没有不唾弃它的。它就像长在公路上的一颗毒瘤一样，你以为把它切了，它就会远离你，可要不了多久，它又虎视眈眈地来了。

王张庄是个靠路发财的村庄。以前，它在长林公路的青麦段，人们以种地为生。由于这公路上往来的车辆多，有时司机跑到王张庄时，只觉人困马乏，就进庄子的人家要碗水喝，讨口饭吃，申请袋旱烟抽。当然，司机享受完毕，会留下一些钱给被打扰的人家。这钱比种地要来得容易和可观，王张庄的人从中受到启发，有人率先在公路旁开起了小饭馆，生意出人意料的红火。跟着，小卖店和旅店也应运而生。司机到了王张庄，会不由自主地停下车，趁机歇歇脚，打打牙祭，然后心满意足地继续赶路。应该说，那时的王张庄给人的印象是亲切的、朴实的、可爱的。然而到了后来，村庄越来越多的人都想靠路发财的时候，王张庄就成了强盗了，卖果品的、洗车的甚至算命的都出现在路两侧了。这些人招揽生意是肆无忌惮的，他们看见汽车过来了，就迎面朝路中央走去，不由你不停下来。有的司机要赶路，就提前准备好钱，途经这些人为的路障时，就天女散花似的把这钱通过驾驶室的车窗尽量地往路边扔，路中央的人就会自动散开去抢钱，司机赶紧加大油门逃之夭夭。以致在后来，一些司机宁可绕道走，也不愿意走这让人仿佛上刀山、下火海般的王张庄。

三年前，长林公路改道，甩开了青麦段，就把王张庄也一手甩开了。跑长途的司机无限欢颜，说是人算不如天算，王张庄离新公路有一百多里的路，料他们就此该罢手了吧。也的确，司机们跑了几个月的清净路。然而好景不长，在新公路的百合岭路段，王张庄的人又鬼影似的闪闪烁烁地出现了。开始时只是三五人，在野地里搭着窝棚，见了汽车他们就冲上路面，有卖吉祥符的，有卖香烟啤酒的，还有强行要洗车的。跟着，王张庄的人越来越多，他们带着家当，渐渐地把一个村庄迁了过来。百合岭的附近，就起了形形色色的房屋。这些房屋都很简陋和狭窄，看来他们随时准备着再度搬迁。改道后的路，无论是南来还是北往，都必须经过百合岭。车流量比以往的王张庄还要大。加长的运输车是王张庄人最喜欢打主意的，因为它装载的货物多，司机怕耽搁时间长货物遭到打劫，因而对他们的要求是百依百顺的。对那些不常出现的高档汽车，他们是不敢贸然拦截的，以免会撞到枪口上。司机对王张庄的人无可奈何，只好求助于新闻媒体，也的确有两家报纸前来采访，披露了此事，相关部门也成立了调查组进驻百合岭，整顿了一段时日，勒令他们在十天之内搬回去。然而等调查组撤了之后，王张庄依然岿然不动地停留在百合岭，村民们在路上忙得不亦乐乎，刁难司机的花样不断翻新、层出不穷，令人胆寒。

王张庄到了百合岭，就像在野地苟合的男女，虽然有说不尽的风流，可毕竟是偷偷摸摸的。这使得他们总是有些提心吊胆、兴犹未尽。他们就想，能不能名正言顺地让人承认，他们这么做也是正确的呢？他们就派人回到老的王张庄，那里多半都是空屋子，留此种地的人已经微乎其微了。他们找到老村长，拜托他进城跟上级主管部门商量商量，能不能在百合岭成立个王张庄汽车中转站，他们顺理成章地提供方方面面的服务。老村长一跺脚说："你们早早晚晚会回到老王张庄，你们是农民，农民不种地，看着禾苗没有感情，有个鸡巴出息！"老村长还说，你们去了百合岭，可王张庄的老师没有去，你们的孩子在那里受不到教育，将来全都是文盲，挣了再多的钱也土鳖！的确，留在老王张庄的，除了村长和老弱病残的人之外，就是两位老师了。这两位老师是一对夫妻，男的叫张日久，女的叫王雪棋，他们均不到四十岁。王雪棋很文静，肤色白皙，身材姣好，虽然她的五官并不很出众，但是耐人寻味地受看。一个女人很受看，说明她是有味道的。而这味道是由知识滋养出来的，这点是王张庄人的共识。那些种田的男人聚在一起时会说，那个王雪棋又不是大眼睛、柳叶眉、樱桃嘴，怎么就那么惹人爱？看来是书读得多，举手投足间就透着一种浪漫气息！女人们在一起时则撇着嘴角议论说，王雪棋好看，还不是因为在城里读书的时间长，懂得笑到什么程度最妩媚，懂得看人时用什么眼神最动人，懂得衣裳的腰身紧到什么程度最摄人心魄。听她们的口气，王雪棋的美不是自然流露的，而是被知识给刻意装扮和修饰过的。可是不管怎么说，人们都承认王雪棋的美。在王张庄的人看来，张日久是配不上王雪棋的。他虽然也读过中师，可是看上去却猥琐不堪，个子虽然高，可是整天弓着个腰，动不动就打哈欠，额头老是虚汗淋漓，不论走多远的路，总要一歇再歇，似是气数已尽的样子。而且，他很不愿意搭理人，一副心高气傲的架势。他平素喜欢写诗，经常投稿，所以他每天都盼望邮递员的到来，期望他的诗能被某家报刊采纳。然而他的诗作总是泥牛入海，杳无音信。王张庄的人给他起了个绰号"王湿人"，说是他要是多淋几场雨，那些诗就会发表出来了。有好事的人问过张日久，说是诗长得什么模样，让他给形容形容。张日久就说，诗是一行一行排列的文字，有的行字多，而有的行字少。好事之徒就恍然大悟地说，难怪你家的地的垄台打得长短不一的，原来你在地上也写诗啊！张日久和王雪棋结婚多年，至今没有孩子，不知是他们不想要，还是想要而要不成。如果是要不成的话，责任又在谁？王张庄的人私下猜测，看张日久的那副弱不禁风的模样，问题肯定出在他身上。

老村长的话，使回到老王张庄游说的人大为不安，的确，跟随着父母去百合岭的孩子，他们在那里一直没有学上。他们想一个臭教书的有什么了不起，清高个屁，给他们在百合岭搭个小屋，将他们的那点破家当一卷，每月扔给他们几吊钱，料他们就会乖乖地跟着走。于是，他们就在百合岭的新王张庄的北侧用了三天时间建了一座泥屋，凑了几样炊具，让张基础出面把他们接来。张基础是个混球儿，三十多岁了还没有成家，他声称王张庄只是他生命中的一个小站，他不会一辈子待在这里的，赚足了钱他就会远走高飞。张基础占据着百合岭最好的路段，就是南路的入口。他设置的路障是五花八门的，有的时候挖坑作为陷阱，有的时候用木板钉上钉子去扎轮胎，还有的时候摆一个用白纸扎成的花圈，谁愿意轧花圈沾染这晦气呢！当然，有时他还捆了一头活猪放在路中央，你若是把那猪给轧死了，他得把那猪说成是金猪，让你赔比猪本身要高出三四倍的价钱。而后，猪又会被他吃掉。别看张基础长相不济，肉头肉脑的，眼睛还没有老鼠大，可他对女人却很挑剔。王张庄的女人，他认为只有王雪棋才像个女人的样子，其他的女人他都懒得看上一眼，说她们不过是生孩子的机器。因而王张庄的女人都讨厌他，巴不得他早点赚足了钱滚蛋。推举他去接王雪棋，一则是看中了他的霸道，料张日久不敢不从；二是知道他对王雪棋情有独钟，他有兴趣做此事。因为他不止一次在百合岭醉后发牢骚，说是一天到晚看那些黑不溜秋的女人，他吃肉都不觉得香，人家自然而然就会联想到王雪棋，觉得张基础是在想念她。另外，人们也是在有意无意地给他设置一个陷阱，如果他请不来老师，就会栽面子，以后他在百合岭还怎么混？还能像过去那么趾高气扬的吗？

其实王张庄并没有多少学生，不过七十多名，分五个班级。王雪棋教主课，语文和数学；张日久教副课，如音乐、图画、自然等。学生们都说，张日久教课就是对付，如他上音乐课，并不教简谱，只是拿着个小录音机，放上一首首的歌和乐曲给他们听，让他们自己去感悟。而图画课时，他常常带来一些土豆、白菜、萝卜或是野花，把它们放在讲台上，让学生去画静物。而他自己呢，通常是坐在教室的窗前，把一个黑皮笔记本放在膝上，蹙着眉头写着什么。至于他写的是什么，只有他自己清楚了。他从来不让人去看那个本子，只是有一次他闹肚子，上课时匆匆忙忙跑着上厕所，调皮的王爱徒拿过本子翻了两页，说那上面写的是诗，他只记得这样两句：假如大地变成了天空，我就夜夜在银河畔漫步。学生们依此在背地里又为他加了一个绰号“张颠倒”，大地和天空岂能倒置，这难道不是一个疯子的想法吗！

张日久和王雪棋的关系看上去多少有些神秘，他们从不吵架，而且从来不一起去学校，各走各的。有时他们偶然在路上碰见，只是互相张望一眼。就是下农田干活，也是一前一后地走。人们就说，有知识的人讲究个含蓄，哪能像农民似的无所顾忌地当众打情骂俏呢。

令所有人吃惊的是，未等张基础到老王张庄，张日久和王雪棋不请自来。他们搭了一辆运苹果的卡车，带了两个行李卷和一口木箱。车到百合岭是傍晚时分了，司机远远地就看见了前方的路障，那是司机们最讨厌的花圈。路障自然是张基础设的。司机停了车，跳下驾驶室，吆喝车上的王雪棋：“哎，我说那个女的，新王张庄到了，你不是说能不让我花钱就通过路障吗？你快下来给我说和去呀！”王雪棋颠了一路，早已有些晕头转向了，而张日久，已经把汽车当成了个大摇篮，甜睡得仿佛一个婴儿。王雪棋在下车前用手搡了丈夫一把，轻轻对他说：“是百合岭了。”张日久睡眼蒙眬地望了妻子一眼，软着腿起来收拾行李。

百合岭并没有岭，而是一望无际的平原。王雪棋喜欢平原的风景，它开阔、豁亮、明朗。如果正午的阳光泻在平原上，它就会弥漫着一层雪白的亮光，你感觉那上面的阳光已经凝固成一片巨人的白纱，等着巧手的女人去裁剪它。而到了黄昏时，落日的余晖映得平原焕发着暖洋洋的粉红色光晕，不光是飞鸟和蝴蝶喜欢在平原上翻飞，人也喜欢在其中漫步，走着走着，你会有走进了西边天霞光里的感觉，误以为自己已成仙人。王雪棋下了卡车，就被眼前的平原落日所深深地震撼了。夕阳坠了一半，浩荡的草丛飞旋着橙黄的光芒，就像这草结了千千万万颗丰收了的麦穗。她沿着公路向前走，可是头却朝向西方，她的目光放在了被夕阳浸染得一派辉煌的草丛上。渐渐地，她觉得这草像海水一样涌动翻卷，而她自己变成了一叶小舟，随波荡漾着。正在她心醉神迷的时候，一个熟悉的声音传了过来："怎么是你？"她转过头朝前一望，见是张基础带着两个人晃荡过来了。他穿着件扎眼的大背心，那背心是白底的，上面印了一条垂头丧气的黄狗，狗的上方是三个张牙舞爪的红字：烦死啦！张基础光着脚，叼颗香烟，见了王雪棋有些不会走路了，他顺了拐，仿佛王雪棋的目光是子弹，把他的腿给生生地打瘸了。王雪棋指着花圈说："你也不怕司机忌讳，放什么做路障不好，非得弄这个吓人的东西横在这里吗？"张基础用手摸了一下自己的光头，嘻嘻笑着说："你是坐这辆卡车来的？为这车主来说情的？你放心，你坐的车，在我张基础这里是一路绿灯！"说完，他使劲抽了几下鼻子，问王雪棋："你是不是坐着拉苹果的车来的？"王雪棋心想，你的背心真是没白印着一只狗，嗅觉可真是灵敏啊，她笑着点了点头。张基础回头吆喝跟着他的人："真是没眼力见儿，还不把那东西给快点拿走！"随从不敢怠慢，赶紧弯腰抓起花圈，匆匆走下公路，送回不远处的张基础的房子里去。王雪棋望着那两个捧着花圈的人的背影，怎么看怎么觉得他们就像是送葬的。张基础对王雪棋说，他正要过两天去接他们的，已经在公路的北口给他们造了座泥屋，条件是让他们来给孩子们上课。王雪棋并没有感到特别的意外，她只是淡淡地说："有现成的屋子最好了，要是没有的话，随便找个地方凑合凑合也行。"她接着问学生们在哪里上课，张基础指着正前方的一座矮屋子说："王双和家发了，他盖了大房子，这小屋子闲起来了，你们就当教室用吧。"见王雪棋没有搭腔，张基础又说："你要是嫌这屋子憋屈的话，天气好的时候，就带学生去草地上课，又有阳光又有清风的，多自在，多眼亮！"王雪棋望着已经逐渐暗淡下来的原野，默默地低下了头，仿佛她在哀悼已逝的夕阳似的。

读书声果然在百合岭响起来了。就像张基础所建议的那样，王雪棋给学生上课，只要是逢了晴天，她就把不同年级的学生带到草地上。张基础亲自动手，打了一块可以悬挂的黑板，这黑板比正规教室里的要小，它四四方方的，挂在一个类似篮球架子的木架上。黑板怕不期而至的雨给淋湿了，就得随时搬动；而那个木架子则随时随地地放在草地上。开始这木架是光秃秃的，没过几天，它就被学生给装点得姹紫嫣红的。男生给它裹上密密实实的青草，女生则把它当作了新娘子，这个往上插朵红花，那个插朵黄花，再来个偏爱深色的人又为它插朵紫花，使这个架子看上去绚丽极了。当然，做这些事，在课间休息时就可完成。草地上有一望无际的青草，有随处绽放的野花。学生们也喜欢斑斓的蝴蝶和金黄色的野蜂，可惜它们不听摆布，没法将其缚在木架上。在阳光灿烂的草地上，一切都是那么明媚。这种时候，你倒觉得这种无处不在的明媚反而是暗淡的，而那漆黑的黑板却因为显眼而格外的夺目和明亮。黑板上的每一个字母和汉字，都像星星一样散发着一种神性光辉，给人带来启迪和遐想。

王雪棋去上课时。张日久就在公路上游荡。夏季的天很闷热，可他却穿着件铁灰色的风衣，看上去十分扎眼。常跑这条线的司机，见新王张庄出现了这样一个怪人，就在公路上放慢车速，有意避让他，以为他精神不好，别一头钻到车轱辘底下，再惹上人命官司。张日久不唯穿着风衣，还抄着袖子，走路时嘴里念念有词的，鬼知道他跟自己说些什么。他见了被阻截的汽车，总要停下来，直着腰张望一番，直到司机与阻车的人一番讨价还价后掏出钱来，他这才吐着舌头走开。他一见钱就吐舌头，令人感到费解。张基础自王雪棋来了之后，就不再穿那件印有“烦死啦”字样的背心了，他换了另外一件，也是白底的，不过上面的动物变了，是一只神色温柔的小花猫，这小猫调皮地噘着嘴，旁边印着三个鲜红的大字：吻我吧！张基础穿着它在公路上设置路障时，常常有苍蝇往他的背心上扑，他就用手赶走苍蝇，骂：“我是让你们这小黑嘴吻的吗？我是留着给别人吻的，你们这些不识趣的东西！”有一回这话恰恰被鬼魂一样游荡的张日久听见，他就指着张基础的背心说：“你不该穿这种衣裳，这是嬉皮士穿的！”张基础说：“嬉皮士怎么了，一般的人想当还当不上呢！我告诉你，这种背心在大城市卖得火了去了，我一次买了五件！”见张日久在大太阳下仍然捂着风衣，张基础就说：“你又不是坐月子怕受风，弄这么严实干什么！你要是没有背心，我送你一件吧，那件我还没上过身呢，是黑色的，上面写着‘离我远点’，正好你不爱搭理人，就送你算了！”张日久的脸红了，他嗫嚅着说：“我是个老师，怎能穿背心出来！你觉得有太阳就暖和。可我却觉得冷，穿风衣还打哆嗦呢！你知道吗，毛主席还穿风衣呢！”张基础不由扑哧一声乐了，他说：“毛主席穿风衣，肯定不会穿成你这德行，你穿上风衣，怎么看怎么像个叛徒！”张日久撇了撇嘴角，袖着手走开了. 他走得气喘吁吁的，似乎再多走几步就会气绝身亡。张基础有些兴味索然，因为张日久很少跟人说话，他今天肯和自己搭讪，他该和他多聊聊，至少应该问他一些重要问题，比如：你们为什么突然决定来百合岭？你为什么爱写诗？王雪棋为什么不要孩子？你们不想挣点钱，早点离开王张庄？

月白色的路障究竟是哪一天出现的，大概除了当事人之外，没有人能够说出确切的日期。开始，是惯于夜间活动的王双和发现公路和极北处有一条白影在晃动，他一直以为撞见的是鬼。因为这影子在夜晚看上去飘忽不定。后来，他发现路上有汽车经过时，这道白影就上了路中央，车也随之停了下来。而且，这车一停不是十分八分就能走的，往往要耽搁半个小时以上。这就使王双和心生疑窦了，深更半夜的，这车停这么长时间做什么？很少有司机跑夜路，因而百合岭的人夜晚基本是不打车的主意的，他们在此时呼呼大睡，养精蓄锐，以备第二天精神焕发地投入“工作”。然而自从这月白色的影子出现之后，夜半公路的汽车竟奇迹般地多了起来。而且，这车一旦驶到北口，就乖乖地停了下来，令王双和惊诧不已。为了弄个水落石出，有一天深夜，王双和壮着胆子潜伏在那一带。那晚的月亮很好，月色温柔，平原上微风荡漾，青草的气息沁人心脾。百合岭的房屋，大都是临时性的，因而看上去极不规整，有的甚至歪歪斜斜的。然而北口处张日久家的房子，却像模像样的，这在月光下感受得尤为强烈。虽然它不高大，但却有棱有角的，看上去温馨而又端庄，很像它的女主人。当正南方的公路有车声传来时，王双和发现张日久家的房屋晃出一条白影，它顷刻间就飘上了公路。当汽车要出北口时，影子已经候在了路中央。在白炽的车灯照耀下，王双和看清了那影子的脸，她就是王雪棋！她穿着一件带着帽子的月白色袍子，见不到头发，难怪远远看时以为是个鬼。汽车停了下来，司机灭了车灯，关了油门，走出驾驶室。这时，王双和看见张日久过来了，他绕着汽车转了一圈，然后代替司机进了驾驶室。司机对张日久吆喝道："我说你可得给我看好了，我可是拉了三十八头猪呢，一会儿出来要是少了一头，我就把你补上当猪给拉走！"说完，这司机就跟着王雪棋走下公路，飞快地进了泥屋。王双和恍然大悟，原来这两口子悄没声地干起了人肉生意啊！这可真是令人难以置信！想想吧，王张庄的人纵然再厚颜无耻，也没有一个男人怂恿老婆吃这口饭哪，不管怎么说，张日久和王雪棋在王张庄人的心目中是高人一等的，他们应该有他们的尊贵和纯洁才是啊。那一刻，王双和分外难过，他甚至有些眼泪汪汪的了。他真想冲出草丛，把那个王八蛋张日久揪出来，打他个鼻口蹿血，让他明白他这么做是可耻的。可是思虑再三之后，王双和平静了，他想自己没有资格对别人指手画脚，因为自己也比他们强不了多少。再庸俗点说，这都是什么世道了，人们为着钱都疯狂了。司机睡的又不是他的老婆，那就尽管让人去睡吧，他妈的，那一夜，王双和目睹了王雪棋领走了两个司机，他想这生意还真不错。天将明时，他找到了张基础，他知道他对王雪棋有一种朦朦胧胧的爱，就把所看到的事实一五一十地讲了，不料张基础对他破口大骂，说他是血口喷人，声言他再敢胡说八道，就让他见阎王爷去。王双和可不想见阎王爷。他费尽心机挣来的那点钱，还没能好好享用呢。他想多一事不如少一事，于是就对张基础说自己是看花眼了，没准把鬼当成了人。张基础这才铁青着脸让他滚远点。

张基础是个有心人，尽管他骂了王双和，还是觉得无风不起浪，就在当夜来到公路的北口，想探个虚实。到了夜半，当载重卡车由南向北驶来时，公路上果然出现了一条月白色的影子。这影子移到路中央时就不动了。影子像一支白色的蜡烛，矗立在那里，仿佛月光会把它点燃，给夜行者照路。卡车放慢了速度，逐渐地停了下来。驾驶室的门被打开时，张基础听到了一个熟悉的声音：“你又来了，你要是老这么着，我赚的那点钱就拿不回家多少了。”虽然他的口气是埋怨的，但还是隐含着欣喜。张基础知道这人叫朱玉龙，常年拉走私货，从不要助手，只是一个人跑夜路，非常趁钱，人称“朱百万”。朱百万国字脸，浓眉大眼的，头发茂盛，总是油光光的，喜欢抽烟和吃肉。据说他跑长途，要备足熟肉，什么酱肘子、炸鸡翅、烤羊排，要装满满一塑料袋。他抽的烟，是又粗又黑的雪茄烟。他不喜欢那又细又白的香烟，说是男人抽它就像含着个奶嘴，没气派。朱百万下了车，张基础就看见了张日久的身影。虽然看不太真切，但他知道那肯定是他。明亮的月光下，穿风衣的张日久就像一只毛茸茸的白鹤，他什么也没说，打开驾驶室的门，钻了进去。而那条月白色的影子，牵着朱百万向王雪棋家的泥屋去了。张基础望着这一幕，不由浑身战栗，他觉得寒冷极了。他恨不能把这卡车放把火给烧了，要不就揪出张日久，把这混账打得屁滚尿流的。他不明白，他们何以要这么做？是王雪棋有对不起丈夫的地方、张日久让她卖身作为报复呢，还是张日久身下的活不济、允许妻子借种生孩子呢？或者干脆就是近墨者黑，王张庄不择手段挣钱的现实震撼了他们，他们眼红了，谁不知道钱是个好东西呢！这一瞬间，张基础忽然非常仇恨钱，如果不是因为它的话，王张庄的人不会像今天这个样子，王雪棋仍然可以留在老王张庄教书，张日久也仍然继续写只有他懂的诗，他张基础心目中的王雪棋，仍然是单纯的、美好的、可爱的。张基础仰头望了望月亮，觉得非常的悲凉，那每一缕月光，都像钢针一样深深地刺痛了他。他甚至想如果要是能弄到长生不老药，提前给王雪棋吃上就好了，也免得她如此地糟践自己，让他这般的痛苦。只是不知道月宫里的嫦娥欢不欢迎别的女人的到来。王雪棋要是奔月了，起码他在夜晚抬头的一瞬，感受到的月光会是亲切撩人的。张基础抓了一把青草，使劲把它揉碎，揉出那清香的汁液来，然后用这汁液搓了搓脸，心境才稍稍平复下来。当朱百万从泥屋里出来，驾驶着卡车重新上路后，张基础就沿着公路向南走了。因为腿软，他走得磕磕绊绊的，仿佛是中了暗枪。他在途中又碰到一辆卡车迎面而来，他怕看见它会突然停在有月白色的影子伫立着的路面上，因此连头也不敢回一下。不管王雪棋夜晚做了什么见不得人的事情，白天时，她仍然是一天不落地去给学生上课，也未见她神色疲惫。阴雨天气时，她穿一件深蓝的长袖衫，显得她的脸愈发的白皙；而晴天时，她通常穿一件水粉色的短袖衫，恬静得看上去像水畔初开的一朵荷花。那个草丛中吊着黑板的架子，因着野花越开越繁盛，它也就愈发地花枝招展，简直就是一个新嫁娘的模样。张基础对王雪棋泰然自若的神情格外反感，他想这个女人连廉耻感都没有了，这真让他绝望。有一天，天还没有完全亮起来，张基础醒得早，索性穿衣起床，到户外去呼吸新鲜空气。他先是上了公路，看了看东一座西一座四散的房屋，忽然觉得它们和坟墓没有什么区别。由于房子建得仓促，且都是对付着住的，所以它们看上去矮矮趴趴、七扭八歪的，不像是人住的地方，说它是猪圈或者牛棚更为恰当些。如果再进一步联想，这些房屋就像是生在百合岭的一片蘑菇，不过都是些被雨沤了的烂蘑菇。张基础心情灰暗地信步朝草滩走去，他很想看看王雪棋给学生上课的地方。走着走着，忽然听见草丛中有声音传来，他抬头一望，看见王雪棋正弯着腰，垂头寻找着什么。张基础大声咳嗽了一下，王雪棋抬起头来，对着张基础笑了笑，说："昨天上课时，我上衣的纽扣掉了，今早过来找找看。"张基础想说，你这骚货还用得着纽扣吗？你光着身子也没有关系啊。心里虽然这样恨恨地想，可嘴上说出的却是："扣子那么小，落在草里还有个找。"话一出口，他就分外憎恨自己，真想扇自己两巴掌。王雪棋穿着深蓝色的衣服，在清晨的绿草中，她看上去是庄重和典雅的。她对张基础说，粉笔快用完了，能不能让过路的司机从城里再给捎来两盒？张基础想说，你比我跟司机都熟悉，要两盒粉笔还不轻而易举？可他嘴里说出的却是："除了白粉笔，还要不要彩色的？要是要的话，我就叫人一起捎了。"王雪棋笑了笑，点了点头，说："也好，就要盒彩色粉笔吧。"王雪棋笑得很媚气，张基础一再提醒自己那是妓女的笑容，它比垃圾沟里的气味还难闻，可他还是被那笑容打动了。他甚至想，要是此刻穿着印有"吻我吧"字样的背心就好了，背心会帮他表达情感的。平原渐渐地起了白雾，这雾开始时很小，只是丝丝缕缕的，后来成了气候，是汪洋一片了。绿草隐在雾中，王雪棋也隐在雾中，看上去全都是朦胧的。这时的张基础觉得自己是到了另一个世界了，像是在大海上漂荡，又像是在云中漫步。他有些飘飘然，如醉如痴，以致王雪棋是什么时候离开的他都不知道。其实他是很想问她一句话的:“你白天时为什么不穿着白袍子?”

连绵几天的雨使得长林公路在百合岭的一段出现了塌方，有三十几辆汽车滞留在新王张庄，这令人大喜过望。司机们把车停在路上，然后去住户家喝酒、聊天、打牌，这意外的耽搁非但没使他们恼火，反而使他们很开心。仿佛他们是一个个厌倦了上学的孩子，终于有一天成功地逃了学一样感觉轻松。张基础接待了四个司机，他们个个神色愉悦，说是最好这路面不要很快就被抢修好，他们可以舒舒服服地休息两天。张基础就说:“路要是不通，不是耽误了你们的生意吗?”司机们都说，这些年只顾着挣钱了，有时累得恨不能路上出点事，一了百了，不用再操心钱的事了。张基础就讥讽他们说:“别唱高调了，要是现在悬赏十万块钱，让你们光着脚、扛着一具死尸走五十里的夜路，我敢保证你们四个人会打破脑袋争这个活的!”四个司机面面相觑地看了半晌，然后不约而同地笑了起来，说:“敢情!”酒足饭饱后，天已经黑了，四个司机打着伞上了公路，分别仔细察看了一番自己车上所装载的货物，确认它们一样不少后，这才放心地返回张基础的屋子，打算躺倒睡了。雨下得越来越大，雨珠拍打玻璃窗的声音分外激越。正当他们迷迷糊糊要睡着了的时候，门突然被人给打开了，一个洪亮的声音随之响了起来:“他妈的张基础，点灯点灯!我朱百万来了，怎么着，是不是嫌我穷，连个亮也不给我?”其实张基础并不在屋里，他到王双和家去了，他家住着的司机带着个怪客，据说是狐仙附体，会给人看病，能看出前生往事，还能预知未来。司机们一听是朱百万来了，纷纷从炕上坐了起来，跑这条线的司机，都喜欢和朱百万聊天，他特别会讲黄色笑话。“朱爷啊，在王张庄你还要亮儿做什么?有亮儿你还好意思讲笑话了吗。”这是于彪绵软的声音，朱百万一听就听出来了，他更加大声地说：“好你个于彪，也把你给困在这地方了，老天爷可真是长眼睛！上回你听了笑话，还说听得过瘾，要请我喝两盅，可是我回头一看，你小子他妈的一掉腚就没影了，今天可是让我给逮着了，说吧，怎么惩罚你这光许愿不还愿的家伙？”于彪在黑暗中嘿嘿笑着说：“你可别说，老天爷还真是体谅我，让我在王张庄遇见你，又没有大酒店又没有歌舞厅的，有钱也花不出去！”其他三位司机听了也都忍不住笑了起来。他们睡意全消，支棱起耳朵，单等朱百万说黄段子解闷。朱百万发了一通牢骚，摸黑吃了块随身带着的肉，然后绘声绘色地说了一个聋子嫖娼的笑话，听得司机们舒服极了，他们快乐地笑着，说是路面塌方可真是好，能在王张庄提前把年给过了。还说要是雨一直地下下去，他们哥几个就在王张庄编一本黄色笑话的小册子，等雨一停，他们把这小册子弄到个小印刷厂印它个十万八万册的，保证全能卖出去，暴赚一笔！正说到兴头上，门又被人给推开了，这回是张基础回来了。他一进门就嚷嚷，说是这可真是末世了，什么狐仙鬼怪都出来了。就说那个狐仙，他可真是吓人，给人看病时不停地喝酒，一缸接着一缸地灌，也不见他醉。你明明穿着衣服，可他却能说出你身上哪个部位长着青迹或是红迹，哪个地方又长着痦子，真他妈的灵啊！朱百万说：“这狐仙给你算得好不好，没说你啥时候娶媳妇？”张基础一听是朱百万的声音，就想起那天夜晚的经历，想起飘荡在公路上的月白色的影子，就有些怏怏不快。他语气低沉地说：“这狐仙一说我的屁股沟里长了块红迹，我就吓了一跳，立马扔了俩钱给他，赶紧回来了。我可不想让他把我的将来都给预知出来，那样活着还有个什么奔头！”

朱百万和大家又闲聊了一会儿，然后说是他睡不着，要出去转转。于彪阴阳怪气地说：“是不是有个白影子的路障让你睡不着觉啊？你到南口去转转吧，转回来肯定你就累得能睡了，不过小心你的钱袋，别都折腾空了，回家不好交代！”朱百万似有些不好意思地说：“嗨，我是想出去看看我的货，王张庄的人，你们又不是不知道，全都是一群饿急了的狼！再说了，这里排了一溜的车，人家才不会出来明晃晃地当路障呢！”

张基础一开始还忍耐着，后来他实在受不了了，就循声扑向朱百万，和他厮打起来。朱百万有些发蒙，他一边抵挡张基础，一边说：“你今天抽的什么风啊，我不在你这儿住还不行吗！此处不留爷，自有留爷处！”炕上的几位司机以为他们是闲极无聊闹着玩，免不了又是一通大笑。

长林公路通了，雨也停了。汽车一辆跟着一辆地上路了。太阳在乌云背后干了几天的坏事，复出时就带着某种忏悔的情态，有些羞涩，有些纯美，又有些毛手毛脚的，生怕自己哪个角落没有照耀到。王雪棋又可以到平原的草滩上给学生上课了。只是夜半时分，在公路的南口，月白色的影子又出来徘徊了，这点新王张庄的人越来越清楚了，不过大家都善意地把它说成是鬼影。张基础每每在子夜时看到停在南口的汽车，就会有恶心的感觉。有一天，张基础说是要进城买个小录音机，就搭车离开了百合岭。他到了平岚，找到了于彪，说是这一段他闷得慌，想和他跑趟长途，于彪一口答应了。张基础开车的技术不错，他在平岚的一家酒馆把于彪灌得酩酊大醉，然后在黑夜中上路了。张基础驾车的时候，于彪在副驾驶的位置上呼呼大睡着。张基础如愿以偿地在子夜时分到达百合岭，这时他的心跳加快了。他多么渴望南口不要出现月白色的影子啊，可是她还是令人绝望地出现了！白炽的车灯将那个影子映得格外明亮，她就伫立在路中央，就像垂向人间的一缕凝固了的月光！张基础加大油门，横冲直撞地在瞬间冲了过去！

天将明时，张基础把车开到一条河流的浅水中，这时于彪醒来了。他见眼前一片水色，就问来河边做什么，张基础惨淡一笑，说："天快亮了，让你洗把脸精神精神，我开了一宿，该轮到你了。"说完，张基础跳下车，他的双脚浸在水中，只觉冰凉刺骨的。不知是不是在河里走过的缘故，张基础没有在汽车轮胎上发现血迹，他想没准儿昨夜撞去的真的是一个鬼。河畔的空气格外湿润清爽，张基础刚刚捧起一把河水，打算喝上几口，忽然听到河面有哗哗的声音传来。起身一望，见于彪正坐在驾驶室里往出撒尿。

换牛记

彭大步牵着白花奶牛，打着响亮的喷嚏在村中游荡。他打喷嚏，不是因为冷风的刺激，而是由于寂静，若是从前，他彭大步独自出门，这寂静就是雪中的炉火让他觉得温暖。可现在却不同了，白花奶牛与他同行，他盼望着人们前来观望，那些羡慕而又嫉妒的目光是多么贴心贴肺地暖人啊。

三村的人没有没见过白花奶牛的，他们有的甚至见过了十次八次。再美的东西，让人见多了，那种垂涎欲滴的感觉就像深秋的树叶一样经不起风雨，很快就凋零了。

冬日的天空总是灰白色的，阴天时是沉郁的灰白，而晴天时是明朗的灰白，这时节看不到天上的云，云彩就像一群迷途的羔羊一去不回。彭大步和白花奶牛走近了几户人家，均未见人影，尽管他的喷嚏打得足够响亮，却没有人循声出来，这使彭大步分外惆怅。他想大冬天的你们猫在屋子里干什么？总是烤炉火吗？炉火是个什么东西，它不就跟那些生性浪荡而美丽的女人一样，不停地用温暖和热情诱惑你，而结果是把人弄得越来越没力气吗？所以烤炉火的人总是精神萎靡地打哈欠，那时候他们放的屁都是蔫的。

彭大步跟奶牛一般高，这不是说他个儿矮，而是奶牛实在太高大健硕了。彭大步很瘦，走路一瘸一拐的。这种走态是五年前的脑血栓留给他的经典步法。他那曾毫无知觉的左半身子如今仍让他觉得阵阵发凉，尤其是左脚，就跟一坨冰一样。如此，彭大步夏天时双脚所穿的鞋就不是一路的了，左脚是棉鞋，而右脚才是单鞋。村人流着热汗从田里劳作回来，看到彭大步的左脚，总要问："它不会被捂烂吧？"此时彭大步会咆哮着叫一声："捂烂了就让它给你下酒！"那时彭大步讨厌碰到人，他们老是盯着他的左脚看，好像他的左脚不是人脚似的。也许是夏天穿惯了不一路鞋的缘故，到了冬天，彭大步虽然穿的是两只棉鞋，但左右脚的鞋也是各不相同的，常常是右脚蹬着只威武的大头鞋，而左脚则套着只矮矮趴趴的棉乌拉。

彭大步终于遇见了迎面走来的村长，这使他精神倍增，挺了挺腰杆，睁大了眼睛。彭大步的眼睛，平素看着是一般大的，可一旦睁大了，左眼就大如牛眼了。有的村民跟他开玩笑，说他之所以左侧身子出现问题，是因为左眼太大，把左侧的肌肉营养全都给吸收了，他的左胳臂左腿当然就像被抽了浆的玉米一样干瘪了。

村长盯着奶牛说："这天，出来让人憋闷，连片云彩都看不见。"

彭大步伸手一拍奶牛喜出望外地说："村长看看，这奶牛不是披着满身的云彩嘛！这云彩多白，姿态多好看，一朵是一朵的，任你看也看不够！你说天上的云彩好，可它离你远，摸不着，一不留神它还会散！我花奶牛身上的云彩，你能摸能看，它实实在在的，不会一眨眼就飞了！！”

的确，奶牛身上的白花美若白云。它们有的朵大，有的朵小，但一律妖娆浪漫，给人一种晴朗之感。村长尤其喜欢它左腹上端的那块白花，它金钟形状，就像一只女人丰满的奶，一望就使他心慌意乱的。

彭大步擤了把鼻涕，吐了口痰对村长说：“前天王士富找我，给我出五千块，让我把奶牛卖给他，我硬是没卖。五千块是钱哪，真让我动心哪！可是——”彭大步很动情地拍下奶牛说：“我跟它处了半个月，有感情了，喝着它的奶，我觉得左脚都暖和了，走路也轻快了！”

村长揉了一下鼻子，嘟囔一句：“五千块赶上你种一年地的收成了，你不卖就是傻瓜！”话虽如此说，村长心里还是暗暗佩服彭大步有眼力，因为他托人打听了，这样一头纯种奶牛的价格，在外面起码可以卖到七八千块，这也是他今天来找彭大步的原因。他盘算好了，让彭大步出面，再换一些奶牛过来，他好在村里成立一个奶牛饲养场，请个技术员过来，将来往城里运鲜奶卖，岂不是一本万利！

彭大步的奶牛，是从俄罗斯换来的，那是刚封江的时候，彭大步常常在上午时偷着到边境线上转悠，他怀里揣着几瓶二锅头，希冀对岸的俄罗斯人能过来与他交换点什么。三村是黑龙江上游的一个小村子，只有五十多户人家。在江的对岸，是俄罗斯的草原和森林。那里没有村落，只有一个奶牛饲养场，因而难见炊烟。夏季时，三村的人中这岸打鱼或者洗衣裳，偶尔可见对岸有人影闪过，那时他们就会招招手，虽然回应他们的往往不是人，而是对岸漫卷过来的凉风和飘然而至的白云。彭大步干不了重活，他就常来江边捕鱼。有时望着波光粼粼的江水，望着一路欢叫着掠过江面的水鸟，彭大步会生出许多感慨。他想这国境线就是人为自己设置的，鸟、风、云仍然自由地穿梭在两个国度之间。一只鸟可能在一个国家觅完食，而却把鸟粪遗落在另一个国家的森林中。彭大步还觉得江水流动的日子不好，这时节由于高纬度太阳的照射，白日总是显得无限漫长，江畔人影憧憧：男人打鱼，女人洗衣裳，小孩子在浅水中洗澡嬉戏，边防军巡逻的脚步声时常响起，使他难得有独处的机会。而到了冬天，那种脆生生的寒冷如期而至，边防军巡逻起来就不那么惬意了，只是固定的早晚两次。彭大步喜欢冬天还有一个原因，那就是江水凝固了，它不再像蛇一样游走，作为国境线的江就像一条充满了诱惑力的金条，让人有触摸的欲望。彭大步无非是想偷偷地去换点东西，占点便宜而已。他们喜欢的是烈性酒和水果，而彭大步需要的则是漂亮的披肩、纯正的皮货等等。三村与对岸的奶牛饲养场不通关，所以人们换东西都是私下里偷偷摸摸、小打小闹地换。比如王士富就在两年前用酒和清凉油换来两条漂亮的牧羊犬。它们浑身卷毛，耷拉着又肥又大的耳朵，跑起来威风而又优雅，比三村的那些又矮又笨的土狗确实漂亮出色多了。它们也似乎知道自己与众不同似的，非常爱出风头，在三村跑得最欢的两条狗就是它们。只有一条狗能打击它们的自信心，那就是边防军的警犬。边防军巡逻时，总是三个人，三个人相跟着排成直线，而走在他们前面的则是一条棕黑色的警犬。它高大威猛，跑起来快得就像进入了饿汉口中的面条，英姿勃勃的。这两条牧羊犬若是在江畔与它相遇，就会停下来无限迷恋地看着警犬，可是训练有素的警犬对它们却置之不理，连个招呼也不打，继续执行它的任务，这使牧羊犬分外伤感，它们常常是亦步亦趋地跟着警犬走上一程，后来发现它确实是连头也不回一下，这才悻悻走掉。私下越境交换物品是违法的，但人们对这事似乎并不以为意，就连边防军看到那两条带着明显身份特征的牧羊犬，也不过问它们的来历。

彭大步的奶牛是在他成功交换了一件皮衣之后换得的。他换皮衣是在某天的上午。彭大步远远看见对岸有人影晃动，他就朝江中心走去，朝对方招了招手。那人似是犹豫了一番，这才移到江面，朝国境线走来。彭大步取出怀中的三瓶二锅头酒，那个胡子拉碴的俄国人就痛快地把皮衣扔在他怀里。彭大步意犹未尽，想着对面就是一个奶牛饲养场，若是能换一头奶牛过来那就太美了！彭大步不会说俄语，他就俯下身子，将两只手支在脑袋上当作牛角，"哞——哞——哞哞——"地叫了起来。那人明白了彭大步的用意，他笑了笑，竖起一根拇指，然后也俯身"哞——哞——"地叫了几声，接着他拍了拍胸中的酒，把酒放在江面上，举起双手晃动着十指，然后收回，又一次举起双手晃动十指，彭大步便明白了，这一头奶牛要用二十瓶二锅头来换。他想这简直就是白送！二十瓶二锅头才值几个钱？接着，那人又比画一种圆圆的果子，象征性地放到唇边咀嚼，显出无限迷醉的样子，彭大步明白他要的是苹果了。那人比画了一个方方正正的箱子，然后竖起两根手指，示意要两箱苹果。之后，他们又费尽周折地敲定了交换时间，择在次日下午四点。这时辰太阳落山不久，村里炊烟四起，暮气沉沉，边防军一般不选择此时巡逻，他会牵着奶牛神不知鬼不觉地回到家里的。就是这一个次日下午四点的时间，彭大步用手势交流了好久，对方还懵懵懂懂的。最后他不得不指着太阳往西边天一比画，并且发出“噗——”的一声响，意谓太阳栽了大跟斗，然后竖起四个手指头，这个俄国人才明白这是太阳落山时的四点钟。次日白天彭大步买了一箱二锅头和两纸箱苹果，开小卖店的王士富起了疑心，问彭大步：“你这是要换什么大东西吧？”彭大步一摇头说：“我换什么大东西？我这是留着给自己吃喝！”他声称病已经把他弄得半人半鬼了，从今往后他要想开点，想吃就吃，想喝就喝，不然将来到了阎王爷那里，还不得委屈得哭成一个湿淋淋的鬼！王士富添油加醋地说：“对，钱这东西你要是不花它，它不就是纸片子嘛！甚至连纸片子还不如，纸片子能揩屁股，钱硬铮铮的，揩屁股还拉屁眼！”彭大步笑笑，说：“那就用钱买了卫生纸再揩屁股嘛！”王士富一拍手，嘲笑彭大步说：“这不结了，你还不是看重钱吗？”说得彭大步自己不好意思起来。他离开王士富家门时看见那两条牧羊犬，在心里暗暗对它们说：“你们神气什么，明儿我弄头漂亮的母牛来，把你们身上的那点美气让它一舌头给舔光了！”

的确，彭大步牵着奶牛在村中游荡时，牧羊犬从不靠上前来，仿佛它们来自同一国度，无须寒暄似的。

村长跟着彭大步来到他家。彭大步把奶牛牵进牛棚，召唤老婆给它饮水。彭大步的老婆五短身材，喜欢抽烟，牙齿姜黄色，见人不爱说话，喜欢独处。她和彭大步在一个屋檐下生活，见了丈夫也不爱理睬。她不喜欢和彭大步同桌吃饭，她乐意蹲在灶前吃，至于她和不和丈夫睡一铺炕，外人只能做猜测，想必他们就是不常在一起睡，男女之事恐怕也是避免不了的，这有他们的三个子女为证。这三个孩子全都待在墙上的大镜框里，两男一女。女孩是家中长女，看上去表情木讷，嫁到四村去了。每年农忙时节回村住上一段时间，帮助家里打理田间的事。他们的大儿子虽然也叉着腰在照片里笑着，但他早已笑到天边去了。他十三岁时去江里摸鱼，没摸上鱼来，倒让鱼把他给摸了。他淹死时彭大步哭得气息奄奄，而他老婆则撇着嘴角对着围观的人说："我就知道他活不长。我生他时梦见打草时把一条蛇给拦腰斩断了，这孩子刚好是属蛇的，你们想他能活长远吗？"听她的口气，好像她的儿子命该如此，不足为惜。他们的小儿子，也就是镜框里最具神采的孩子，他当兵去了。他着军装戴军帽，非常英武。彭大步常常站在照片前盯着小儿子的照片，对他说："家里以后就指望你了，你可得在队伍里混出个人样，要不就别回来。"小儿子在天津当兵，在彭大步的心目中，天津就是这世界上最繁华富庶最能造就人的地方。有时别人来他家串门，他就会指着照片上的小儿子对人家说："看见了吧，这小子穿着军装戴着大盖帽多牛气。他在天津呢，嘿，将来比他爹有出息！"就是白花奶牛刚来彭家的那两天，彭大步还特意把奶牛牵进里屋，让它认识照片上的小儿子，对奶牛说："他是不是比你见过的我们村里的人都漂亮？你多攒点奶吧，等着他探家时来喝，他一个当兵的，要是喝你这么好的奶，一顿还不得饮它一脸盆！"

村长坐在彭大步家的炕沿上，卷了一支烟，向他说明了来意。彭大步先没有回答村长的话，他大声吆喝老婆："淑香，村长来了，你也不知给倒杯水来！"彭大步话音刚落，他老婆就虎着脸进来了，她指着彭大步的鼻子说："是你让我先饮牛的，我弄完了牛才能弄村长，还不得一个一个地饮，你以为我长着四只手啊！"噎得彭大步一愣一愣的，再不敢言语一声，而村长也因着这个"饮"字有些不快，他一摆手说：“我在家里喝足了水，别张罗了！”淑香这才擤了把鼻涕，反身去饮牛了。

彭大步平静了一番，然后对村长说：“你也知道，一次换那么多牛肯定不好办，他们也不是傻瓜，知道奶牛值钱！咱那酒和苹果他吃了喝了也就完了，可是奶牛呢，它哞哞一叫就让人欢喜。他们不会蠢到一次换过来那么多牛的！这么换，那奶牛场不就黄摊了吗！”

村长使劲抽了一口烟说：“你知道什么？那奶牛场大着去了呢！他们折腾出个十头八头的，还不跟玩似的！再说了，他们喝酒就跟睡女人一样，是没够的！”

彭大步不由得嘿嘿笑了。

村长又说：“将来村里成立了奶牛场，就雇你当饲养员，别人休想再惦记这俏活！你下不了田，干不了重活，喂喂奶牛倒不赖，一个月我少说也给你开三百块钱！”

“三百块钱？”彭大步在地上跺了一下右脚，颤抖着声音问村长，“你这话当真？”

“大小我也是个干部！”村长把烟头摁灭，说，“哪能说话不算数呢！”

彭大步喜出望外地竖起大拇指说：“好，我明儿就开始上江联络去。不过这可跟钓鱼一样，你不知道什么时候能钓到，边防军巡逻时要是把我抓住，你可得为我说话啊！”

村长一咧嘴说：“看看你，事还没做呢，就说丧气话。边防军凭什么抓你？你还傻到在他们的眼皮底下过境？再者说了，这边防军的十几号人，咱村里对他们也不薄，哪年过年不给他们送点猪肉？建军节时还给他们每人送了一个刮胡刀呢！”

村长跟彭大步说好了，换奶牛的东西他负责买，他打发人直接去乡里采购二锅头和苹果。彭大步嘱咐村长：“买苹果时要那种红富士的，他们不认识黄香蕉苹果，以为它没熟呢！”

彭大步兴奋得在屋里走来走去，他觉得生活忽然间变得阳光明媚了。他不由对着镜框中的小儿子说：“你爹要有工作了，要去奶牛场当饲养员去了，一个月三百块钱，够吃够喝了，不用你个小兔崽子养我也行了！”这时彭大步听到身后传来几声冷笑，淑香说：“白打奶牛来了，我看你是乐疯了，一天到晚说鬼话！”彭大步心想，你一个妇道人家，除了生孩子、做饭、下田、铺被窝之外，还能知道什么！不过他从不敢当面反驳老婆，稍不如意，她就会掴他一耳光。

淑香喜欢耷拉着眼皮，她总是盼望着灾难发生。她曾对彭大步说，她打小就觉得活着没意思，因为人一天要吃三顿饭，要拉至少一泡屎和几泡尿。她觉得人活着就是造粪的工具，没有其他乐趣。到了该出嫁的年龄她也不想跟男人接触。所以当娘家人强行把她嫁给彭大步后，洞房花烛夜时她就又哭又喊的，弄得左邻右舍前来听窗的孩子嬉笑不已。当时彭大步的母亲还健在，老太太一看娶来的儿媳妇太出格，就给她灌了安眠药，让儿子把好事做了，淑香第二日起床后看到床单上的斑斑血迹，她二话没说，穿鞋下地搬来一块大石头，把婆家的锅给砸漏了。她边砸边骂：“我让你们过好日子！我让你们拉我来过日子！”

骂归骂，闹归闹，日子过得久了，她生了三个孩子后，也就顺着眼睛过日子了。只不过仍是牢骚满腹，时不时地嘟囔：“这都是些什么鬼日子！”天知道她渴望的都是些什么日子，这些日子又都在哪里等着她去过?

彭大步为了不辱使命，第二天就到江畔活动去了。想着自己是受村长的指令去交换东西的，他的心情颇为豪迈，觉得自己跟外交官一样。为此，他把过年才舍得穿的一件栽绒短上衣穿上了，此外还戴了一顶半新的狗皮帽子。不过他的鞋仍然是不一路色的，左脚是黑色的棉乌拉，右脚是大头鞋。他顾不得再牵着白花奶牛在村中游荡，而是焦急地等待着对岸的奶牛饲养场有人影闪现。然而出师不利，一连三天他都无功而返。由于在寒风中伫立久了，他冻得鼻涕一把泪一把的，晚上回家时咳嗽不止，偎在火炉前烤上半小时的火才能觉得温暖。淑香做完饭，吃饭时间是固定的。只要她抬头一望挂钟上的时针指向了六点，也不管家里人全不全，更不管饭菜是否已经烂熟了，支起饭桌就摆碗筷。所以彭大步常吃夹生的米饭，他对人诉苦说他的胃病就是这样落下的。当然，也有的时候饭菜早已妥了，彭大步也饥肠辘辘了，可是淑香一定要慢条斯理地坐在炕沿上望着挂钟，不到时候绝不开饭。那边锅里的菜早被熬成泥了。有时彭大步恨那挂钟，就把它背后的电池偷着抠出来，让时间停滞不前。淑香察觉后就会把彭大步骑在身下狠揍一通，她边揍边义愤填膺地说:“我让你作践钟，你就知道一天到晚撇着两条腿走路，你就不知道挂钟也长着腿，它不走路就不难受吗！”彭大步只能告饶，乖乖地起来给钟重新安上电池，让它也撇着一长一短的两条腿走路。有时彭大步恨发明钟表的人，觉得这人纯粹是吃饱了撑的，因为天上有太阳和月亮，从它们所处的位置上完全可以做出时间的判断啊。彭大步本来就像猎人没有打到猎物一样心生烦闷，回家后面对的又往往是残羹剩炙，真是火上浇油啊。村长几乎每晚都要到彭大步家打探一下，有时惯例要拍拍他的肩头说：“别着急，慢慢地等吧。你知道，钓鱼最怕性急的！”彭大步心想，也许是上次自己换给对方的酒还没有喝光，他们给养充足，当然就不会出来换东西了。不过也存在着另外的可能性，那就是上次把奶牛换过来的俄国人意识到这样换东西不划算，到此为止了。

彭大步思虑重重，寝食不安，夜里噩梦连连。不过一到了白天，他又满怀信心了。他走在雪地上，眼前会闪现出奶牛饲养场的影子，想着自己就是其中的一名工人，他将穿着蓝色的工装，把那些芳香的干草喂给奶牛。有了奶牛，就会有挤奶员，而挤奶员一定会是女的。村长会用谁呢？他想一定会是那个脸庞清秀的张俊芬。她男人死了，她一个寡妇带着一个孩子不容易，虽然说有些男人想帮她，但又怕寡妇门前是非多，没人敢正大光明地帮她，让她当挤奶员，是再合适不过的了，彭大步这么一想，就仿佛看见了穿紫色花衣裳的张俊芬用她细长的手指捋牛奶的情景。她蹲在奶牛身旁时，她结实的屁股一定会像成熟的南瓜一样招人喜欢。彭大步有一回在小卖店碰见张俊芬买蜡烛，注意到了她搁在柜台上的那双手，又粗又短，骨节突出，比砂纸还糙。彭大步一旦想入非非了，就觉得这个虚拟的世界已经近在眼前唾手可得，因而内心一派光明。淑香对他恶语相加时他也能心安气顺了，心想要不了多久，我就不用天天在家看你了，我到奶牛场看漂亮的小寡妇挤奶去。

冬天是越往深处走越寒冷。雪花频频袭来，村里村外都是白茫茫的。彭大步有时被雪地上的阳光晃得眼睛发疼了，他就抬头觑着眼望天。他想冬天的地就不是地了，它被雪一装扮，完全就是铺在人脚下的另一片天。因而人走在上面就有一种虚幻感。彭大步不得不时常留意着脚下，怕一不小心滑倒了，好不容易恢复的行走能力又会丧失。那样，他就别指望着当饲养员了，也别指望着在金色的晨曦中看挤奶员的手指和屁股了。

一个阴气沉沉的午后，彭大步终于发现对岸有人影出现了！当时他隐藏在岸边的柳树丛中，跟几只盘旋在半空中的乌鸦说话。彭大步说：“求求你们可怜可怜我，帮我过境传个信，让他们来人和我接头，我要给村里换上一些奶牛，到时奶牛场成立了，我请你们去喝牛奶。”乌鸦爱吃腐肉，它们对牛奶绝对是不闻不问的，因而“呱呱呱”大叫着朝江的东侧飞去。彭大步用目光追寻乌鸦踪迹的时候，发现了那个慢慢向国境线飘移而来的人影。

边防军傍晚巡逻的脚步声还没有响起，江面上也没有人影，这使彭大步放心大胆地走出柳树丛。他尽快向前走，生怕那人看不清楚他而掉头走掉。可是彭大步根本走不快，他越想走快越趔趄，急得口干舌燥。待他走向江面时，那人明显发现了彭大步，他招了招手，示意彭大步走过去。以往彭大步不肯轻易过境的，而是让他们主动越过境来。而今天却不同以往，他不假思索地就直奔国境线而去，在眨眼间就踏上了俄罗斯的土地。谢天谢地！来人正是曾与彭大步交换奶牛的人！他见了彭大步“哦——哦——”地叫了两声，显出相遇了老朋友的兴奋感。彭大步也跟着“哦——哦——”地叫了两声，然后指着自己的心脏，又指指自己的脑袋，示意他很想念他。俄国人明白了这手势的含义，就动情地拥抱了一下彭大步。彭大步想着时间紧迫，事不宜迟，不能老是抒情而不切入正题，于是他就俯下身子把双手从脑袋旁斜伸出去，“哞——哞——”地叫了两声，俄国人马上明白了他的用意，就竖起一根大拇指，晃了一下脑袋，意思是换一头吗？彭大步摇了摇头，他摘下手套，将它们掖在胳肢窝里，然后举起双手将十指张开，“哞——哞哞——哞哞哞——”地叫个不停，意思再明白不过了，他要换一群牛过来，越多越好！俄国人摇了摇头，把彭大步夹着手套的那只胳膊给落了下去，然后盯着他的另一只手定定地看了半晌，这才跺了一下脚，把手用力向下一挥，意谓“就这样决定了，换五头吧”！彭大步心犹不甘，他飞快地举起被俄国人给落下去的那只手，并且举得高高的，这使腋下的手套像对死老鼠一样掉在了江面上。那人见彭大步换牛心切，满眼乞求的目光，就掰下那只手的四根手指，只留下一个拇指，示意可交换六头奶牛。彭大步仍觉不够，他不屈不挠地继续使自己的手指重新升起来，晃着给对方看，可俄国人坚决不答应了，绝不能再通融一步了。彭大步想一次能换六头奶牛已经不容易了，且是“六六大顺”，有了这个良好的开端，下次还可以交换。他们最后确定六头奶牛要用八箱二锅头、七箱苹果和一箱西红柿来换取。俄国人特意从兜里掏出一只青西红柿给彭大步看，示意不要过于红的。最后，他们确定了交换时间，那就是次日晚上八点。彭大步伸出右手，落下三根手指，只留下大拇指和二拇指，做出三村人惯用的形容“八”的手势。俄国人疑惑地看着那两根手指，然后他歪了一下脑袋，把双手当成枕头放在脑畔，闭上眼睛，做出睡觉的姿态，意思是问彭大步是不是夜里的时间，彭大步毫不犹豫地点点头，然后向俄国人竖了一下大拇指，夸他聪明。

他们把所有的事情都弄清楚后，彼此都显得很轻松，这回是彭大步主动上前拥抱了一下俄国人，然后他们各奔东西。

从江岸走回村子时，天已经昏暗了。炊烟在半空中盘桓，散发着一股烟灰味。彭大步一身轻松，他没有回家，径直去了村长家。村长正蹲在灶前吃刚出笼屉的热包子，他见彭大步来了，就明白买卖做成了，高兴地抓起一个包子递给了彭大步，急切地问："几头？"彭大步饿了，他先咬了一口包子，然后说："妈的，他一次不给换那么多，六头！""六头？"村长似乎有些遗憾地停顿了一下，然后笑着说，"也他妈的不少了！"接着，村长又问六头奶牛要多少箱酒和苹果，彭大步顾不得回答，这肉馅包子实在太香了，吃得他都有些伤感了，心想瞧瞧别人家的女人，让自己的男人吃这么好的东西，而他呢？他什么时候有过这种好享受？连过年的团圆饺子他都吃不上，因为淑香绝不会把饭放到零点去吃，而且她也讨厌过年，觉得年让她的精力不如从前了，因而拒绝迎接它。这样，彭大步家除夕夜的饺子，下午六点就上桌了。那饺子通常是皮厚馅小，且煮得半生不熟的。彭大步吃完了一个包子，这才把换六头奶牛所需要的东西说与村长，村长嫌多了一箱西红柿，那半青半红能够存放住的西红柿不好弄，看来还得让王士富跑一趟乡里，专门买回一箱。三村人的越冬蔬菜，不外乎萝卜、白菜和土豆，西红柿在他们眼里可是奢侈品，两三块钱一斤的东西，谁舍得吃呢！村长嘟囔了一句："×，吃得还挺贵细呢！"彭大步说："不过是一箱柿子，你就心疼了，将来卖上几桶牛奶，那点本钱不就回来了吗！"说得村长笑了，他将一口唾沫吐在灶坑的残火前，听那唾沫"哧——"地叫了一声，然后他问彭大步："定的什么时候？""明晚八点！"彭大步依然用大拇指和二拇指做了一个"八"的手势。村长说："八点早不早哇？要是边防军赶上那个时候出去巡逻，还不得一家伙全逮住了？"彭大步也往灶坑里吐了口唾沫，不过没吐到残火上，没有

“哧——”的声音发出，他说：“八点早个屁！晚上六七点钟就巡逻完了！你要是整到半夜去，带着那些吃的东西，还不得全冻坏了！”村长觉得彭大步说得有理，不过为了稳妥起见，他还是决定明天晚上七点多他去边防军那坐坐，给他们送点猪肉去，就说天冷，让他们炖锅红烧肉增加点热量，不让他们有出去的机会。彭大步叫道：“到底是当官的心眼多，先给自己找了个俏活，死冷寒天的你让我一个人带着那么多东西去江边？”村长一龇牙说：“瞧你说的，我哪能那么不体谅你呢！我让王上富用雪爬犁帮你拉着东西去，天黑，你们得查清奶牛的数量，别让人家骗了！”

彭大步回到家时淑香正坐在火炉前嗑瓜子，她看都不看彭大步一眼。彭大步心想，你不爱看我，早晚有一天要后悔的。等我当上了奶牛场的饲养员，我让俊俏的挤奶员天天看我，一眼都不留给你看！彭大步在村长家只吃了一个包子，肚子还空空落落的，他到灶上捡了点饭吃了，然后去牛棚看白花奶牛，给它的槽子里添了些干草，抚摩着它肚腹上那一块块好看的白花纹说：“我彭大步有了你算是交上了好运，我不会亏待你的！等到明年春天草返青了我领你去风景最好的地方吃草！”

驻扎在三村的边防军一共七人，一个是伙夫，其余六名是边防执勤的。他们住着一幢板夹泥的房子，由于临江风大，一到夜晚就能听到玻璃窗唰唰地响。这房子有一间厨房，一间活动室，两间睡房。他们若是睡不着，就互相讲故事听。房子里常年闹老鼠，冬季时尤甚。老鼠除了光顾储存粮食的地方和厨房外，还喜欢在他们睡房的纸棚上簌簌地跑。这天深夜，有一间睡房的纸棚上的老鼠出游得格外频繁，听那上面欢腾的架势，似是老妈妈正领着它的一窝小老鼠在跑，纸棚传出的簌簌声就响个不停了。睡在炕上的三个战士不约而同地被搅醒了，其中一个人抬起腕上的夜光手表，一看是凌晨一点半，他就建议同伴，既然睡不着，还不如到江面看月亮去。另两位同伴连声附和，说是这时辰的月亮他们还没见过，不如带着警犬出去风光一番。其中一人还开玩笑说，要是他们运气好，没准能捉只野猫回来呢，那时棚上的老鼠就找地方哭去吧。

一刻钟后，警犬在前面带路，三名边防军向大江走去。空中果然有轮月亮，不过没有圆满，让人觉得它先前还圆满着，只不过被这深夜的冷风一吹，给冻掉了一块肉。冰封的江面上凝着一些月光，这月光似是被冻伤了，寡白寡白的。脚步声在寂静而干冷的空气中听起来非常清脆。三个人都默不作声，他们不约而同地想起了故乡，想家的滋味有时比寒冷还难以抵御。他们大约走了十分钟，忽然听见警犬叫了起来，他们抬眼一望，见前方三十多米远有个人影在晃动。他们加快了步伐，很快接近了那人，当那人意识到来人不是换牛的人的时候，他就撒腿往俄罗斯那一岸跑去，然而已经迟了，警犬冲上去把他扑倒在地，三名赶上来的边防军很快使他束手就擒。

这个倒霉的俄罗斯人已经在江上等了近半个小时了。他把彭大步所打的手势“八”理解成了“二”。当时他还对这个“凌晨两点”的时间心生疑窦，因而他这次带了一名伙伴，让伙伴和六头奶牛先留在岸边，待他接上头后再让他们过来。他在被边防军捉住的那一刻用俄语骂彭大步：“可恶的中国人，你告密去了！”

边防军捉住了一个越境的俄国人的消息很快就在三村传开了。村长一大早把彭大步从被窝里揪出来，骂他：“你跟人家把时间搞岔了，让人家挨了抓，以后连根牛毛都别想换了！”

自此以后，不管三村有什么人在边境线上游荡，都招不来对岸任何人影。倒是偶尔有奶牛的哞哞叫声传来，它们的声音是那么的温存亲切，听起来让人伤感。彭大步依然常常牵着白花奶牛在村中游荡，不过他再也没有先前的那种喜悦了。那个即将活生生地展现在他眼前的奶牛场哪里去了？那漂亮的挤奶员哪里去了？彭大步每每这样追问的时候，眼角就会不知不觉地漫上泪水。淑香这时就会撇着嘴角对他说：“我看这奶牛的奶不纯，你喝了那奶后眼睛里怎么总爱冒水？”

西街魂儿

北红来的工程队首次用炸药采石头，虽然事先通告了山下的西街，让他们有个防备，但还是惹出了乱子。

正午十二点，青石山“轰隆轰隆”一阵巨响，西街的土地就震颤了。房屋的门窗吱嘎响着，牛哞哞叫，马尥蹶子，猪拱翻了食槽，羊打着哆嗦，刹那间鸡飞狗跳的。飞溅的碎石像暴雨一样漫过公路，哗啦啦向西街涌来。爆炸腾起的浊黄烟云在半空弥漫，遮蔽了雪亮的太阳。大人“咦嗬”叫着，孩子“哎呀”嚷着，以为西街遭了雷劈，下了地狱了。

西街哪经过这事儿，着实被吓了一大跳。老刘家那匹像缎子一样光滑的黑马毛了，在野地转着圈狂奔，嘶鸣，把一大片草场都踏平了。不唯是黑马丢了魂儿，花啊树啊也有丢魂儿的。青石山下的几棵美人松被石块劈打得掉了碧绿的毛发，没了精神；一些蓬蓬勃勃开着的野花，它们的花蕊容纳惯了蜜蜂那软绵绵、毛茸茸的身子，哪承受得了像钉子一样扎进来的石片呢，一夜间变得容颜憔悴了。

不过比起宝墩的丢魂儿，马儿呀花儿呀的丢魂就算不得什么了。

宝墩是泽花嫂的遗腹子。五年前西街商店起了场大火，泽花嫂的男人在抢救公家财产时被烧落的门板击中，葬身火海。他最后被定为烈士，埋在了北红烈士陵园。

泽花嫂给她男人烧完三七，宝墩出生了。这孩子早产一月，头发稀疏，皮肤寡黄，身条单细，软得像根面条，两岁多了才学会走路，三岁了才会叫妈，泽花嫂视若珍宝，须臾不离怀儿，他也因此比别的小孩子要经不起风雨，一声鸡叫都能吓白他的脸，三天两头就闹病。

青石山炸石头那天，泽花嫂早早就把门窗紧闭，和宝墩坐在炕沿上翻绳玩。翻着翻着，宝墩嚷着要喝蛋花水，泽花嫂一看墙上的挂钟，还差十分钟到十二点呢，就打开门去抱柴火，打算烧壶开水给宝墩冲蛋花。然而她才走到柴垛，爆炸声就响起来了。门大敞四开着，声音长驱直入，泽花嫂赶紧奔回屋里。一看，宝墩已被吓得掉下了炕，头磕破了，浑身抽搐，闭着眼睛，口不能言。泽花嫂吓得腿软了，赶紧抱着他往卫生所跑去。

卫生所只有一个医生，一个护士。宝墩虽小，但已是这里的“老病号”了。他们看着泽花嫂急慌慌地抱着宝墩进来，异口同声地问：“又怎么了？”泽花嫂说：“吓着了！”医生把宝墩接过来，放到病床上，先是掀了掀他的眼皮，然后又用听诊器仔细给他听过，说他心音紊乱，吃点抗惊厥的药，静养个两三天后，自会无碍。泽花嫂听后舒了口气。医生给宝墩开了药，护士则把宝墩的外伤处置了，上了紫药水，缠了纱布，泽花嫂就抱着宝墩回家了。

泽花嫂的邻居是西街生产二队的队长徐金春，她听说宝墩吓着了，就过来看。徐队长火暴性子，她一进了屋子就骂："杂种 × 的工程队，明天我就让人把他们赶回北红去！他妈的他们在青石山上放了一个大臭屁，把生产队的三匹好马都惊着了！"

徐队长屁股大，她从来不坐高凳，泽花嫂递给她一个马扎。她一手提着马扎，一手轻轻拍着躺在炕上昏睡着的宝墩，说："你个小王八羔子，一天到晚地病，净吓唬你妈！"

泽花嫂说："可不，打他出生，就没消停了磨我。"

徐队长说："不是我说你，知道他胆子小，怎么不用棉花事先把他的耳朵堵起来？"

泽花嫂说："我早早就把门窗关了，可宝墩要喝蛋花水，我一看时间还没到，就出去抱把柴火，谁知——"

徐队长说："人家可是十二点整放的炮啊，你看错了点儿吧？"说着，她看了看腕上的手表，又看了看泽花嫂家的挂钟，叫着："你这钟慢了快十分钟啊！"

"怎么可能呢。"泽花嫂说。

徐队长走到挂钟跟前，指着慢条斯理左右悠荡着的钟摆说："别摆了，给人家摆丢了十分钟了！"她卸下挂钟，把背后的电池盖打开，抠出电池，把它撇到泽花嫂怀里，说："都流脓了，你还能指望一个瘸子准点走？！"

泽花嫂握着那个软塌塌的电池，不停地唉声叹气。

宝墩睡了两天，能起炕了。泽花嫂给他蒸了鸡蛋羹，他只吃了小半碗。他眼睛没神，走路直打晃。他来到院子，呆呆地看着落在花盆上的一只黄蝴蝶。泽花嫂说："宝墩喜欢蝴蝶呀，妈帮你捉啊。"泽花嫂伸出手，指尖刚触着蝴蝶的翅膀，空中突然传来了驴"啊呃啊呃"的叫午声，宝墩打了个寒战，"啊啊"叫着，扎到泽花嫂怀里，尿水顺着裤管流下来。泽花嫂心上颤抖着，她对自己说："这样下去，宝墩不就完了吗？"

生产队受惊的马好了，可宝墩还是整天耷拉着脑袋。徐队长率领着二十多个社员，到青石山找工程队算账去。社员们扛着镐头，挎着镰刀，就像农民军起义似的，一路高喊着："工程队滚回北红去！"徐队长一声令下，大家就把山下的帐篷拆了，将锅灶挑了，将运石头的卡车的轮胎卸下来了，将他们的行李捆起来，摞在一起。

工程队长是个结巴，他咧着大嘴对徐队长说："这、石、石头、可、可是、用来、建、北红、县、县政府、用的，你、这是、破、破坏、社、社会主义、建、建设——"

徐队长坐在一块大青石上，挥舞着浑圆的胳膊说："少他妈的给我戴高帽子！我还要告你们破坏社会主义建设呢！自从你们来到西街，你们偷生产队的菜吃不算，还偷了我们一头小牛犊，烤肉吃了！你知道吗？牛犊那可是贫下中农养的，你们吃牛犊，就是欺负贫下中农，比大地主还杂种，该斗争！"徐队长的话音刚落，社员们就举着农具高声呼喊："该斗争，该斗争！"

工程队长带着哭腔解释说，那只牛犊是生产队喂牲口的老哑巴送的，它是个怪胎，歪脖子，少条腿，活下来也是个废物，老哑巴不忍心吃它，才给了他们。再说了，工程队收了牛犊，还给了老哑巴一个大水壶呢！

徐队长说："那你们是罪上加罪了，竟敢拿公家的东西换牛犊吃，贪污犯啊！你们趁早滚吧，要不今晚我就把你们送到县政府去！"

工程队长苦着脸，说他们勘察了这一带的山，只有青石山的石头最好，不想撤。

徐队长说："你们用锤子采石头倒也罢了，还使炸药，那他妈是对付战场上的敌人才用的玩意儿啊！这下好，你们炸惊了好几匹为社会主义出力的马，还把一个烈士的后代吓丢了魂儿！我不是吓唬你们，青石山里藏着白虎，你们再凿下去，动了它的老窝，丢魂的就该是你们了！"

围观的工人一听说青石山里有白虎，颜面改色了，他们纷纷对工程队长说："要不咱们就撤？天乾镇那里的石头其实也不错，不比西街的差，去那里采吧。"工程队长早就听说过西街镇二队的生产队长徐金春不是个善茬儿，在西街，她比镇党委书记说了算，是个惹不起的主儿。他思谋了一下，觉得在这个地界儿上跟她僵上了，不会有自己的好果子吃。再说不可能在青石山动用炸药了，采石的进程慢了，还是走为上策，就下令工程队往天乾转移。

青石山被凿得千疮百孔的。工程队一撤离，徐队长就让社员们用沙土把大坑填平，把弯了的树扶正，把遗留的垃圾深埋了。西街又恢复了往日的宁静。

宝墩却仍不见好。徐队长揪着他的耳朵说："为了你这小人儿，我把工程队都赶出西街了，你再不好，可对不住我了！"

宝墩却老是睡不醒的样子。泽花嫂给他煮了松枝水，据说它能提神醒脑，可宝墩喝了后，还是混混沌沌的。徐队长说："他这次魂儿丢得远了，得让来喜家的给他叫魂了。”

来喜家的是西街有名的招魂婆。但凡通灵的人，总有点异相。来喜家的罗圈腿，粗腰，大脑袋，短脖子。她的脸是扁的，眼睛不大，但嘴巴出奇的大，一笑露出紫色的牙床。她不爱卫生，头发不洗，乱蓬蓬披散着，衣裳满是油渍和汗渍，散发着难闻的气味。她喜欢抽旱烟，长长的指甲被熏染得焦黄焦黄的。生产队开大会的时候，她最爱做的事情就是脱下衣裳捉虱子。她把虱子放在指甲上，一边“咯嘣咯嘣”地挤死它们，一边咬牙切齿地说：“我正法了你们！”惹得社员们笑声四起。

来喜家的给无数小孩子招过魂，她招魂的法器是三枚邮票。这邮票新的不行，一定要用过的，扣着邮戳，而且非关里的不可。如果是来自山海关以外的邮票，她会说这样的邮票不灵验，看都不看一眼。那些家里有小孩子的女人，平素习惯攒邮票，以备不测。她们为了获得邮票，见到邮递员来到西街，都异常的亲热。然而此地人与外界联络少，有联络的，也多是东三省以里的，所以招魂票并不好求。

宝墩被招过三次魂儿了，泽花嫂攒的邮票大都用光，只剩下一枚了。她就走街串巷地讨要邮票。在北头的林子发家，她终于得到了一张来自湖南湘潭的邮票。这信是他侄子前年写来的，报告林子发的哥哥病故的消息。西街人记得，林子发接到这封报丧的信时，正在挑水。他看完信，把它揣进怀里，也不哭，只是说胸里起了火了，要灭火，趴在水桶旁“咕咚咕咚”地把满桶水都喝光了。喝完，他撇下扁担和水桶，蹒跚着朝家走去。一进院门，他就对剁猪食的老婆说：“往后再也不会有人给咱邮红辣椒吃了！”说完，这才跺着脚哭出声来。林子发的哥哥在世时，逢到过年时，会给他寄来一箱通红的干辣椒。

泽花嫂能把这样一枚对林子发来说有纪念意义的邮票讨到手，她满怀感激。当他看到林子发颤抖着手，用剪子把它从信上铰下来时，她的眼睛湿了，一再感谢着。林子发说："宝墩的魂儿要紧，你拿去用吧。"

只差一张邮票了。泽花嫂几乎踏遍了西街所有人家的门槛，却再也找不到相称的了，绝望中，她忽然想起了小白蜡。

"小白蜡"是西街人给下放改造的张以菡起的外号。她四十多岁，中等个，长脖子，瘦脸，短发。她平素喜欢仰着头，绷着脸，见人很少说话。她的五官搭配得很协调，每一处都像一颗小星星：眼睛不大，鼻子不大，嘴巴也不大，整张脸给人一种闪烁的美感。她的皮肤又白又细腻，让人觉得半透明，像刚点燃的一支白蜡烛，人们就唤她"小白蜡"。

小白蜡来自北京，是个写戏的。听说她编的戏很颓废，都是情啊爱啊哥啊妹啊的东西，不歌颂热气腾腾的社会主义新生活，不揭露万恶的旧社会人民所受的苦难，她接受劳动改造，就是理所应当的了。

小白蜡被下放到偏远的北红县，北红县又把她分派到只有七百多人口的西街镇。镇党委书记谭泽林坐着马车把这个女人领来时，是初春的时令，西街正在解冻，融雪使路面泥泞不堪。马车一停下来，驾辕的马立刻拉出一串粪球，所以小白蜡是掩着鼻子跳下马车的。她的脚一落到地面，就陷入泥坑，气得她撇着嘴，大叫了一声："关外的地狱啊。"

正是这句话，把整个西街人都得罪了。谭泽林本想把她交给生产一队，那是个男队长，心慈手软，想来他是不会让这个京城来的女人受罪的。但张以菡的话使他改变了主意，他把她交给二队。徐金春冲谭泽林嚷着："好物件你是不会给我的！"她用"物件"来指称张以菡，把张以菡气歪了嘴，半晌说不出话来。

徐队长把小白蜡安置到生产队马房旁的一间小屋，与喂牲口的老哑巴做邻居。小白蜡嫌屋子挨着牲口棚，气味难闻，要调换屋子。徐队长说："生产队就闲着这间屋子，你不住也得住。再说了，你来西街，不就是要除掉身上沾染的小资产阶级气味、沾上劳动人民的气味吗？"

小白蜡抢白道："劳动人民的气味难道就是牲口的气味吗？"

徐队长说："是啊，劳动人民牵着牛马耕社会主义的田，身上能没有牲口的气味吗？"

小白蜡绝望地叫了一声："西街啊——"听上去像是给西街招魂。

徐队长每天都要给小白蜡派活儿，春天施肥，夏天锄地，秋天收秋，冬天给牲口铡草，从不让她闲着。两年下来，小白蜡的手磨出了厚厚的茧子，但她的皮肤还是那么白润，西街的风雨似乎并没在她身上留下多少痕迹。她很盼望远方的消息，邮递员一到西街，她就跑去看有没有她的信。得到了就像一个久困渡口的人等来了一条船似的，一脸欢欣；得不到则像打翻了油瓶子似的，满面沮丧。

老哑巴五十多岁，又干又瘦，古铜色的肤色，眼凹着，嘴瘪着，身上的汁液仿佛让岁月给榨干了，筋骨突出。别看他干巴，力气可是不小。抡起二十斤重的铡刀，能一口气铡上一个钟头的草，绝不气促。他在二队既当马夫，又看场院，勤勤恳恳的，已经十几年了。他无亲无故，生产队就是他的家了。

小白蜡做他的邻居，两人就得共用走廊里的炉灶。老哑巴总是等小白蜡做完了饭，才放上自己的锅。小白蜡从北京带来了一桶香油，她喜欢用它下面条。每当走廊里窜着香油的气味时，老哑巴就会大口大口地吸气，大约觉得不这样的话，让这么好的气味散了，等于糟蹋了。小白蜡不劳动时，就在屋子里闷头写东西。不知道她是在写改造心得，还是仍旧在编她的戏。反正，她的屋子黑得晚，蜡烛使得也费。猪尾巴那么粗的蜡烛，她两天就得用一根。有的时候她在炉子上烧着水，却忘了，水哗啦哗啦地开了，壶盖被沸水顶得一蹦一蹦的，她却仍然待在屋子里。老哑巴就得帮她把水壶撤下炉子，敲她的门，把开水拎给她。她不懂哑语，每回老哑巴帮助了她，她就竖一下大拇指。老哑巴摆摆手，表示不用客气。

每个周末的晚上，生产队都要开会。开会前，老哑巴将会议室的地扫干净，把一条条板凳擦得溜光溜光的，再把马灯挂在房梁下。小白蜡要和社员一样，坐在板凳上听会。徐队长坐着一张带靠背的椅子，面对大家。她分派完下周的活计后，会让招魂婆的男人来喜读报，学习上头的精神。来喜是个兽医，读过小学，算是生产队的秀才。他一读报，小白蜡就会撇嘴，因为来喜总是读错字，比如“神州大地风雷激荡”被他读成“神州大地风雷放荡”，“资产阶级思想是腐蚀不了广大劳动人民的”被读作“资产阶级思想是肉虫不了广大劳动人民的”。有人问：“‘肉虫’是个啥？”来喜说：“我琢磨着，‘肉虫’就是女人每天晚上吃的男人的那条虫！”社员们笑得前仰后合，徐队长也笑得直托着下巴，小白蜡这时会无限痛惜地说：“西街啊——”好像西街病入膏肓，不可救药了。

小白蜡开会，很少插话。徐队长有时会问她：“张以菡，你说你在这儿劳动改造有没有收获？”小白蜡说：“出了苦力，睡觉倒比以前好了，这是最大的收获。”徐队长说：“我还担心你离了家，一个人睡了，会睡不好呢！”社员们明白徐队长话里的含义，都笑。他们知道小白蜡的男人是个工程师，他们有一个女儿。工程师每个月要给她来好几封信呢。

有一回小白蜡在会上说：“我的屋子闹老鼠，它们太嚣张了，逮着什么啃什么，队里能不能帮我捕老鼠？”

徐队长说：“你吃得高级啊，从京城带来那么多稀罕物，又是挂面又是香油的，西街的老鼠没见过这么大的排场，能不跑你那里赴宴去吗？！”

小白蜡无言以对，只能照例叹息一句：“西街啊——”发泄心中的不平。

泽花嫂从园子中拔了一捆水灵灵的小白菜，又把花盆上开得最艳的两枝粉色的月季花剪了，带着它们去求小白蜡。泽花嫂敲开小白蜡的门后，把东西递上去。小白蜡只接了花，她说不爱吃小白菜。

泽花嫂说明来意后，小白蜡说：“西街的稀奇事就是多，还兴什么招魂！”

泽花嫂说：“招魂挺管用的，小孩子丢了魂儿，叫叫就回来了。”

小白蜡说：“这半年多没什么人给我来信，我没新邮票。以前的信呢，从关内来的倒是不假，不过它们都不能使了！”

泽花嫂乞求地说：“就差一张了，麻烦你帮我找找吧。宝墩快不行了，这可是救命票啊！”

小白蜡说：“我没骗你，那些邮票都废了，你去别处找吧。”

泽花嫂讪讪地回家了。看着像摊泥一样躺在炕上的宝墩，她的心一阵阵抽搐。她认定小白蜡手中有盖着北京邮戳的邮票，她是不舍得给她，识文断字的人喜欢把这样的东西当个纪念物珍藏着。为了感化她，泽花嫂和了一块面，生起火来，烙了三张糖饼，晚饭时又去敲小白蜡的门了。

糖饼还热乎着，泽花嫂把它们放在饭桌上，眼泪汪汪地说：“我手里有两张，就差一张了。西街的住家我都问遍了，再没有从关内来的邮票了，你帮帮我吧。”

小白蜡说：“我说了，那些邮票都不能使了，破了！”

泽花嫂失神地说：“我的宝墩要是招不回来魂儿，我也就没魂儿了——”

小白蜡尖刻地说：“你们真够愚昧的，孩子病了不去看医生，去找巫婆！那个来喜家的除了会‘正法’虱子，我看不出她有别的本事！”

泽花嫂说：“卫生所的大夫给看了，也说宝墩是惊着了，给开了药，吃了也不大见好，这才想着招魂的。”

“那你就抱着孩子去北红！县医院的医生到底水平高些，可别在这儿给耽误了。”小白蜡把糖饼塞回到泽花嫂手中，说，“我有糖尿病，你拿回去给宝墩吃吧。”

泽花嫂往回走时，眼泪“啪嗒啪嗒”地落下来了。她想这个小白蜡真是自私，见死不救。她去了徐队长家，把在小白蜡那里两次碰壁的事情说了。徐队长气得直骂：“杂种 × 的这个编戏文的，真不是个好物件啊！”徐队长说，既然小白蜡打定主意不给邮票了，就另想办法吧。她领着泽花嫂，走东家串西家，寻来一张来自沈阳的邮票，徐队长说：“沈阳离山海关也不远了，就算是关内的邮票吧！把来喜家的叫来，今晚就给宝墩叫魂儿！”

来喜家的手中掐着烟卷，扭扭搭搭地来了。泽花嫂给她沏了茶，还炒了瓜子。来喜家的一边喝茶，一边“咔咔”嗑着瓜子。她对徐队长和泽花嫂说：“我可把丑话说在前头，这邮票有一张不对路，灵不灵验可两说着呢。要是招不回魂儿，你们可不要怪罪我。”

徐队长说：“行了行了，干你们这一行的也学会摆谱了！你只管好生叫魂儿，把宝墩治好了，我给你加八个工分！”

“那敢情好。”来喜家的龇着满口的黄牙笑了。

招魂的法术通常要等到夜半时分才能施行，万籁俱寂之时，捕捉远游的魂儿似乎更为拿手些。招魂时外人是不能在现场的，被招魂的人也一定要在睡梦中，他若醒着的话，真魂儿还是回不来的。

宝墩不用哄，他早早就睡了，这些天他只有一个睡的心思。月亮快到中天了，茶水淡了，瓜子也嗑光了，徐队长打着哈欠回家了，泽花嫂和来喜家的开始做招魂的准备了。她们端了一盆清水放在院子里，水中放着一面小圆镜子。之后泽花嫂把火柴、三枚邮票和宝墩的一件衣服递给了招魂婆，自己躺到宝墩身旁。

来喜家的吹灭了蜡烛，散开头发，开始招魂了。她先是围绕着水盆转了几个圈儿，然后敞开屋门，提着宝墩的衣裳，在门槛上抡来抡去，召唤宝墩的魂儿：“宝墩啊，回来吧，月亮照着路，给你做着伴儿，愿你脚下生着风，一夜走回来。你千万不要混进恶人堆儿，不要受他们的哄骗。那里的山中有妖怪，那里的水中有毒蛇，那里的馒头沾人血，那里的肉中埋着针。宝墩啊宝墩，快快回家吧。你的家在西街，西街上有你的娘，你的花你的草，你的碗你的筷，你的板凳你的枕头。你要是不回来，你妈睁着眼，眼里却没光；你要是不回来，煮饺子的开水打着响儿，你妈也听不见。好宝墩，回来吧——”

招魂婆哼哼呀呀说完这套招魂嗑儿，放下舞动的衣裳，划着火柴，把那三张邮票在门槛前点燃，待它们化为灰烬后，将门关上，出了院子。她在离开前俯身看了看浸在水盆中的镜子，不由得打了个寒战，深深地叹了一口气。

第二天，宝墩能在院子中玩耍了。泽花嫂很高兴，以为宝墩的魂儿给叫回来了。徐队长嚷着要给招魂婆加工分的时候，她却阴沉着脸说："等两天再说吧。那晚我在镜子里没看见宝墩的魂儿，他的真魂走远了，恐怕是回不来了——”

招魂后的第三天晚上，宝墩突然抽搐起来，手脚乱舞，口中叫着“不走，不走”，好像谁在用绳子捆他似的。泽花嫂大惊失色，她叫来徐队长，徐队长一看他翻白眼了，知道大事不好，把招魂婆和卫生所的大夫双双叫来，让他们各使各的招儿。大夫给他注射了强心剂，招魂婆手忙脚乱地为他扎了一个纸人，做他的“替身”烧了，然而宝墩还是断了气了。

依照西街的风俗，早夭的孩子是不能进坟墓的，而且不能过夜，徐队长让来喜带着两个人，把宝墩用一床棉被裹了，埋在青石山下。她觉得是青石山怀上的那怪胎似的炸药，索了宝墩的命，他理应归到那里。

泽花嫂已经不会哭了，她的眼睛直勾勾地盯着宝墩的枕头。徐队长劝她：“都是你那死老爷们儿把宝墩招去了，他心狠，自私，你要是心里放不下这个老鬼和小鬼，就上了大当了！他们不心疼你，你也不挂记他们，好好过你的！”

泽花嫂只会哑着嗓子一遍遍地叫着：“宝墩啊——宝墩啊——”

招魂婆说：“我早就说了，那邮票有一张是关外的，不灵啊。那晚我给宝墩叫完魂儿，在水盆的镜子里没看到宝墩的小脸，我看到的是一个鸭梨那么大的骷髅，我知道宝墩没救了。”

“杂种 × 的小白蜡！”徐队长把愤怒都发泄到她身上，“她有那么多封北京来的信，就是不舍得出一张招魂票！她这个资产阶级的臭物件，跟咱贫下中农就不是一条心啊，我看她在西街改造得还不够！”

第二天，小白蜡就被派去做掏粪工了。

掏粪工所做的是生产队最苦最肮脏的活儿。生产队有一个大粪池，在牲口棚的东侧，长方形，大约有三十米长，十五米宽，两三米深。这个粪池由一个叫“二尿子”的人经管。这个粪池挖了大约有十几年了，它可以说是生产队农田的一块大酵母。经过它施与的土地，庄稼才长得好。老哑巴平素清理牲口棚的时候，把牛粪马粪都打扫到了那里，但这种食草动物粪肥的劲儿不足，所以还要掺加猪粪、人粪这些粪劲大的粪肥。这样就得有人去起猪粪和掏厕所。二尿子三十多岁了，可他还像小孩子一样爱尿炕，娶妻多年，也没使媳妇怀上孩子，人们背地都说他是个“尿漏子”，所以一物色掏粪工，大家都说这活儿合该由他来做。

西街有三座公共厕所，每个住家又都有一个猪圈。一般来说，自家的猪粪起了后，都上到自留地了。但徐队长却让二队的社员把家中一半的猪粪贡献出来，否则就不派他活儿。二尿子除了去公共厕所掏粪外，还要定期去社员家里起猪粪。生产队为他准备了一套掏粪的行头：一副扁担，两个大粪桶，一件蓝布长袍，一双高鞡胶靴，还有一个两米长的粪勺。二尿子常常站在公厕的粪坑前，小心翼翼地把一勺勺粪肥舀到粪桶里，挑到生产队去。往往他的脚步还没到呢，街巷中的人就知道二尿子要来了，因为刺鼻的臭味像癞皮狗一样，已经先打着滚儿来了。

二尿子把粪池侍弄得很好。怕它生蛆，常采些花啊草啊的丢在里面，连它们一起沤成肥。他还养成了捡粪的习惯，走路时，手中提着个粪筐，里面放着把小铲子，看到了遗弃在路上的鸡鸭鹅狗的粪便，便会悉心将其拾起。他爱粪爱到什么程度了呢？有一次看见场院里落了几颗海螺似的鸟粪，也将它们拾捡起来，扔进粪池。夏日正午时，他喜欢在毒日头下光着脊梁站在粪池旁用粪耙捣肥，把它们调和均匀，那份细致和耐心，绝不亚于家庭主妇们用耙子捣酱缸。炽热的阳光投向粪池，使那里泛出微蓝的幽光，仿佛无数簇火苗在燃烧。

徐队长让二尿子交出掏粪工的活儿时，他竟有些舍不得。当他把那套掏粪的行头交给小白蜡时，竟然带着哭腔嘱咐她要每天给粪池打耙，不然它会害痒的，把听了这话的人都给逗笑了，说他没有孩子，把粪池当孩子一样看待了。

小白蜡一开始反抗做这个活儿，她撇着嘴，脖子高昂着，眼珠一翻一翻的，说她一闻屎味就恶心。徐队长说："庄稼一枝花，全靠粪当家，这是生产队最光荣、最重要的活儿，现在派给你，是全体社员对你的信任。现在党考验你的时刻到了。"

小白蜡说：“我的手是握笔杆子的，不让我握笔杆子，握锄头可以，但是让我握粪耙子，那是万万不能的！”

徐队长说：“自从你来到西街，表现一直不错，你前期改造的成绩大家是有目共睹的。现在到了你改造的关键时刻了，你要前功尽弃，那才是万万不能啊！如果我向上反映说你对劳动改造有抵触情绪，你这辈子就别想回北京了。你得明白，不握粪耙子，是不能再握笔杆子的！”

小白蜡气得眼睛一斜一斜、鼻孔一鼓一鼓、唇角一颤一颤的，她明白自己没有退路了，只能从二尿子手中黯然地接过粪耙，当二尿子嘱咐她要每日给粪池打耙时，她以一句带着悲愤之情的“西街啊——”作为回答。

小白蜡穿着胶靴和蓝袍子，戴着大口罩，挑着粪桶去掏粪，绝对是西街的一景。镇党委书记谭泽林觉得徐队长做得太过分了，找到她说：“她一个京城来的知识女人，你让她锄个地割个草也就可以了，让她当掏粪工，不太合适啊。”

徐队长“呸”了一声，说：“怎么安排她才合适？让她每天跷着二郎腿坐在屋子里读书喝茶，再找个人给她揉肩捶背、洗衣做饭伺候着，那才是合适的？”

谭泽林说：“别说这个气话，我听说了，你是因为宝墩的死才对她这样的。”

徐队长说：“我们待她那么好，可她见死不救！人家林子发把湖南湘潭的邮票都舍出来了，那可是毛主席故乡的邮票啊。小白蜡呢，她有那么多北京来的信，哪封信上没有邮票呢，可她一张都不给，这还叫人？宝墩那可是烈士的后代，她不救，就是与党与人民为敌！”

“唉，你也别上纲上线了。再说你搞什么招魂的把戏，传出去也不好，都是封建迷信那一套。”谭泽林说，“让她做个十天半月的，还是交给二尿子吧。我听说，她跳到别人家猪圈起猪粪时，一边起一边哭。她从厕所挑着粪回队上，能把屎尿逛荡一路，你为了咱西街的卫生，也别让她做了！”

徐队长冷笑了一声，说：“你吃黑馍吃腻了，看着她白，眼馋了不是、心疼了不是？你记住，我徐金春想做的事，谁他妈也挡不住！”

徐队长和谭泽林发完脾气，刚从镇党委办公室出来，就碰见了从北红来的邮递员老田。她气呼呼地问老田：“有张以菡的信吗？”她想如果有的话，她等于捉了个贼，她会亲自给小白蜡送去，恶心她一顿。不料老田叹了一口气说：“都多少日子了，没她一封信了。人一倒霉，哪还有亲人和朋友啊。”

徐队长怔了一刻，嘴上说：“怎么会这样？”心里却说：“这种货色，别人不理睬她也是应该的。”

泽花嫂每天只吃一碗粥，她瘦得脱了相了，眼珠冒冒着，眼袋垂吊着，脸颊塌陷着，颧骨暴突着。一到夜晚，她就坐在门槛上一遍一遍地召唤：“宝墩啊，快回家啊，天都黑了，妈给你铺好被窝了，宝墩啊——”过路的人听见泽花嫂凄凉的召唤，没有不落泪的。眼看着泽花嫂一天天枯萎下去，徐队长和西街人对小白蜡的仇恨也就更深了。

徐队长找到了老哑巴，他正在牲口棚里给马喂豆饼呢。徐队长悄悄对他说：“我派给你一样好活儿，你做成了，给你加三十个工分，年终分红时够你买一箱高粱烧酒的。”

老哑巴对徐队长的话向来是言听计从的，所以没听吩咐的是什么活儿，就先点头了。

徐队长神秘地说：“这活儿保密，跟谁也不能说，所以才挑中你。”老哑巴虽然有些疑惑地眨巴眼，但还是再次点了头。

徐队长有点难以启齿，她说：“你没成过家，估摸着这个活儿你可能还没做过。不过这活儿是男人都会做，做了也会喜欢。”

老哑巴似是领悟了她的话，面红耳赤的。

“泽花嫂家宝墩的事情你听说过吧，知道那孩子是怎么死的吗？”徐队长为了让老哑巴能够有勇气接这个“活儿”，就想先激起他对小白蜡的仇恨。

老哑巴比画着，告诉她宝墩是让青石山上的炸药给吓死的。

徐队长说：“吓着的人是能治好的，宝墩本来能活下来的。都是那个臭女人，她见死不救。”徐队长把小白蜡不给招魂票的事情讲了一遍。

老哑巴显然生了小白蜡的气了，他指着小白蜡的屋子又是摇头又是跺脚的，喉咙发出“呃呃”的哽咽声。

“你说这种女人该不该收拾？”徐队长问。

老哑巴茫然地看着徐队长。

“你跟她住隔壁，半夜时，你敲她的门，她要是不开的话，你就砸她的门，跳她的窗。进去后，你就收拾了她！你喂牲口，知道牲口是怎么干的，你就跟她那么干！我不相信治不服她！她要是告你，你就是一个摇头，给他来个死不认账！反正你又不能说话，明白吧？”

老哑巴的脸紫涨了，他哆嗦着嘴唇，连连摇头，表示他干不了这“活儿”。

徐队长一把将老哑巴搡倒在干草堆上，骂他：“给你这么一个俏活儿，你还不想干，真是不识抬举！你要是不干，就是对不起宝墩和泽花嫂，对不起他们，就是对不起西街！我给你一个礼拜的时间，你要是没把这‘活儿’拿下来，你趁早给我卷起铺盖走人！”

徐队长的话像突如其来的冰雹，把老哑巴砸得晕头转向的。她离开后，他捧着脸伤心地哭了。

接下来的一周，徐队长每天都要到生产队的场院里观察动静。小白蜡兢兢业业地做她的掏粪工，从别人家的猪圈或是公厕把粪肥挑回来，倒在粪池里，然后像二尿子一样，站在正午的毒日头下，在苍蝇飞舞的粪池旁打耙。不同的是，二尿子光着脊梁，不戴口罩，而她每次站在粪池旁都是全副武装：口罩、蓝布长袍、长裤、胶靴和黄头巾。每次给粪打完耙，汗水都会把她打得浑身湿透，她摇晃着走回自己的小屋，第一件事就是拉上窗帘擦洗身子，然后换上干净的衣裳，把她掏粪的那套行头当弃儿一样扔在门外的走廊里。每回徐队长经过走廊去老哑巴那儿，看见小白蜡扔在门口的东西，都会紧着鼻子，朝地上吐上一口痰。

老哑巴照例做他的活计：铡草、喂牲口、打扫场院。一看见徐队长进来，他就像老鼠见了猫似的四处躲闪。有一回他竟然躲到马槽中，平躺在里面。马儿不解，站在槽子旁边咴咴叫，被徐队长发现后，一把将其拎起，骂道：“真没出息，你的嘴哑巴了，那个玩意也哑巴了不成？泽花嫂都快要疯了，你再不把‘活儿’给我做了，我饶不了你！”徐队长离开的时候，会向他竖起手指，五根或者是三根，提醒他留给他的时日还剩几天。

在期限的最后一天，徐队长带着一瓶酒和一包饼干来了，她把东西撂下，什么也没说，只是竖起一根手指，一甩手走了。老哑巴觉得这些吃食就是刽子手送给问斩者的最后的晚餐，他把它们全都享用了，然后醉醺醺地拖来一些板条到小白蜡的窗下，又找来钉子和锤子，把窗子给钉死了。那时正是夕阳西下的时分，小白蜡挑着一担猪粪回来，发现窗子被封上了，就大叫大嚷着："我又不是蹲监狱的人，谁这么没有人性啊！"她打算回屋换了衣裳后，去找徐队长理论一番。才进走廊，就听见一阵呼噜声。老哑巴怀中搂着锤子，蜷缩在她的门前，睡得正香。小白蜡看到他手中的工具，知道窗子是他封的，就呵斥了一声："谁给你的权利？"老哑巴睡得太沉了，眼皮都没抬一下，依然打着呼噜。小白蜡便找来一根木杆，一下一下捅他，终于把他弄醒了。老哑巴看到小白蜡的一瞬，打了个激灵，酒也醒了多半。看来他醉得腰膝酸软了，他是扶着墙站起来的。他一手拿着锤子，一手从裤兜中掏出一副门闩和几颗螺丝钉，示意小白蜡将门打开。小白蜡不理睬他，他就"呃呃"地叫，急得脖子上青筋暴起，眼里涌起了泪花，小白蜡只得将门打开。门一开，老哑巴不由分说地"叮当叮当"为她的门又加了一道门闩，然后做出敲门的手势，指着门闩一再摇头，示意她有人叫门的话，绝对不要开门。小白蜡不明白发生了什么事情，但她感觉到老哑巴是在提醒她，有人打她的主意，要注意安全。小白蜡叹了一口气，只能听之任之了。窗户被钉死后，就像一个人被五花大绑着，没什么自由了。除了光线受了影响外，空气也不如从前了。以往可以把两扇宽大的窗户都敞开，现在却只能开一扇小小的气窗来透气了。

第二天早晨，徐队长背着手来到生产队，想看她的最后通牒收到成效没有，不料她根本就找不到老哑巴。去他的屋子，才发现行李已经没了。老哑巴是什么时候悄悄离开西街的，无人知晓。没人知道他去哪里了。但有一点可以肯定，他是顶着满天星星离开西街的。徐队长没有想到老哑巴会做出这样的选择，她简直要被气疯了，立刻召开全体社员大会，说老哑巴是隐藏在生产队里的阶级敌人，将来谁若发现他的行踪，一定要报告，让他回来接受劳动人民的审判。

老哑巴的离去，让徐队长很舍手。多年以来，他忠于职守，是二队最好的管家，一时竟找不出合适的人替代他。她也因此更为憎恨小白蜡，心想我一定要想办法收拾了你！她想这种事情再也不能与人说破了，要找就找个好色之徒与她为邻，这样等于让她与狼为伍，迟早有一天会吃了她。

二尿子主动找到徐队长，说是他想接替老哑巴，他乐意住在队里，天天闻粪池的气味，而不想睡在家里。徐队长心想，你三天两头就尿炕，伺候不明白女人，软蛋一个，你休想跟小白蜡为邻！那样不等于给她找了只温驯的绵羊做伴儿吗？琢磨来琢磨去，她选中了来喜。来喜身体壮，招魂婆曾私下跟徐队长叫苦，说来喜哪儿都好，就是房事上太频了，让她抵挡不了。徐队长还注意到，来喜每次读报前，总要悄悄看上小白蜡一眼，那目光有些畏惧又有些羡慕，大概知道她文化高，希望他把字读得丢盔卸甲时，她不至于打击他。然而小白蜡就是小白蜡，来喜把字读出可笑的意思时，小白蜡不仅撇嘴角，还会发出几声嘲笑。

来喜欢天喜地地来喂牲口了。他从家里搬来了行李，剃了头，刮了脸，还穿上了唯一一条不打补丁的裤子。他来的头三天，有事没事总爱在走廊转悠。晚上烧了水后，他会敲小白蜡的门，说："有开水，给你灌上一暖壶吧？"小白蜡从不打开门闩，总是隔着门跟他说话。第一天说了声"谢谢，我有"，第二天说"我的暖壶满满的，不用"，第三天则毫不客气地说："我晚上读书呢，不要敲我的门！"

招魂婆在第三天的晚上来看来喜，正赶上来喜灰头土脸地提着水壶站在小白蜡门前。看他一脸的尴尬，她心里明白了八九分，从这天开始，她就陪来喜睡在了队里。徐队长知道后，非常恼火，她说来喜来了没几天，牲口天天掉膘，看来他只知道睡，没有给它们喂夜草。"马不吃夜草怎么能肥呢！"徐队长急赤白脸地嚷着，要把来喜开回家。然而还没等她物色好新的马夫，又一声爆炸降临在西街。

那段日子里，天的性子异常暴烈，每天都是烈日当空，不见一片云彩。庄稼被晒蔫了，刚出苗的秋白菜也都枯黄了。徐队长不得不带着社员挑水抗旱。他们组成了挑水大军，每天往返于水井和农田之间。那段日子，粪池上空常颤动着缕缕白光，见了的人都说："粪肥也热得快熬不住了，要着火了！"

每到正午，小白蜡仍是全副武装地站在粪池旁打耙。这一天打着打着，粪池忽然打雷似的"轰——"的一声巨响，淤积在池子中的粪肥像礼花一样飞旋而出，四溅开来。小白蜡就像一本薄薄的书，被这巨响给掀翻了，弹到五米外的地方，摔在地上。在场院另一侧给马饮水的来喜，真切地目睹了这一幕情景。他哪里经过这种事情，以为粪池里出了妖怪，吓得瘫软在地。

西街的人都以为北红工程队又回来了。为了让泽花嫂快些好，徐队长把她从家里拽出来，跟社员们一起在农田里抗旱。响声传来时，她吓白了脸，水舀子从手中掉到地上，她用手捋着无精打采的禾苗，连连叨咕："宝墩不吓，宝墩不吓啊——"

"他们还嫌坑咱西街坑得不够，怎么又回来了？"社员们纷纷说。

"这响声可不是从青石山那儿传来的，是从咱们二队那里来的。"徐队长说，"不是北红的工程队回来了，是咱二队出事了！"

二队的场院里满是粪肥，臭气熏天，半空中盘旋着一群黑云似的乌鸦。小白蜡躺在地上，已没了气息。她的额头伤痕累累，伤口渗出的鲜血和脸上星星点点的粪肥混合在一起，使她的面容看上去就像一块淤积了朱红和土黄两种颜料的调色板。来喜说小白蜡飞起来的时候，手中还握着粪耙。她落地后，那只粪耙也落在她身边，像是一支粗笔，陪伴着她。

小白蜡的死，震动了西街。谁也没听说过粪池是可以爆炸的。北红农管站的技术员来到西街，勘察了事故现场后，说是这个粪池太深，而且年头久了，里面沤的粪肥在夏日产生了大量沼气，积聚到一定程度时，才发生了爆炸。但西街人才不认可科学的解释呢，他们一致认为是宝墩的冤魂藏进了粪池，索了小白蜡的命。

由于天气太热，小白蜡第二天就被葬在青石山下。她的丈夫闻讯赶来时，距事情发生已经有一周了。那个男人在去坟上的时候，顺路采了一束白色的野菊花，插在了小白蜡的坟头。由于他并没有号啕大哭，陪同他的西街人都很为小白蜡难过。这个男人从青石山下来后，由徐队长陪同着，去清点遗物。在小白蜡的书桌旁的抽屉里，他翻出一沓用黄丝带捆扎着的信。他解开丝带，把信摊开在书桌上。徐队长惊异地发现，这些信的右上角贴邮票的地方，无一例外地残破着，好像谁给信开了一扇扇小窗。从破损的痕迹看得出，那是被老鼠啃啮过的。看来西街的老鼠喜欢吃来自关内的邮票背后的糨糊，这才把邮票通通糟蹋了！难怪小白蜡要说那些邮票都不能用了呢。

徐队长瘫软在地上，带着哭音叫了一声：“西街的老鼠啊——”

小白蜡的男人走了。

夏天过去了，秋天来了，雷厉风行的徐队长变得寡言少语了。她在领着社员们秋收的时候，常常在歇息的时候呆呆地望着青石山。她一天天地消瘦下去，到了年终分红时，她那曾经磨盘似的屁股，已经瘪得像霉烂了的倭瓜。

花牤子的春天

青岗这地方，大概由于祖辈人曾饲养牤的习惯吧，爱管男人叫“牤子”。老人们都被叫作“老牤子”，不同的是在前面加个姓氏，如“王老牤子”“张老牤子”“胡老牤子”；年轻人呢，多数叫“小牤子”，如“李小牤子”“郑小牤子”“刘小牤子”等。像“张、王、李、刘”，由于姓的人多，就依据人的脾性，再细分一下。勤快的刘老牤子，叫作“勤老牤”；懒惰的呢，自然是“懒老牤”；脾气大的李小牤子，被叫作“犟牤子”；性情温顺的，是“蔫牤子”。爱胡搅蛮缠的王小牤子，就像块嚼不烂的肉，被称作“柴牤子”；而大大咧咧的，叫“虎牤子”。说话女声女气的张小牤子，人称“奶牤子”；见着自家女人跟别的男人打声招呼都要火冒三丈的，头上戴的自然是“醋牤子”的帽子了。

在这众多的牤子中，有个叫“花牤子”的。花牤子打小就喜欢看女人的奶子和屁股，看见它们，就像穷苦的人望见了神灯，满心欢喜，双目生辉。成年以后，他见着容颜俏丽的女孩，就要搂搂抱抱。青岗那些有点姿色的女孩，都躲着他。即便这样，他十八岁那年，还是把一个女孩摁在草垛上，干了那事。女孩的家人找到花牤子的父亲高老牤子，说是你们是想见官了事呢，还是私了？高老牤子知道见官的话，儿子会被判强奸罪而坐牢，就说私了。结果高家的一亩好田，再加上一口肥猪，被生生赔掉了，气得高老牤子直骂儿子，说是要把劁猪的徐老牤子找来，骟了他那败家的玩意儿。以前，高老牤子的儿子是叫“高小牤子”的，出了这档子事后，大家都说高小牤子是青岗有史以来少见的拈花惹草的主儿，都叫他“花牤子”了。

高小牤子变成花牤子的最初两年，老实了不少。见到女孩虽然仍是目光灼灼，但绝不敢造次。然而好景不长，花牤子二十岁时，故态复萌。腊月天，他瞄上了一个上坟的小寡妇，当她路过废弃的砖窑时，把人拖进去给糟践了。小寡妇本来是去坟上哭自己的男人的，遭到凌辱，羞愤至极，要死要活的。没办法，高老牤子只得又把家中的一亩地分给寡妇，再赔上两只鸡。高老牤子气得嘴斜眼歪，吆喝了两个壮汉，把花牤子捆上，打得他屁滚尿流。花牤子挨打时声泪俱下，说是对不起祖宗，可是青岗的日子实在没有意思，唯有那事儿是个乐子，谁知道这个乐子是不能随便要的啊。

青岗的人，听说花牤子这般辩解，都笑，说这人不但“花”，还有点“痴”。花牤子的母亲死得早，只留下他这么个儿子，大家都劝高老牤子，干脆早点给花牤子成亲，他炕上有了人，就不会出去撒野了。可是又有哪个姑娘愿意跟他呢？就这样，花牤子二十二岁时，又跟柴牤子的媳妇、豆腐房的陈六嫂做了那事。丰满白皙的陈六嫂胃口大，把高家最后一亩好田要去不说，还牵走了他家的羊，搬走了衣柜，扛走了桌椅，就连暖瓶和茶壶也不放过，顺手牵来，弄得高家快要倾家荡产了。花牤子这次很委屈，他不断地跟父亲申辩：“这回赔东西赔错了，是陈六嫂把我拉上炕的，她干那事比我还乐呢，浛儿得直叫！”高老牤子劈手给了儿子一巴掌，说：“那你说是陈六嫂把你欺负了，人家该赔咱家东西不是？”花牤子很认真地说：“是！她家的毛驴好，拉磨时从不偷懒，咱该让她赔毛驴！”高老牤子又给了儿子一巴掌，叫着：“孽障啊！”

高老牤子大病一场后，做出了一个决定，他要领花牤子离开青岗，投奔远方的亲戚，让花牤子进深山伐木，那里没有女人，会彻底断了他的念想。否则的话，花牤子在青岗再犯一次事，家中房屋都将不保，他就得住在风中了。

高老牤子把家中仅存的一亩薄田让人代种着，锁了屋门，和花牤子各扛了一袋行李，上路了。他们出发的时候，去村口为他们送行的，都是男人。女人们巴不得花牤子走，说是凶恶的鹞鹰飞走了，村里的女人就有太平日子了。

青岗是个小村子，住着五十多户农民。这儿土地肥沃，主要农作物是小麦、大豆和土豆。如果是风调雨顺的年份，家家都会仓廪坚实，生活富足。但要赶上年景不好，大旱大涝、早霜或者病虫害的话，庄稼收成差，温饱自然也就成了问题。所以，青岗人有祭天的习俗。祭天通常在春播前进行，人们在大地摆上一个条桌，算是祭坛，张家往上放个苹果，李家放上两个橘子，王家可能放上几块糖，总之，敬奉给天的，都是素净芬芳的食物。

青岗的历史不长，不过百年。最早是几个赶着牤牛贩盐的盐商，看上了这儿的草场和河流，在此落脚，踏出了一条羊肠小道。

接着又来了两户人家，他们开荒种地，使这儿炊烟渐浓。但由于它地处偏远，所以真正扎根的人不多。解放后，乡政府在此建村，拓宽了路，荆棘不见了，但路面仍是坑坑洼洼，每逢雨季，就成了泥路，难以通行。几十年下来，道路虽然几经重修，铺了砂石，但架不住人马车辆和风雨的侵蚀。仍是一副破败相。住在这里的人，出门要么步行，要么套上马车，要么乘坐近些年才有的农用小四轮。青岗离深井乡有四十里路，步行要多半天；马车呢，要逛荡上两个小时；就是机械的四轮车，也得突突地跑上一个多钟头。由于这儿交通闭塞，邮路不畅，再加上少有识文断字的人，青岗人对外部世界了解得很少。他们日出而作，日落而息，落寞而知足地活着。他们的娱乐，就是在田间地头说点荤故事，看牤牛顶架，看猪狗交配；冬闲时聚集在一起，盘腿坐在热炕头喝烧酒。五年一次的村委会换届选举，是青岗最热闹的事情。乡政府的人大主任会带着人，来发放印着候选人名字的选票。青岗人按照既定程序选出村长后，还要依照自己的一套选举法，选出另一个村长，这也是他们的一项娱乐。他们会把村上每个成年人的名字写在同一格式的纸条上，放在帽兜里，由村上最小的娃娃抓阄，抓出谁，谁就是村长。所以青岗不同别的村子，总是有两位村长。因为这个，还闹出了笑话。有一回，刚出满月的奶娃哼哼呀呀地抓出一个纸条，这人竟是傻牤子！他是个痴呆，东西南北不分，见着女人爱说两个字：丫丫！见着男人只说：牛牛！他被选为村长，大家的快乐可想而知了。

花牤子离开青岗四年后，又回来了。他们父子走的时候，肩上扛着两袋行李，回来仍然如此，不同的是那行李更破旧了，就仿佛他们是扛着败军的旗帜似的。高老牤子还是以前的模样，不同的是更老更瘦了，可是那个曾经生龙活虎的花牤子，完全变成另一个人了。他原来高大威猛，四方大脸，头发和胡须茂盛，目光炯炯，声如洪钟，步履铿锵；可归来时他却是面色寡白，脸颊塌陷，头发半秃，目光散漫，弯弓着腰，一步三叹，看上去像个痨病鬼。原来，花牤子在深山里出了事故。他伐木时，一棵红松在倒下时，像出膛的子弹一样产生了强大的后坐力，将他掀倒。他倒地时叉着腿，那棵粗壮的红松的根部，狠狠地砸向他的裤裆，就像捣一个鸟窝似的，把他男儿的零件打得稀烂，从此花牤子就成了石榴裙下的废物。高老牤子跟人说，花牤子出事后，足足哭了三天。花牤子开始大把大把地掉头发，面色变白，声音变细，而且腰也弯了，伐木时连锯都拉不动。高老牤子一想儿子出不了大力气了，他没了男人的家伙，等于一个武士丧失了宝剑，不能再对女人兴风作浪了，于是就带着花牤子，踏上了归乡的路。

青岗的男人可怜这对父子的遭遇，帮着他们把房屋修葺了，还帮他们开荒，使高家又有了三亩地。女人们呢，她们对花牤子也心生同情，将自家的鸡雏、鸭雏和猪崽送给他们饲养，高家的院子，渐渐又有了生气。

花牤子刚回来的头三年，精神萎靡。他去田间干活，干着干着就会撇下锄头或镐，把垄沟当成被窝，呼呼大睡。他见了男人顶多“哼”一声，算是打过招呼；见着女人呢，更多的是低下头，叹息一声。春天时撞见发情的牲畜，他就像躲避洪水一样，撒腿就跑；他最痛苦的时候，就是谁家要迎娶新娘了，一听见欢快的唢呐声传来，他就捂起耳朵，连屋门都不敢出。他也因此憎恨吹唢呐的陈老牤子，见了他会啐一口痰。陈老牤子很生气，说：“我胡子都白了，那些老狗见了我都得给我蹭蹭裤脚，你一个做晚辈的，凭什么吐我？”花牤子带着哭腔说：“谁让你把唢呐吹得那么响呢？！”

花牤子振作起来，是由于电的到来。他归来的第四年，由政府出资，把深井乡的电，引向与它毗邻的三个小村：三面村、落雁岭和青岗。这三个村的农民得知这个消息后，欢天喜地。电线杆一根根地在大地上竖起，它们就像一排队列整齐的士兵，雄赳赳地挺进小村，给黑暗中的人们带来光明。以往人们照明，使的是蜡烛和油灯，这瘦弱而贫瘠的光颤颤巍巍的，坐在灯下做活的女人，常嫌那光伤眼睛。而且烛光和油灯的光都像没魂儿的人似的，没力气把屋子的每个角落都照亮。电却大不一样，它能让满室生辉。

虽然青岗通的不是国电，而是乡发电厂发的电，这电的习性跟鬼一样，傍晚来，日出前回，但人们已经大喜过望了。通电的那天，花牤子坐在灯下捧着脸哭了。他鼻涕一把泪一把地对父亲说：“这电灯多好啊，咱家的屋顶往后就是有了一只金色的小鸟了！它每天晚上都能飞来，我的心里就不凉了！要是它不来，还是过着老日子，我都想好了，就给这世上省点粮食吧，我喝上一瓶农药，到阎王爷那儿去算了！”高老牤子老泪纵横地说：“儿啊，爹对不起你，要是不把你带到深山伐木，你就不会出事，咱高家也不会在你这儿断了香火啊，老天真是不长眼啊！”花牤子抽噎着说：“爹啊，你别埋怨老天啊。我估摸着老天是好意啊！它看那棵红松太像一杆蜡烛，就想送给咱家照亮儿。我的腿一叉开，老天以为那是烛台，就把它插上来了！可是老天怎么没想到，我这么小个烛台，怎么插得上那么杆大蜡烛呢？我没见到光，倒弄得两眼一抹黑！爹呀！”

有了电后，高老牤子见儿子比以前活泛了，就把爷俩伐木时赚的那点钱拿出来，进城买了台电磨，加工小麦，磨面粉。以前，青岗人磨面，总得把麦子运到乡里。现在高家有了电磨，人们自然都到他家磨面，花上三块五块钱，一袋面就磨好了。花牤子磨的面细发，麸皮少，面的成色好，做出的面食自然上乘，青岗人都夸赞他的手艺。渐渐地，他磨面的名声传了出去，邻村的人，也来磨面了。由于电磨只能晚上启动，所以花牤子一到黑天，就开始忙活了。电磨旋转着，麸皮飞扬，麦香味在星光下飘荡，花牤子的脸上有了笑影。若是外村人来这儿磨面，就得在高家住上一宿，所以高老牤子把西屋腾了出来，留给客人住，他和花牤子住一个屋子。一个深秋的黄昏，太阳刚落，西天上如火的晚霞正如戏台上当红的花旦，散发着绚丽的光芒，高家门口出现了个牵着毛驴的女人。毛驴驮着两袋麦子，一看就是来磨面的外村人。花牤子迎上前，帮着这人卸麦子的时候，身子颤抖了一下：这不是紫云吗？！

虽然她已消尽了青春的容颜，苍老憔悴，瘦弱不堪，花牤子还是一眼就认出了她。当年她可是青岗最俏丽的姑娘啊。她那时脸蛋鼓鼓的，睫毛长长的，大眼睛忽闪忽闪的，梳着两条又粗又亮的长辫子，喜欢咯咯地笑。花牤子每看她一眼都要热血沸腾。尽管紫云躲着花牤子，但是那年夏天她去割猪草时，还是被他盯上，给摁在草垛上。紫云失了身后，本想嫁给花牤子的，可家人说花牤子不是个本分人，进了他家的门，等于踏进了牲口棚，别想有好日子过，不如朝他家要东西。这样，高家的一亩好田和一口肥猪就成了紫云家的。花牤子连连犯事而被高老牤子带进深山伐木时，紫云嫁到落雁岭。她的遭遇十里八乡的人都知道，所以条件好的男人都不要她。娶她的是个跛子，他比紫云大八岁，脾气暴，爱喝酒，三天两头就打媳妇。紫云先后怀了三个孩子，都被他生生给打掉了，弄得她再也不能生养。跛子因此加倍折磨她，每次在她身上撒过野，就得用皮鞭抽她一顿。紫云嫉恨父母当年贪财，没有让她嫁给花牤子，才落到一个残暴的跛子手里，所以从不回青岗探望他们。

花牤子是从父亲那里听说紫云的遭遇的。高老牤子唉声叹气地说："唉，你作践的这三个人，数她命苦啊！"父亲一这样说，花牤子就气得青筋直暴，他喊着："是两个，不是三个！陈六嫂不算！是她睡了我，和柴牤子合伙，抢了咱家的东西！"高老牤子说："陈六嫂纵有千般不是，可她一个女人家，怎么睡你？混说啊！"花牤子急了，他攥紧拳头，"嘭嘭——"地砸自己的脑门，吓得高老牤子赶紧说："啊，你说得对，是陈六嫂睡了你，害了我儿！"

花牤子成了废人回到青岗后，发现小寡妇已经改嫁给劁猪的徐老牤子，虽然两人相差十五岁，过得倒也恩爱，下地时并着肩走，有说有笑的，这减轻了花牤子心中的愧疚。只是徐老牤子来高家劁猪时，下手不如在别人家利落，把猪弄得很痛，嗷嗷叫，高老牤子很不痛快。还有，高家有了电磨后，徐老牤子来磨面，从不给钱，花牤子朝他要，他就翻着白眼说："你亏欠我老婆，这辈子都还不清对她的债，还敢要钱？"花牤子说："我亏欠她的，不亏欠你的！再说了，她那时寻死觅活的，说是我进了她那里，她坟里的男人不得安生，现在你那鸟玩意儿不也进了她那里了吗？她怎么就不管坟里的男人的安生了？！"徐老牤子跳着脚说："我跟她是明媒正娶，你对她是强奸，你个呆子，懂个球啊！"可花牤子执意要收钱，他说："就算是吧，我把她的钱免了，可你不行！男人比女人能吃，一袋面你得吃多半袋，你得把那份钱给我！"徐老牤子把磨好的面往肩上一扛，说：“我给你个屁！”抬腿就出了高家的院子。从那以后，花牤子就不给徐老牤子磨面了。

除了徐老牤子，青岗还有一个人来磨面时，花牤子也是不搭理的。她就是陈六嫂，她不如过去白胖了，脸上的褶子也多了，可还是喜欢穿红戴绿，跟男人眉来眼去的。她扛着麦子来高家时，花牤子不是嫌她家麦粒的成色差，不宜磨面，就是说活儿多，排不过来。有一回，陈六嫂“啧啧”地拍着电磨说：“这东西真是好玩意儿，插上电，它就能干活！要是我家也有一台，用它磨豆子做豆腐，就省得养驴拉磨了！”花牤子知道陈六嫂打电磨的主意，他用庆幸的口吻说：“我现今可是沾不了你的身了，你想要电磨，那是白惦记啊！”把陈六嫂臊得满脸通红，好没趣地扛起麦子，走了。从那以后她长了记性，不找花牤子了。

就在紫云来前不久，有天晚上，花牤子上炕早，他关了灯，躺在黑暗中和父亲说话。花牤子叹了一口气，说：“爹啊，你原来说我作践了三个女人，我跟你说是两个，陈六嫂不算，现在看呢，那个小寡妇也不能算啊！”高老牤子咳嗽了一声，问此话怎讲？花牤子很认真地说：“我下晌看见徐老牤子老婆的肚子大了，她喜滋滋的，要给这个劁猪的生小牤子了！爹你想啊，要不是我日弄了她，凭她那么受看的长相，她就是再找主儿，哪能轮到徐老牤子？没想到她跟了他，日子过得倒比以前美了！”高老牤子很少听花牤子说这么富有条理的话，他很高兴，说：“对呀，那小寡妇是因祸得福！你没坑害她！”花牤子蔫蔫地说：“可我坑了紫云啊。爹啊，我想着将来磨面要是赚了钱，能不能让我帮着她把落雁岭家中的房子翻修了？你不是说，她男人不管家，房子都快倒了吗？”高老牤子说：

“儿啊，你可不能操那个心！你要是给她修了房子，那个跛子吃起醋来，能揪掉紫云的耳朵下酒，再剥了她的皮，包饭团来吃！再说了，当年咱给她家赔了地，又赔了口肥猪，两清了！”花牤子便不吭声了。

现在，紫云就站在花牤子面前。她穿一双沾着泥巴的绿球鞋，一条打着补丁的蓝布裤子，一件高粱米色的套头秋衣。她齐耳短发，发丝干涩，两鬓斑白，额头和眼角都有深深的皱纹。她的眼睛虽然大，但毫无光彩，这样的眼睛就给人枯井的感觉，看一眼就心凉。花牤子想跟她说话，可不知说什么，于是就指着轰轰烈烈的晚霞说：“今儿那里热闹啊。”紫云歪着头，看了一眼西边的天际，说：“那里热闹的时候多了。”花牤子“唔”了一声，先把麦子抬进院子，再把驴牵进来。高老牤子听见动静，从屋里端着饭碗出来，一看是紫云，差点没失手打了碗。他问紫云：“你这是回来看你爹娘，顺路来磨面？”紫云说：“我不回娘家，我就是来磨面的。落雁岭的人说，花牤子的面磨得比乡里的都好。”高老牤子说：“那你晚上住哪儿啊？”紫云很干脆地说：“外村人来磨面不都住在你家吗？我就住这儿了。”高老牤子倒吸一口凉气，说：“那炕上的被褥谁都用，你不嫌埋汰？”紫云说：“我晚上待着也没事，今儿是阴历十六，月亮圆，我帮你们把被褥拆了，拿到青泥河洗干净了。”

花牤子想紫云还没吃晚饭呢，就张罗着烙油饼。紫云说：“我出来时带着干粮，路上吃过了。你不用管我，快磨面吧，明儿一早我就得回去。”

晚霞落了，电闪闪烁烁地来了，花牤子在灶房的电磨前开始干活时，紫云不仅把西屋客人用的那套被褥拆了，还把东屋高家父子的被褥也拆了。她朝花牤子要了条肥皂，将床单被罩装在洗衣盆里，去了青泥河。花牤子磨面时，不时地来到院子朝青泥河方向张望。高老牤子对花牤子说：“看啥看？她打小就爱在青泥河洗衣服，大明的月亮，丢不了。”花牤子说：“秋水扎手凉啊，她可别洗病了。”高老牤子说：“唉，她也怪可怜的，年岁不大，看上去像半大老婆子了。看来她真是恨她娘家人啊，这么多年不回来。回来了呢，连家门都不进，看来心里对她爹娘结着个大疙瘩啊！”

快十一点了，月亮似乎高得不能再高了，也明得不能再明了，紫云这才挎着洗衣盆回来。她放下盆，先是看了看毛驴，然后站在院子中，把床单被罩使劲抖搂着，抻开褶痕，一条条地挂在晒衣绳上，挂得满满的，层层叠叠的，好像给高家的院子修了一面墙。不过这墙不是密不透风的死墙，而是散发着皂香味的活泼的墙，月光能从被磨得发薄了的纤维中透过来。

高家的电磨，安置在东西屋之间的灶房里。紫云晾好被罩褥单，走进来。电磨嗡嗡地旋转着，花牤子的头上落了层麸皮，好像刚从鸡窝里钻出来的一只芦花鸡。花牤子大声问：“把你的手给冰着了吧？”紫云摇摇头，说：“你爹的被子缝得还真不错，我拆的时候看了，那么匀的针脚，比我的活儿都好！”高老牤子闻听此言，从东屋走出，说：“孩儿他娘死得早，我年轻时就学会了女人的这套活儿啊！”紫云叹了口气，把剩下的肥皂放在灶房的窗台上。先前那条厚厚实实的肥皂，已被磨得像片油炸的土豆片，薄而透明。紫云指着它说：“估摸着还能洗件衣裳呢，就没舍得扔。”高老牤子说：“紫云啊，你把被子都拆洗了，晚上只能盖着被胎睡了，要不你回娘家去住？”紫云沉下脸，说：“我累了一天，困了。”说完，抬腿进了西屋。高老犴子讨了个没趣，回东屋歇着去了。

花犴子磨了一夜的面，他也因此听了一夜紫云的咳嗽声。天明了，电走了，花犴子刚把磨好的面装好，紫云起来了。她帮着打扫干净了灶房，就要回落雁岭。高老犴子也起来了，他打着哈欠说：“我这就烧火做饭，你可不能空着肚子走啊。”紫云说：“我还有两个火烧呢，路上吃。”说完，张罗着套驴。花犴子无奈，只能听从。他把面袋挂在驴身上，看着紫云牵着驴出了院子。那天有晨雾，虽然花犴子一直望着紫云的背影，可她和毛驴的影子很快就模糊了，不见了。花犴子回到屋里，发现电磨上有十块钱，这一定是紫云悄悄留下的磨面的钱。花犴子拿着那张钱，哭了。那张钱被他的鼻涕和眼泪弄得潮乎乎的。

三天后，从落雁岭传来了紫云的死讯。紫云的娘家人听到噩耗，赶到落雁岭，呼天抢地地朝跛子要人，说是他害死了紫云。跛子说：“她是自己撑死的，干我屁事?！”跛子说，紫云想吃新麦，就牵着毛驴，驮着麦子，说是到乡里磨面去了。不过落雁岭的人看见，紫云牵着毛驴，不是往深井乡走，而是朝青岗去，他估摸着，她这是找花犴子磨面去了。紫云磨面回来的第二天，发了个大面团，蒸了两笼屉香喷喷的馒头，坐在炕头，一声不吭，一个连一个地吃。那馒头每个都有拳头那么大，她足足吃了十二个！吃完馒头，她躺在炕上，一动不动，不出一个钟头，人就没气了。跛子骂道：“妈的，花犴子害了她，她还惦记人家！这饿死鬼托生的烂女人，死得活该！”

花犴子听说紫云没了，足足三天没有磨面，也没有吃一口饭。他拿着紫云留下的那张钱，呆呆地看。高老犴子急得满嘴是泡，换着样地给儿子做好吃的，糖饼、葱花鸡蛋面、虾米疙瘩汤，可花牤子碰都不碰。他绝食的第四天早晨，高老牤子做了一碗馄饨，递给花牤子，说:“儿啊，你要是再不吃，就是不想给爹养老送终了!”花牤子这才接过碗，吃了馄饨。吃完，他指着那张十块钱背后的山水问:“这是哪儿?”高老牤子看了一眼，说:“我怎么知道?能上了钱的，一准是有名的山水!”花牤子说:“我看这水不如青泥河好，太宽了，人不能蹲在河边洗被子。谁要是能帮我把青泥河和草垛印在钱上，我就给他磨一辈子的新麦!”就在这天晚上，花牤子又开始磨面了。不过子夜时分，灶房突然传来花牤子凄惨的叫声，他的左手搅进电磨，顷刻间就被碾成了泥。

花牤子失去了左手后，霜来了，天气越来越凉。有一天晚上，高老牤子蒸了一条咸鱼，炝了一盘土豆丝，跟儿子一起喝了酒。酒后他拎着一把铁镐进了灶房，开始砸电磨。他边抡铁镐边骂:“该死的东西，你明明知道我儿成不了家了，就得靠手艺吃饭了，可你断了他的手，是不给他留活路啊!我打死你个黑心烂肺的东西!”电磨坚如磐石，高老牤子年龄又大了，力气不济，他砸了一刻钟，便头晕眼花，扔下铁镐，趴在电磨上，哆嗦着，呼哧呼哧地喘粗气。花牤子知道，父亲想干的事情，十头老牛也拉不回，就没有上前阻拦他。这样，高老牤子歇息了一会儿，再次抓起铁镐，咣咣砸起来。这回他是拼尽了全身的力气，砸得激情飞扬，“啊嘿——啊嘿——”地叫着，电磨终于断肢解体，高老牤子哈哈笑了两声，高喊着:“我他妈把你也弄残疾了!”撇下镐，“咕咚”一声倒在地上，归西了!

葬了高老牤子后，花牤子把碎了的电磨装在麻袋里，分三次背到青泥河。河面已经结了层薄冰，花牤子向里面投碎磨时，冰就绽裂了，裂纹弯弯曲曲的，好像一群体态俊秀的鱼游出水面。

雪花来了，冬天来了。花牤子再看电灯时，心里就没有那种暖洋洋的感觉了，他想那只金色的小鸟已经从他家中飞走了。他没了左手，什么活儿都得指望着右手，这让他很不习惯。他用一只手烧火做饭，用一只手扫地洗碗。以前半个小时就能做完的事情，现在得用一个小时了。他没了左手，但左胳膊还在，抱柴和搬东西时，它也能派上用场。生活的事情好应付，可是他应付不了自己的心，不管屋子烧得多么暖，他的心都是凉的。坐在灯下时，他甚至冷得浑身直起鸡皮疙瘩。后来，他索性把电灯关了，坐在黑暗中。高老牤子刚走的那段日子，青岗人还很关心花牤子，谁家蒸了馒头，会送过来几个；谁家炖了肉，会端来半碗。但时间久了，尤其是进入腊月后，家家开始忙年了，就没人顾上他了。人们去乡里买春联年画、鞭炮灯笼、糖果花生、衣服鞋帽，他仿佛是被世人遗忘了。他可以上午十点起来，一天只吃一顿饭；也可以下午三点就躺进被窝，子夜即起，披衣望着窗外黑沉沉的夜色。他想自己不如死了算了，可是一想他要是死了，将来就没人给爹娘上坟了，就觉得自己死不起。

年味越来越浓的时候，青岗出了一桩大事，徐老牤子被县公安局的人给抓走了。徐老牤子一心想得个大胖小子，给怀孕的老婆吃得太好了，什么春天的蛤蟆、夏天的鱼、秋天的肥鹅。这下好，胎儿太大了，小寡妇临产时羊水破了，可她喊破了嗓子，就是生不下来，憋得满脸青紫。接生婆没了辙儿，她让徐老牤子赶紧把人往乡医院送，去做剖腹产。赶巧那天有电动小四轮的人家，都到乡里办年货去了，徐老牤子急得团团转。如果套马车去乡里，估计不等把人送到地方，就得交代了。徐老牤子一看老婆已经昏厥，急中生智，拿出劁猪的刀子，在她肚腹上划了一道长长的口子。孕妇皮开肉绽，鲜血一汪一汪地涌出。徐老牤子的两只手就像鹰爪，锐利地伸向伤口，将胎儿稳稳地掏出来。接生婆眼疾手快，拿起剪子，“咔嚓”一声剪断脐带。不过这胎儿出来时动也不动，接生婆赶紧接过来，将他倒提着，用手拍打胎儿的背部，终于使这男婴身子颤动起来，哇哇哭出来。孩子活了，可小寡妇却死了，当徐老牤子拿出老婆纳鞋底的针线想给她缝伤口时，她已断了气了。

徐老牤子本不该被抓走的。他埋了老婆后，就抱着儿子，走东家串西家，找那些有奶的女人，给孩子讨口奶吃。青岗人很喜欢这个白白胖胖的男娃娃，都叫他“小乳牤子”。谁知接生婆嘴巴快，不管见到谁，她都要讲一遍徐老牤子拿劁猪刀给老婆开刀的事情，说要不是徐老牤子当机立断，小乳牤子早没命了。她讲的那场面实在太血腥了，把人听得唇齿间生了寒意。终于有一天，这事传到乡里，被派出所的一个人听到了，他说：“徐老牤子没有行医执照，凭什么给老婆开刀？他这是蓄意杀人嘛！”于是，把此事上报给县公安局。县公安局立刻出动一辆警车，它一路颠簸，像挨宰的猪一样，嗷嗷叫着开到青岗。

青岗人这是第三次见到警车了。最早青岗还叫“人民公社”，人们吃着大锅饭的时候，喂牲口的金老牤子偷了公社的一头牤牛，在野地宰杀了，将肉分割了，埋在雪窝里，时常取出一块，掖在怀里，偷偷带回家，夜半煮着吃。最终是他家锅灶飘出的肉香味检举了他，青岗迎来了历史上的第一辆警车。第二次呢，是土地私有化的第二年，郭小犴子在自家地里耕田时，得到一枚铜镜，那上面有葡萄鲤鱼的图案，郭小犴子进城把它卖给了一个文物贩子，用得来的钱，给老婆买了个梳妆台，雇了台马车，神气十足地拉回来。结果没出多久，郭小犴子就被警车带走了。青岗人于是知道，虽然地是自家的，但要是挖出宝贝，那就是公家的了。

人们看到警车停在徐老犴子家门前，便纷纷围聚过来，异口同声地说："一个劁猪的，能犯什么罪呀？"徐老犴子抱着裹得严严实实的儿子，面色凄惶地出来了。先前在屋里，公安局向他出示逮捕令，说他涉嫌谋杀妻子时，他就大喊："冤枉呀！"现在看到青岗人，他就像见了救星，哭叫着："乡亲们啊，我徐老犴子对媳妇咋样你们都知道吧？我疼她还疼不过来，怎舍得杀她啊！她生不下孩子，往乡医院送又不赶趟了，人都背过气了，我才动了劁猪刀啊！"青岗人这才明白，徐老犴子是因为老婆的死而犯了法。他们不忍心看着小乳犴子没了娘后，再没了爹，都帮他求情。可公安局的人不为所动，执意要带走他。徐老犴子见花犴子也在人群中，就把孩子交到他怀里，"扑通"一声跪下了，说："花犴子，我对不起你，不该不给你磨面的钱啊！如今我这一走，要是被投进深牢大狱，就不知几时回来了。我知道你菩萨心肠，没后人，这小乳犴子送给你养，我是最放心的！"说完，像祭天一样，"咚咚"地给花犴子磕头。

花犴子接过小乳犴子的那一刻，等于接过了一盏灯，他照亮了花犴子暗淡的生活。小乳犴子虽然还没出满月，但他白胖白胖的，黑亮的眼珠，粉嫩的嘴唇，毛茸茸的鼻头，煞是可爱。他很让人省心，只要保持他垫的尿布干爽，他就从不哭闹。花犴子没有想到一个咿咿呀呀的小人，能这么招人喜欢。花犴子手不灵便，给小乳犴子穿衣把尿时费尽周折，可是他满怀喜悦。他怕冻着小乳牤子，不断地往火炉添柴草。他把洗好的尿布相挨着晾在火墙上时，觉得它们就是一片最美的晚霞。青岗的女人可怜小乳牤子，能给他喂奶的，不等花牤子把孩子抱去，就主动上门奶孩子了。每当花牤子看见小乳牤子叼着女人的奶头，“吱咕吱咕”地吃奶的时候，就感动得直想哭。他在心里对自己说：“没想到女人的奶子，娃娃的笑脸，也是这世上的灯啊。有这么好的东西在，我断不可寻死了！”

除夕那天，花牤子家比谁家都热闹。一大早，由小孩子抓阄选出的村长，给花牤子送来一袋冻饺子，让他半夜时煮了吃。花牤子刚送他出门，正式的村长拎着几条带鱼来了。两个人碰见时，互相叫着“村长”。午后，来给小乳牤子喂奶的女人，带来了豆豉蒸鲅鱼和红烧鹅肉，说是给花牤子下酒的。到了傍晚，虎牤子领着媳妇，给小乳牤子送来一双虎头鞋，并帮助花牤子扫了尘。花牤子的这个年，可以说是过得有声有色。

花牤子心里一美，脸色就好看了。正月里，小乳牤子出满月的那天，他请了个厨子，在家摆了两桌酒席，把街坊邻里都请来。席间，大家都议论着，不知徐老牤子怎么样了？要是说他杀死了老婆的话，他会不会被枪毙？要是那罪名不成立的话，他什么时候能回来？在青岗人的心目中，村上唯一的老师可以缺，而劁猪的，是不能没有的。他们盼着他早点回来。花牤子一想徐老牤子要是回来，小乳牤子就会被抱走，就伤心地放下筷子，没了笑脸。大家明白花牤子心里想的什么，都安慰他说：“只要被警车带走的人，起码得关个三年五载的。等他出来，小乳牤子也大了，谁把他养大，他就认谁是爹。徐老牤子就是回来，恐怕也不好抱回他吧？”听大家这么一说，花牤子又抄起了筷子。

然而让花牤子担心的事还是发生了。出了正月，青岗就来了穿制服的人，向接生婆询问给孕妇接生的整个过程，还向村民调查徐老牤子的为人，问他们夫妻感情如何。接生婆说：“我接了半辈子的生，懂得他那时要是不使劁猪刀，大人孩子都保不住啊！”村民则说：“他一个劁猪的，岁数大了才娶了这小寡妇，疼着呢！要说他的为人，这村里除了猪恨他，没人恨他啊！”大家说的，都是对徐老牤子有利的证词。不过他并没有被释放回来，花牤子渐渐又安了心。谁想到春播前，人们正在祭天的时候，徐老牤子回来了！他蓬头垢面，胡子拉碴，但乐呵呵的，他被无罪释放了！那天花牤子背着小乳牤子，正在祭坛前烧香，看见徐老牤子翩然归来，他立时腿就软了，手一抖，香火从他手中滑落，断了。

徐老牤子把儿子抱走了。虽然他当众表示，花牤子可做小乳牤子的干爹，他随时随地可以去看孩子，可花牤子知道，小乳牤子不是自己的了。生命中好不容易盼来了一盏灯，可它说没又没了。花牤子没有祭完天，就踉跄着回家了。他茶饭不思，彻夜难眠，一心只想着小乳牤子。他想要是能生个自己的娃就好了，谁也夺不走，可是他没了那本钱了。花牤子悲凉极了，觉得这个春天跟冬天一样的寒冷。

这一年青岗大旱，庄稼歉收，青岗人种的粮食亏了。人们都说，别的村的人，这两年都外出打工，赚的钱比种地强多了，咱也不能死心眼，老是守着土地刨食儿啊，明年咱也出去！转年春天，春播完，年轻力壮的人相邀着，打点行李，准备外出谋生了。走前，又到了村换届选举的日子，正式的村长连任了，而村上人自行选村长的任务，交给了小乳牤子。那天村民们欢快地聚集在徐老牤子家，捧着写有村民名字的帽兜，让小乳牤子抓阄。小乳牤子手大，一家伙抓起三个。大家都笑，说是三个和尚没水吃，青岗岂不要像去年一年大旱？于是把那三个阄儿放回帽兜，让他重抓。小乳牤子这回抓出的是一个，大家夸他聪明的话音还没落下，小家伙竟然把这阄儿当成糖，投进嘴里。但他很快品出它没好味道，“噗”一声吐出来。人们小心翼翼地展开被口水濡湿的阄儿，一看，竟然是花牤子的名字！大家都愣了，当着徐老牤子的面不好说，可心里都想：“花牤子没白伺候小乳牤子啊，他跟他还是连心的！”由于花牤子那天没到现场，人们就相约着去他家，告诉他当选村长了！花牤子一听说是小乳牤子把他抓出来的，眼睛潮湿了，他颤着声说了句：“这小东西啊。”要外出打工的男人，其实早就商量好了，想让花牤子帮着他们照看家。他们最担心的，不是庄稼荒芜了，而是把老婆一撂半年，她们身下荒芜了，再寻别的雨露去，那就糟了。留在村上的男人，虽然都是老弱病残之流，但因为他们还是男人，外出的人信不过他们，纷纷想到了花牤子。现在花牤子当了民间的村长，他们就怂恿他行使村长的权利，村上的事情都要过问。为此，出发的前一夜，他们各自带着酒菜，来花牤子家聚餐，把家托付与他。他们把正式的村长、徐老牤子和学校唯一的老师白牤子，列为重点监视对象。犟牤子说：“花牤子，你最该看住的，就是村长。我们一走，他会找各种名堂，去我们家。他要是上我们家，你就跟着！他不走，你也不走！他是村长，你也是村长啊，不用怕他！”虎牤子说：“那个白牤子，别看他一脸斯文，对咱村的女人瞧不上眼的样子，他那是装的，猫儿哪有不沾腥的？他那是没得到下口的机会呀！白牤子要是晚上出门家访，你可得跟着！”醋牤子则说：“这徐老牤子也得防着，别看他有了小乳牤子，可他从小寡妇那儿尝到过甜头，我们一走，他没准就打歪主意了！”花牤子犯愁了，他面露难色地说：“要是他们三个晚上都出门，我跟哪个呢？”大家没了主意，有人说跟重点对象，可每个人对重点对象的理解是不同的，于是大家就让他随机应变，看当时的情况决定，谁的嫌疑最大，就跟谁。花牤子叹了一口气说：“那玩意儿藏在裆里，它是什么动静我也瞧不出来，怎么跟？”把大家惹得大笑。男人们说，你手残了，种地费劲，从今年起，你就把地撂荒吧，你帮着我们做事，谁能不给你口粮食？每人给你点，就够你一年吃的了。我们走时，跟屋里的女人会说好了，你可以换着家去白吃。她们要是怠慢了你，回来我们收拾这群花母鸡，拔她们的毛！

酒席将散时，新婚不久的奶牤子，代表全体外出打工的人，把一件衣服送给花牤子。那是一件半旧的灰色咔叽布中山装，上下各两个兜。奶牤子的姑父当过副乡长，他去世时，奶牤子去深井乡奔丧，姑姑把它当作遗产分给了奶牤子。奶牤子瘦小，这件衣裳肥大，他穿上身，人好像被缩了一圈，就像罩在蚌壳里的一小团肉，再加上种地的没谁穿四个兜的衣裳，所以奶牤子一直把它压在箱底。现在，大家把这件衣服给花牤子穿上，就像给他行加冕大礼一样，都夸他穿上带劲，有派头，天生就是当村长的料子。把花牤子说得心花怒放，他的心，从严冬又过渡到春天。

打工的人离开后，是春末的时令了。花牤子穿着中山装，白天时走东家串西家，看女人们都干些什么。晚上呢，他就像夜游神一样，在街巷中游荡，对那几个重点对象进行监视。他发现村长是不用看的，他一出门，不是他老婆跟着，就是他家的狗尾随着。那狗被村长老婆训练得跟人一样精灵，村长进屋，它也得进去。要是被拒之门外，它会一路狂奔回家报信，村长的老婆就会跟着狗去找她男人。白牤子呢，他看来是真看不上村上的女人，他晚上只待在学校他的小屋里读书，他的灯，黑得最晚。最值得提防的，是徐老牤子，小乳牤子一旦睡着了，他就会溜出来，找女人说个话。但花牤子瞄着他，他也说不痛快。有时他会支使花牤子："到我家稀罕小乳牤子去吧，他差不离睡醒了。"花牤子心想："我去稀罕小乳牤子，你就得稀罕娘儿们了！"仍是寸步不离地跟着，徐老牤子只能灰溜溜地回家。

花牤子不仅管女人，还管田地的事情。麦苗出来了，他就吆喝女人下地铲除杂草。初夏土豆快开花了，他督促她们打垄。麦子在风中一天天黄熟的时候，他提醒她们扎稻草人，戳在麦田里，恫吓那些来吃麦子的鸟儿。女人们忙过了家里的活儿，又要忙田里的，累得唉声叹气的。不过她们对花牤子是友好的，他进谁家吃饭，谁都恭敬着。从春天到夏天，吃了百家饭的花牤子滋润了，春风满面，腰也直了。正式的村长见了他，酸溜溜地说："你比我管得还宽，明年我也出去挣钱，你守着村子吧！"花牤子很真诚地说："我看行！"气得村长揪着他中山装左上面的口袋说："你还真把自己当盘菜啊？"花牤子急了，说："哎，别揪别揪，要是揪掉了一个兜，那就是四轮车丢了个轮子，不值钱了！"

秋天来了，外出打工的男人归来了，他们每人都挣了两三千块钱，乐陶陶的。回家的头一夜，他们就感受到老婆新婚般的热火，知道花牤子是尽职尽责的。女人们缠绵过后，就把花牤子帮着操心庄稼的事说了。男人们望着丰收的情景，对花牤子有说不出的感激。人人都就把他当成了家中的一员，给他带来了礼物：香烟、鞋子、奶糖、糕点、刮胡刀、电子手表、腊肠、仿皮的腰带、毡帽、酥油炒面，总之，吃的用的都有，堆了一桌子。他们收割完麦子，起完土豆和白菜后，每家又送给花牤子一些，还帮他拉了几车麦秸做烧柴。这样，花牤子这一年是不劳而获，粮草充足。他学起了抽烟，说话时仰着脸，在别人家的饭桌前大口喝酒大块吃肉，神气极了。这年腊月，他给父母上坟时，跪在坟前说："爹啊娘啊，儿子现在是青岗的村长了，每年能管半年的事呢，你们再不要惦记儿啦！"

尽管花牤子有吃有喝的，但男人们归来后，他觉得日子过得没有兴味了，于是就盼着春天快来，盼着他们早些离开青岗。

男人们尝到了打工的甜头后，第二年春播完，又把家交代给花牤子，走了。从春天到秋天，花牤子觉得自己过的就是一个漫长的春天。这回他不但管女人和庄稼，连牲畜也管了。哪头猪该劁，哪只鸡该杀，哪只羊该卖，他都要参与。狗见了他要是不摇尾巴，他会上前踹上一脚。陈六嫂的豆腐房已经改头换面，成了青岗的第一家小卖店，经营着油盐酱醋、烟酒糖茶之类的东西。柴牤子知道老婆生性风骚，怕她借上货的名义到乡里找人偷情，临出发前，给小卖店上了半年的货。花牤子为此常到小卖店提醒陈六嫂："你睡觉前可得把火弄灭啊，要是引起火灾，囤的那些货物可就成灰了！"陈六嫂气得抓起笤帚，轰着花牤子，骂："你个没用的花牤子才成灰呢！"

这年，虽然因为虫害有点歉收，但男人们回来收秋时，看到家中平安，对花牤子仍然是感激的，他也仍然得到了各色小礼物：治汗脚的鞋垫、花哨的塑料杯子、芝麻糖、钥匙链、布鞋、手套之类，虽然比以前的礼物要轻薄许多，但花牤子很知足。他家的仓房也依然有了过冬的粮食，院子堆起了充足的柴草。只是到了落雪时节，虎牤子家打起来了。虎牤子的媳妇光着脚丫，穿着背心，披头散发地站在门前的雪地里，哭叫着，说是要让老天把自己冻死。花牤子听到吵闹声，胆战心惊地赶去，心想是不是自己没看好虎牤子的女人，人家才把她赶出屋？听来听去，他明白了，虎牤子归来，他们连日亲热后，小媳妇渐渐觉得身下不舒服，奇痒难耐，流肮脏的东西，看来虎牤子在外搞了女人，把埋汰病传染给她了。花牤子这才明白，男人们打工明着带回了钱，暗着把性病也捎带回来了。这么说，他们在外也是寻乐子的啊。这样一想，花牤子就很不痛快，觉得自己严管女人，是上了这些男人的当。他气咻咻地回到家后，把中山装脱下来，撇在炕上，连晚饭都没吃，一夜无眠。因了这事，随之而来的除夕，也变得没有滋味了。对于春天，他也没有那种热盼了。

男人们猫冬时，唯一做的事情就是往田里运肥料和选种子。此外，他们会扛着冰钎，带着挂网，到青泥河凿冰取鱼。进了腊月呢，他们会宰猪宰鹅，为年做着准备。有了鱼和肉，就得有酒，陈六嫂家小卖店的酒类生意红火了。人们聚集在一起喝酒时，总要叫上花牤子。花牤子不像从前，一叫就去。现在他总是推三阻四，男人们就说："这花牤子当了村长，又管着女人，牛气起来了！"并没介意。

又是春天，男人们春播完，惯例请花牤子喝了一顿酒，把家托付与他。席间，花牤子当着众人的面，郑重地对虎牤子说："别人家的女人我都管，你家的女人我是不管的！”虎牤子拍着桌子吼：“为啥？”花牤子从容不迫地说：“你知道为啥。”虎牤子反应过来了，他急赤白脸地说：“我倒霉啊，别的兄弟在外也干了那事，你想想啊，半年沾不到荤腥，谁受得了啊？可我摊上了个不干净的，晦气啊！今年出去，打死我也不干那事儿了！”他这一解释不要紧，把其他人也都出卖了。花牤子阴沉着脸，瞪着眼，恨恨地看着每一个男人，呼哧呼哧地喘着粗气。男人们赶紧打溜须，说是今年回来给他带好东西，这个说给他买电热杯，那个说买牛皮鞋，另一个又许诺买毛料裤子。但花牤子的脸上并未开晴，所以男人们离开青岗的时候，都有点忧心忡忡的。

花牤子又穿上了中山装，不过不再像从前那样，把扣子一个不落地系着，而是敞着怀儿，露着里面四处是窟窿眼的土黄色背心。他步态疲沓，腰也不像以前那么直了。他依然像往年一样在街巷中游荡，不过常常哈欠连天。他去女人家吃饭时，胃口也不如从前了，常常吃着吃着就撂下筷子。徐老牤子见他无精打采的，警惕性大不如从前，便常常把小乳牤子独自放在家中玩耍，自己到陈六嫂家里。但因为小卖店往来的人多，徐老牤子并未得手。有一天，花牤子眼见着徐老牤子进了小卖店，接着，陈六嫂就挂出了“盘点”的招牌，落下板窗，把门反锁上。花牤子并没制止他们，而是到了徐老牤子家，把他的家当看了个遍，然后对着在院子里摔泥巴玩的小乳牤子说：“你家的那桶豆油，明儿就得成人家的了。小东西，你沾不到油星了！”果然，第二天陈六嫂来到徐老牤子家，东瞅瞅，西看看，理直气壮地拎走了那桶豆油。从那天开始，陈六嫂家的灶房，不是飘出炸麻花的甜香气，就是炸萝卜丸子的菜香味。徐老牤子一闻那味儿，就要骂一句："臭娘儿们，该放到热油锅里炸了！"

麦苗抽穗的时节，县财政和广播电视局联合拨款，实行"有线电视村村通"的工程，于是，青岗来了一伙人。他们开着辆面包车，一行六人，载着一捆一捆的线，白天出去架线，晚上回到青岗歇息。他们住在小学校的教室里，在院子里垒起锅灶。他们花着工程款，在村里抓鸡逮鹅，吃得满嘴流油，把小孩子馋得见天地流口水。陈六嫂家的小卖店，从未有过地兴旺。他们买酒成箱，买烟成条，出手大方。而且，他们付给村民的，都是现钱。女人们觉得这是送上门的好生意，整日里往工程队的驻扎地送鸡鸭鹅狗，好不热闹。学校成了集市，白牤子没法讲课了，他提前给学生放了暑假，回城了。

青岗的女人很欢迎这些架线的男人，说是从今以后，晚上能看到电视，那多带劲啊。她们听说电视年底就能通，都说男人们今年打工挣回的钱，不用做别的，就买电视机了！她们兴高采烈，帮他们做饭、刷碗、洗衣，花牤子吆喝她们下田干活时，她们爱理不睬的。他到女人家吃饭时，常常遇到冷脸子。她们吃了晚饭，喜欢聚集到小学校，听那些男人酒足饭饱后，山南海北地胡侃，把她们惹得一阵一阵地笑。花牤子明白，青岗到了最危难的时候了。虽然他每天吃了上顿没下顿的，但还是打起精神，看护着这些女人。花牤子想，肥水不流外人田，你们这些架线的男人，休想占咱们青岗女人的便宜！所以，这些人一回来，花牤子就跟着，他们喝酒吃肉，他蹲在一旁抽烟；他们撒泡尿，他也要跟着上厕所一趟。除非他们去陈六嫂那里买东西，他才不跟着。那伙人看出花牤子有些愚痴，又听说他不是个真正的男人了，常常拿他开心。他们说他穿着中山装不应该待在村里，起码应该到县城去，说是电视上那些穿中山装的，都是大干部。他们还说他嗓音比女人还单细，在青岗可惜了，应该进剧团唱青衣。花牤子听不大懂他们的话，见大家笑，也跟着笑。有一回，其中的一个人捉了只青蛙，几个人合伙把花牤子摁在地上，当着女人们的面，解开他的裤腰带，把青蛙扔进去，说是给他裆里安上个活物，这回他们把花牤子作践哭了。他落泪的时候，男人女人笑得就像沸腾的水一样，哗哗响。

架线的男人在夏末时完成了任务，终于撤了。花牤子松了一口气，疲累得昏睡了一天。他回顾了一下，除了陈六嫂，别的女人是清白的。这些人买酒买烟，陈六嫂总是索要高价，他们呢，从不讨价还价，痛快地付钱，想来是睡了她才会这样。陈六嫂本不是个干净人，所以花牤子心无愧疚。现在最要紧的，是让那些女人，赶快去照应田里被荒疏了一季的庄稼。然而庄稼跟人一样，在生长期要是没看护好，就会坐下病。麦田里纵横的蒿子已经阻碍了麦子的生长，麦子长得跟狗尾巴草一样枯瘦；土豆呢，因为打的垄不深，起出来的比牛眼珠大不了多少；秋白菜由于没有及时喷洒农药，被虫子啃得千疮百孔的。这些已经到了收获期的庄稼，算是没救了。

外出打工的男人们在大雁南飞的时候，又回来了。他们这次归来神情沮丧。原来，他们在一家建筑工地干了五个月的力工，工程结算时，老板横挑鼻子竖挑眼，克扣了他们一半的血汗钱，他们拿回的钱微乎其微。原指望着家里的庄稼大丰收，弥补点在外的损失，想不到也是一派萎靡，看来女人们在家偷了懒儿。花牤子没有尽责。尽管如此，他们还是磨利了各色农具，准备着割麦和起土豆。可是收割还没开始，人们听说，奶牤子的媳妇怀孕了！

奶牤子的媳妇寒葱，模样俊秀，是个性情温顺的女子。她和奶牤子结婚三四年了，一直没有生产的迹象。村里人私下都议论，说寒葱是只不会下蛋的母鸡。可这次奶牤子一回来，却发现她有了身孕！奶牤子离开时，媳妇正在月事期，这显然不是他的孩子！奶牤子气坏了，抽出裤腰带，鞭打寒葱，问这究竟是谁的野种？寒葱咬着牙，死不交代。花牤子一听说寒葱揣上了孩子，也慌了，难道说他光顾了防备外人，出了家贼？花牤子苦思冥想，突然想起寒葱曾经进过一次城，说是娘家舅舅病危，前去探望。没准孩子就是那次怀上的？

寒葱挨打时，发誓要留下肚中的孩子。奶牤子说："我打掉那个鬼东西，看你怎么留？"他把寒葱打得"爹"一声"妈"一声呼叫的时候，男人们都来劝阻，说是错误不在寒葱，在花牤子，跟他说好了看好女人，怎么还会出事？寒葱出事，别的女人保不齐也出事了！咱们应该找花牤子算账去！他今年不但没有看好女人，庄稼地也没照应好，成了废园，该千刀万剐！于是，奶牤子撇下寒葱，一行人去教训花牤子。寒葱趁机逃出了村子。

男人们是在小卖店门前碰见花牤子的，他听说寒葱的事后，正想去跟奶牤子解释一下，走在半路上。然而未等花牤子开口，他就被虎牤子一拳打倒在地。接着，奶牤子上前把他穿的中山装撕烂了，挠他的脸。跟着，犟牤子狠踢了他几脚。柴牤子呢，他也踢花牤子，不过他专往裆里踢，把花牤子疼得打着滚儿地号叫，围观的陈六嫂啧啧叫着，夸她男人会打。就连平素跟花牤子最客气的蔫牤子和醋牤子，也在他身上动了拳脚。这样，花牤子被打得气息奄奄。村长闻讯赶来了，他制止住这场打斗后，把肇事的和看热闹的人都驱散了，然后对花牤子悻悻地说:“这下你懂了吧？村长没那么好当的！”说完，也走了。

花牤子站不起来了，他浑身酸痛，满脸是血，一路爬回家，尾随他的，只有两条呜呜叫着的狗。花牤子回家后四天没有出门。这四天中，只有目睹了花牤子挨打的小乳牤子，每到傍晚，会从家中偷个馒头，悄悄给花牤子送来，这样，花牤子又有站起来的力气了。于是，到了第五天，刚收完秋的青岗人，看见花牤子又出来了。他面色灰黄，青着眼眶，佝偻着腰，用那只好手提着只篮子，摇晃着朝别人家收割后的麦田走去。他站在瑟瑟秋风中，常常把拾起的麦穗又扔掉了，因为很少有麦穗是饱满的。

百雀林

周明瓦小的时候，家住永望村。他爷爷会口技，既能学猪马牛羊的叫声，也能模仿鸟儿的歌唱，他等于是在动物乐园长大的。明瓦平素蔫头蔫脑的，口拙，可是爷爷一表演，他的眼神就活泛了，说话也利落了。他九岁时，爷爷死了。明瓦听不到口技，身上的魂儿就不全了。他一天到晚打哈欠，而且害渴，水瓢不离手，夜夜尿炕，气得他妈让他睡光炕，说是拆洗不起褥子了。明瓦的爸爸周巾，为了让儿子打起精神，时常给他学几声鸟叫，可明瓦嫌那声不如爷爷发出的好，总是堵起耳朵。夏天他去放羊，把羊撒开后，就躺在草地睡觉了。等他醒来时，太阳丢了，羊也丢了，他在暮色中找羊，不止一次迷了路，害得家人还得找他。冬天他去捡粪，每每看到游荡着的牲畜就会尾随着，村里人问他这是做什么，明瓦并不搭腔，只是撇着嘴，用粪铲指向牲畜的粪门，好像一个警察已把凶犯逼进了死胡同，立等可捉。

明瓦的母亲见明瓦不爱说话，但凡家中短缺了什么，需要向邻里借助的，她就打发明瓦去。

有一回，后院的张二婶正在灯下补裤子，明瓦来了。他瑟缩着进了门后，对张二婶轻声细气地说："没亮了。"

张二婶问："要火柴？"

明瓦摇摇头。

张二婶又问："要洋蜡？"

明瓦点了点头。

张二婶叹了口气，取了一包蜡给他。

还有一回，明瓦的母亲炖鸭子，发现家中没了大料，让明瓦到隔壁伍家要几颗。明瓦进了伍家后，倚着门框，抽着嘴角说："没味了。"

伍家媳妇问："要咸盐？"

明瓦摇头。

又问："要醋？"

他还是摇头。

伍家媳妇见他不吭气，只能一样样地猜，当她说到"大料"时，明瓦长出了一口气，身子一软，水银泻地似的，歪倒在门槛上。

最戏剧性的一次，是周家的手推车的车胎亏气了，明瓦到许守林家借气管子，也就是充气筒。

那是冬天，明瓦抄着袖子，流着鼻涕，脸冻白了，他进了许家后打了一串寒战，然后凄凉地说："没气了。"

许守林吓坏了，以为周巾死了，明瓦是来报丧的。他颤着声问明瓦："你爸？"

明瓦摇头。

"你妈？"许守林又问。

明瓦还是摇头。

"你哥你姐？"

明瓦仍是摇头，急得直跺脚。

许守林把周家的人问了个遍，这才明白没气的不是人，而是手推车。他拿着气管子递给明瓦的时候，明瓦已是满头大汗。

明瓦借东西总是这样，不明指，而是暗喻缺了那东西后所产生的后果，永望村的人都觉得这孩子的脑子怪。因为他借东西时爱用"没"字，大家私下里都叫他"小没"。

小没十一岁时进城了。

那年秋天，小没的妈妈文春约了伍家媳妇和许守林的老婆，赶着马车，一同进城卖秋菜去。那时刚刚时兴烫头，三个女人赚了点钱，心下高兴，便一同到理发店烫了头。谁知她们一回去，就遭到了村人的耻笑。有人说她们像抱窝的老母鸡，有人说她们像旧时代拉客的妓女，还有人说她们是从山中跑出来的妖怪。许守林脾气大，他抄起剪子，不由分说地把老婆的头发剪了，说是除掉那些曲曲弯弯的头发，就是除掉了女人身上勾魂的眼神。伍家男人呢，他把媳妇暴打了一顿，夜晚时把她拖到羊圈，说是她这做派，跟绵羊是一族的，应该跟它们睡在一起。周巾和文春素来恩爱，两口子从不红脸，但这次文春把周巾惹恼了，他气得不和文春睡一个炕。出事的那天晚上，周巾喝多了酒，文春端着一盆洗脚水朝他走来的时候，他叫了一声"妖精"，举起烛台，撇向文春。那烛台是铁的，它正砸在文春的太阳穴上。蜡烛灭了，周巾在黑暗中听见妻子开始还能哼哼几声，后来无声无息了。周巾吓坏了，他打着哆嗦，好不容易摸到火柴，把蜡烛重新点燃。文春蜷着身子倒在地上，那些鬈发已被鲜血染红，看上去像一片妖娆的火烧云。周巾没有想到，一个小小的烛台，竟然要了妻子的命！他知道自己犯了命案了，如果不逃跑的话，不是被枪毙，就是在监狱中度过余生。周巾有三个孩子，大儿子周明斋十七，独女周明霞十四了。最小的是明瓦，这也是周巾最放心不下的。那晚明霞串门去了，明斋和明瓦在后屋拔饭豆。周巾很想去跟两个儿子道别，但又怕他们知道真相后，哭号起来，左邻右舍的一知道，他就别想脱身了。周巾收拾了两套衣裳，连夜逃了。

县公安局发布了对周巾的通缉令，一时间，这桩命案成了人们街谈巷议的主题。从那以后，永望村的女人，一提起烫头，噤若寒蝉。

文春下葬时，明斋明霞“妈呀妈呀”地叫着，哭得死去活来的。只有明瓦，他安静地站在墓穴旁，一声不哭。伍家媳妇怕明瓦不哭会憋屈坏了，对他说：“小没，你没了妈，以后没人疼你了，你想哭就哭啊。”

明瓦抽了抽鼻子，把孝帽子摘下来。人们以为他要拿它擦眼泪的，可是明瓦只是用手捻了捻，又戴回去。

伍家媳妇见他没哭，又说：“小没，你妈走了，你就不觉得缺了什么吗？”

明瓦看着母亲的棺盖，咬着嘴唇，委屈地说：“没奶了。”

他这一说不要紧，把墓地那些送葬的人差点没逗得笑出声来。原来，明瓦五岁了才断奶。断奶之后，他仍是恋，每个月总要在文春怀里偎上一两回，咂咂奶头，才能安静。

伍家媳妇无限怜惜地拉着明瓦的手，哭着说："小没啊，你将来可咋办啊。"

周巾有两个亲戚在永望村，一个是他妹妹，一个是叔伯兄弟。他们一个收养了明斋，一个收养了明霞。对于明瓦，他们都头疼，嫌他不机灵，将来是个累赘，彼此推来推去的。后来是许守林想起了自己有个老乡，叫王琮阁，在县工商银行做保卫，家庭条件不错，只是结婚十来年了也没有孩子，正想收养一个，许守林于是带着明瓦进了趟城。明瓦真是命好，人家一眼就相中了这个眉清目秀的孩子，说他不多言多语，内秀，本分，将来一准是个孝顺孩子。就这样，明瓦因祸得福，他的户口被迁进城里，成了县一小的学生，每天穿得干干净净的，背着书包去上学。永望村的人都说："小没交了好运了！"

明瓦除了坚持要用自己的姓氏外，其他的都很听养父养母的。王琮阁给明瓦报户口的时候，对他说："你有了新家，该随着我姓了，以后叫'王明瓦'好不好啊？"

明瓦摇头。

王琮阁问："你还想姓周啊？"

明瓦点点头说："没逮着啊。"

王琮阁这才明白，小没认为父亲没有落网，还活着。只要他没死，就还是他的父亲。若是别人，会很恼火，但王琮阁没有计较，他觉得明瓦还念着父亲，说明他是个有情义的孩子，这样的孩子，如同一瓶好酒，贴什么标签又有什么关系呢？

周明瓦还是周明瓦，小没还是小没。

明瓦上课爱打瞌睡，他的脑壳因而常常挨老师粉笔头的打。即便这样，也没断了他在课堂做美梦。不过他勤快，轮到他值日时，他把教室打扫得格外干净。因为这个，他转年当上了班级的劳动委员。

明瓦惹的唯一的祸，还是因为父亲。那时通缉周巾的告示贴得哪儿都是，百货商场、银行、粮油店、照相馆、饭馆、理发店、学校甚至公共厕所，只要是老百姓出入得多的场所，都贴着一张。明瓦一看到父亲的头像，就会在心里热辣辣地叫一声“爸爸——”。明瓦受不了这折磨，把学校门前贴着的通缉令给撕了。同学揭发了他，明瓦被叫到办公室，班主任问他为什么这么做的时候，明瓦哭着说：“没神啊。”此外再不肯吐一个字。班主任大惑不解，叫来王琼阁，这才知道明瓦就是通缉犯的儿子，而他之所以撕告示，是不忍心看父亲那一眨不眨的眼睛。老师同情明瓦的遭遇，放他回去了。只是从公安局又要了一张通缉令，重新贴上。从那以后，明瓦经过学校门口时，总是低着头。他也不爱到街上去，唯恐又撞上白纸上的父亲。

周巾的通缉令随着雨打风吹，徒自飘零了。明瓦一年年长大了，他相信父亲还活在这世界的某个角落里。由于他总是班上最落后的那名学生，所以连蹲了两级，初中毕业时，已十八岁了。王琼阁正为明瓦的前程犯愁时，机会来了。王琼阁有一个朋友在县武装部工作，那年招兵，兵源不足，他想起王家的养子来，找到王琼阁，说：“明瓦学习不好，人又蔫，干脆让他参军得了，到部队摔打几年，没准还出息了呢。”于是，王琼阁就给明瓦报了名。政审和体检轻松过关，明瓦到天津参军去了。他在部队是后勤兵，养猪。这活儿在别人眼里又脏又累，可明瓦喜欢，他把猪儿侍弄得膘肥体壮、溜光水滑的，部队的领导很满意，给他记了一次三等功。当兵的时候，明瓦没有休过一次探亲假。王琼阁思念他，在养子当兵的第二年春节，领着老婆，专程探望。明瓦用省下的津贴，给养父买了一个电动剃须刀，给养母买了件软缎棉袄。养父养母分外感动，说明瓦孝顺，如同己出，他们不愁没人给养老了。三年兵役服完，明瓦高了，壮了，气色也好看了，只是仍然不爱讲话。转业前，领导找他谈话，说是不舍得他离开部队，问他想不想在后勤这个岗位再干两年，他们可以考虑他入党的问题。明瓦想了想，答应留下。就这样，他当了五年兵，养了无数头猪，如愿以偿入了党，二十三岁那年夏天复员了。

明瓦真是幸运啊，很多老兵复员后，并没有分配上工作。可是他一回到县里，赶上公路管理站增编，组织部一调他的档案，知道他在部队入了党，而且立过一次三等功，立刻就把他安排进来了。明瓦当上了收费员，成了正式工人。月月有工资的日子，如同天天有日出，让人心底光明。那时私营的店铺越来越兴旺，做买卖的人多了，街市热闹起来了。明瓦心情好，每每骑着自行车上下班时，总爱打着口哨。永望村那些靠种地为生的亲戚，知道小没发达了，都羡慕他。他们进城，喜欢找他。明瓦的工资一半交给养父，一半零用。他不舍得花钱，但亲戚们一进城，他不花也得花了。他仔细，他招待亲戚，夏天通常是到粥铺，冬天则去面馆。明瓦的哥哥明斋已结婚，做了父亲了；姐姐明霞嫁了一个叫二歪的人，他是个游手好闲的主儿，家里的庄稼种得不怎么样，但他把自己收拾得挺利索，梳分头，抹头油，抽过滤嘴香烟，喝瓶装的酒。他们婚后，一直没有孩子。

王琼阁看明瓦已到了结婚的年龄，而他自己又不善于跟女孩子打交道，就张罗着给他介绍对象。只要女孩子一进家门，明瓦就慌里慌张地躲起来。王琼阁唤他出来，他低着头，受气似的，坐在椅子上一言不发，连看也不看对方一眼，他的对象也就相一个，黄一个。王琼阁犯难了，以为明瓦从小在家庭中受了刺激，想打一辈子光棍了。他小心翼翼地问他为什么不看人家，是害羞吗？明瓦犹豫了一会儿，终于吭吭哧哧地说："没奶味。"原来，他认定好女人身上应该有母亲身上的那种奶味，他没从那些姑娘身上闻到那气息，因而不抬头。王琼阁得知缘由后，笑了，说："傻儿子，生了孩子的女人身上才有奶味，为姑娘的时候，她们身上应该是苹果和梨子的气味啊。"

明瓦工作上兢兢业业，他到公路管理站的第二年，便是以工代干；又过了一年，单位把唯一的转干指标给了他，明瓦成为正式干部，做了稽查科的一名科员。王琼阁大喜过望，在饭店摆了三桌酒席。一桌是明瓦单位的同事，一桌是王家的街坊邻里，还有一桌就是永望村的亲戚们。这三桌席，同样的酒菜，但场面却是不一样的。明瓦单位的人吃得很斯文，酒桌上每道菜都有剩余。王家的邻里，吃得卖力，但不张扬，菜虽然有见底的，但杯盘碗盏井然有序。而永望村亲戚们的那桌席，简直看不入眼，他们吃得狼狈，桌子上到处是鸡骨头和鱼刺，光是酒杯，就摔碎了两个。二歪喝得拿不住筷子，便用手抓菜，弄得满手油污。明霞手中提着个塑料袋，未等人吃完，就把炸鸡翅和肉丸子打包。明斋喝多了嫌热，脱掉外衣，只穿件背心，那背心千疮百孔的，散发着一股难闻的汗味。明瓦看亲戚们如此的情态，脸上挂不住，浑身不自在。倒是王琼阁，他心平气和，二歪吆喝添酒，他就添酒；明斋说菜不够吃了，他就赶紧再加两个菜。酒席散后，亲戚们一行又到王琼阁家小坐了一刻，喝了壶茶，这才搭客车回村。明瓦送他们到汽车站，为他们买了票，一一送上车。等他回家后，养父对明瓦说，亲戚们走后，他发现家里少了一罐茶叶、一副老花镜、一个烟灰缸。明瓦气得青了脸，他骂了一句："没臊的！"

这以后，亲戚们进城找他，他连粥铺和面馆也不带他们下了，只是在街头的露天大排档买上几碗豆腐脑和一斤烧饼，打发他们。

一晃儿，明瓦二十七了。这年秋天，他找了个对象。这个"有奶味"的对象，差点没把王琼阁夫妇气死。

有一天，王家的马桶堵了，明瓦到一家土产日杂用品商店去买疏通管道的皮碗。那是个小店，店主是个少妇，怀中抱着个男孩。明瓦一进去，就被她身上散发出的一股香甜的奶味迷住了。她个子不高，肤色白皙，眼睛不大，笑微微的，嘴唇红润，看上去健康、和善。一个皮碗才四块钱，可明瓦那天带去的是一张面值五十元的钞票，她找不开，店里又没其他的客人，她就把孩子往明瓦怀里顺手一放，让他帮着看一会儿店，到隔壁的店铺破钱去了。小男孩不认生，他偎在明瓦怀里，冲着他笑。明瓦觉得店主是个没心计的女人，她把孩子和店铺，那么轻易就托付给了生人，如果他顺手偷上一把锁头或是一只盘子，掖在怀里，她不是因小失大，赔了吗？店主身上的奶味已让明瓦无限神往了，加上她为人的诚恳，那一瞬间他有被幸福击中的感觉。女主人回来时，那孩子在明瓦怀中突然打了个挺儿，肩膀一耸，一股尿水滋了出来，淋湿了他的衣服。店主见孩子尿了客人的身子，不好意思，一再道歉，虽然她已经把整钱换成了零钱，但执意不肯收明瓦的钱，从兜里另翻出一张五十的整钱，连同皮碗一同递给他，说：“这孩子真是的，怎么偏偏往客人身上尿？我也不能帮你洗衣服，这个皮碗你拿去使吧！”明瓦说他不能白拿，一定要付钱。店主说你要是给钱的话，我就不卖你了。明瓦只好拿着皮碗，一步一回头地回家了。家中的马桶疏通以后，明瓦老惦记那个女人，有事没事，总爱往那个店里跑。今天去买个盆，明天买把铲子，后天又从那儿拎把水壶回来。王琼阁诧异，对明瓦说：“怎么老往家添置这些没用的家把什？”明瓦不言，照买不误。久了，得知店主是个离婚的女人，她的前夫也做买卖，开了家灯饰店，女人怀孕期间，他熬不住，和一家澡堂的搓澡员好上了。女人知情后，一生下孩子，就和丈夫离了婚。这女人的名字与明瓦母亲“文春”的名字一字之差，叫文秋，明瓦觉得母亲在冥冥之中是认可这门亲的，于是开始追求文秋，帮她上货，打扫店面。他买礼物不买给文秋，而是给她的儿子彬彬，虎头鞋、绒线帽、围嘴、拨浪鼓、奶片、芝麻糖，吃的用的玩的都有。文秋一看明瓦对彬彬这般好，便一心一意跟他处上了。他们的关系发展得很快，初冬时，明瓦跟养父提出了结婚的事情。养父一听明瓦看上了一个离异的人，她带着个孩子，比养子还大两岁，差点没当场背过气去。王琼阁和老婆商量好了，一定要把这门亲搅黄。他们威胁明瓦，说是如果他跟这个小店主结婚，他们不给他房，不给他钱，不给他办一桌酒席，将来他有了孩子，他们也不会帮着带。总之，他一意孤行的话，他们就不认他这个儿子了！明瓦听完养父养母的数落后，用一句“没门儿”，回敬了二老，王琼阁气得老泪纵横，一声声地叫着：“小没，小没啊——”

明瓦拗着家人，和文秋结婚了。文秋有三间平房，明瓦是倒插门。王琼阁爱面子，也心疼养子，还是在饭店摆了十桌酒席。宴席上，文秋的娘家人跟中了彩似的，个个喜笑颜开的；而明瓦的亲属，则如感染了瘟疫，垂头丧气的。王琼阁抽搐着脸，一句祝福的话也没说给这对新人。明斋觉得弟弟找个带孩子的女人很丢人，一入席就喝闷酒，菜未上齐，就醉倒了。明霞最受不了的，是彬彬。她左一眼右一眼地剜他，好像彬彬是颗毒瘤。只有二歪，对明瓦竖起大拇指，说："高啊。二茬的韭菜，回锅的肉，鲜啊，香啊！"二歪的话虽然粗俗，但说到明瓦心坎上了，他和二歪喝了一杯酒，还叫了他一声"姐夫"，把二歪美得直眯眼。趁着明瓦心情好，二歪说他想在城里开一家卖种子的商铺，请明瓦帮着申请个执照。一向谨慎的明瓦豪爽地答应："没说的！"

蜜月中的明瓦美滋滋的，他上班时，脸上总是挂着笑。以前单位的同事都叫他"周明瓦"，可是婚后，他让他们喊他"小没"，因为文秋爱叫他这个名字。

文秋一如既往地带着彬彬开店，只是她的店铺比别人家的关得要早。她一定要赶在小没下班前回家，为他做晚饭。小没呢，他心疼文秋，一进门就奔厨房，帮着做活，常常因为从文秋手中抢铲子和勺子时，把它们弄掉在地，夫妻俩在炊具落地的"当啷"声中相视而笑，说不尽的恩爱。转年春天，文秋怀孕了，小没怕妻子太辛苦，让她雇个人看店，安心在家静养，可文秋说她喜欢忙碌。这样，她背上背着一个，肚里又怀着一个，每天准时地去开店。文秋怀孕期间，小没尝到了不能与妻子亲热的苦楚，他似乎理解了文秋前夫的越轨行为。为了度过那一个个难熬的夜晚，小没特别喜欢在月亮下干活，把院子扫了一遍又一遍，然后筋疲力尽地睡去。

文秋的肚子越来越大时，小没的姑姑患了乳腺癌，进城来做手术。术后，为了省下住院费，她住进了小没家。陪护姑姑的，是明霞。文秋热情地招待她们，买活鸡活鱼，日日煲汤，家中的餐桌总是七碟八碗的，有荤有素。姑姑吃得好，恢复得不错。但她因为失去了一只乳房，想起来就哭。说什么虽然她六十了，孩子也一堆了，但作为一个女人，缺了乳房，等于失去了太阳，余下的日子就是黑暗的。她一哭，无儿女的明霞也跟着哭。文秋安慰完这个，又得安慰那个。她们住在小没家，分文不出，啥活不干，似乎文秋伺候她们是应该应分的，其实明霞本是个勤快人。小没诧异，问她这是怎么回事，明霞一撇嘴说："你娶了个二手货，她不干活，还让亲戚们干啊？"小没讥讽道："你不是二手货，可你这正宗货压在箱底，没人理会啊！"明霞气疯了，冲进小没和文秋的屋子，将一床好好的缎子被撕得千丝万缕的。

姑姑和明霞走后，小没和文秋就像泡了个热水澡，除掉了一身的尘垢，说不出的滋润和舒展。然而好景不长，秋天的时候，二歪又来了。

小没没有食言，帮二歪申请了执照，又做了他经济上的担保人，为他在银行贷了两万块钱，盘了家店，卖种子，小没想，二歪虽然轻浮，但他机灵，这样的人经商是不会吃亏的。他有了钱，明霞就会跟着过上好日子，不至于一天到晚气不顺。二歪的店开张后，生意还说得过去。他白天卖种子，晚上就住在店里。他本来是到街上的小饭馆吃饭的，可是入秋以后，他几乎天天到小没家吃晚饭，他说自己在外吃饭，人家知道他是小没的亲戚，都问他怎么不回家去吃？他说怕别人笑话小没，所以日日来吃了。二歪吃东西是挑剔的，顿顿有酒不说，鱼呢，必定要吃浇汁的；排骨，也必定是糖醋的。他除了拎上一两瓶酒之外，来这里什么也不带。他说如果提着菜来，让人看见的话，会说这亲戚处得见外。文秋挺着大肚子，围着锅灶煎炒烹炸，累得头晕眼花、腰酸背痛的。二歪有时喝多了，就说走不动路了，睡在小没家。这样，第二天还得招待他早饭。小没烦透了二歪，可又张不开口赶他走。文秋见小没不开心，就劝慰他说，亲戚就是亲戚，打断骨头连着筋，人家上门来，可以对你有一百个不是，但你要是对人家有一个不是，就会落埋怨。她还说家里不缺吃的，只不过多做两个菜，多往桌上摆双筷子而已，没什么大不了的。小没想想也是，二歪醉了去小屋呼呼大睡时，他仍然可以和文秋依偎在一起，甜蜜他们的，并无大碍，也就听之任之了。

年底，文秋快生产时，以每月五百元的工钱，雇了个人，帮她打理土产日杂店的生意。腊月十一掌灯时分，文秋生下一个女孩，取名为“兜兜”。文秋坐月子期间，小没把彬彬送到岳母家里，二歪也知趣地不来了，这让小没无比幸福。兜兜出满月那天，小没高兴，在家做了八个菜，去请岳父岳母和养父养母来喝满月酒。王琼阁叹着气说：“人家给前方的生个儿子，给你呢，养活的是丫头！小没啊，人家对你不好啊。”小没真是哭笑不得，他说生男生女又不是文秋说了算，她有什么罪过？可王琼阁认定小没是上当了，说什么也不肯来。小没无奈，求助养母，说家中总该去个人才好啊，要不太冷清了。养母叹了口气，买了几斤鸡蛋，不情愿地去了。不过她在酒桌上一直冷着脸，对兜兜只是瞟了一眼，都没抱一下。小没的岳母呢，偏偏不是个善主儿，她火上浇油地对亲家母说："我可是知足了，外孙外孙女齐全了！"这话把小没的养母刺激得脸发青，嘴发紫，未等吃完，便心脏不适，小没赶紧送她回家。

兜兜三个月大时，文秋把彬彬送进幼儿园，辞了雇用的人，背着兜兜去开店了。她真是精力充沛，虽然家里家外地忙，可是脸上未增皱纹，头上也未添白发。二歪又像老主顾一样，回到小没家了，每天晚上准时来蹭饭。他来不要紧，明霞也隔三岔五地来了，说是夫妻不在一起，更别想有孩子了。他们吃饱了喝足了，夜晚时就卖力地做要孩子的事情，又喊又叫的，好像这是他们的天下。小没受不了这个，明霞一来，吃过晚饭，他就打发他们回自己的店里住。可二歪总是说店里的床小，住不开，赖着不走。小没没辙儿，只能挨着。

糟糕的事情还在后头。明斋见二歪进城了，也不甘其后，在一家馆子找了份工作，做厨子，一个月六百。人家管吃不管住，明斋租不起房，自然又住进小没家。小没很生气，他对哥哥说："在永望村种地不是挺好的吗？怎么非要进城来？"明斋说："不是我要进城，哥是为了给你撑面子啊！你想啊，你在城里是个干部，二歪也开了种子铺，大小是个老板了，我还在村里种地，谁见了不寒碜我几句啊？哥有什么办法，为了不让人讲究你，只能进城了！"小没无奈，只能收留下哥哥。这样，三间屋子，二歪占一间，明斋占一间，小没夫妻带着两个孩子住一间，满了。

文秋的母亲，得知女儿家住了这么一大帮穷亲戚，白吃白住，她气得慌，说是不能让周家一统天下，便把自己在农村的外甥叫来了，安插到小没家，让他在城里学美发，将来回乡开个发廊。这下好，家里住不开了，小没只得在自己屋子的窗前搭了个床，让他住。这样一来，小没都不能和文秋亲热了。文秋有一天悄悄问小没："你怎么不爱搭理我啊？"小没抽搐着脸，长叹一口气，说："没缝儿啊——"

小没看着亲戚们把自家当作了饭店，大摇大摆地里出外进，吃喝拉撒，很郁闷。到了下班时间，他也不爱回家了。有的时候，他索性到街上的饭铺去打发肚子。有一回恰好被养父撞上，问他："你怎么不回家吃？"小没说："我想换换口味。"养父说："别撒谎了，我都听说了，你们家快成收容站了！你说你也真窝囊，帮人家灯饰店的老板养儿子不说，还养着七大姑八大姨！"小没听凭训斥，一言不发。王琼阁说："要是不爱回家的话，就去我那儿吃。你看哪个有家有业的男人在街上吃？丢人现眼啊！"

这以后，小没忍受着，还是回家吃。他的工资几乎不够家中日常开销的，幸而有文秋的小店做后盾，填补家用。亲戚们一旦回乡下了，那么家中总要少点东西，花碗、牙膏、毛巾、茶壶、拖鞋甚至是药品。有一回小没回家，见文秋的表弟正踮着板凳，拧吊灯下的灯泡。小没以为灯泡坏了，谁知他拿着灯泡跳到地上后，对小没说，乡下家中的灯泡总是烧坏，他见这个灯泡抗使，赶巧乡里来人，就取下来，让人捎回去。小没嘴上说"没事儿"，心里却在愤怒地骂："没羞啊！"

亲戚们一旦离开了小没家，小没就觉得家里的阴云散了，晴了天了。但他们的离开总是短暂的，隔不多久，阴云又一片片地飘回来了。小没的日子过得越来越累，以前他爱上班，现在呢，工作也让他觉得乏味，只要稽查科扣留了那些未缴纳养路费非法运营的车辆，总要有领导过来说情，让他把车放了，那些车辆就像螃蟹，身上的脚多，关系多，可以横行霸道。小没知道，如果不听领导的话，他可能会失去稽查的工作，不管情不情愿，只能照办。这样，他觉得自己不过是林中一棵风干了的朽木，虽然站立着，却没有生命的迹象，摆设而已。为了求得心理的平衡，小没对一些不交养路费的车辆，比如乡下来卖菜的那些农用四轮车，网开一面，不追罚款，私下放行。与他并不沾亲带故的农民感激他，常顺手把一捆菜递到他手上，让他拿回去尝个鲜。小没也不拒绝，拎在手上，反正家里人多，能很快把它们消灭掉。

彬彬五岁了，兜兜也满地跑了。家里的亲戚们走马灯似的在小没家晃来晃去，总不见少。一个夏日的晚上，月色温柔，小没吃过饭，和明斋各端着一碗茶，坐在院子里纳凉。小没忽然对哥哥说："爸爸逃了这么多年，连个音信也没有，你说他要是活着的话，会做什么呢？"明斋说："一个逃犯，能做什么！出苦力，隐姓埋名过穷日子呗！"兄弟俩算了算，父亲要是活着的话，也是七十的人了。这个年纪的人，本该颐养天年了，可他却生死不明。小没一时心酸，哭了。文秋听见哭声，从窗里探出头问："你这是怎么了？"小没哀怜地说："没影了。"文秋不解，缩回头，嘟囔道："没影的事多了，有什么好哭的。"

小没过得越来越不如意时，二歪出事了。他经营的商铺卖假种子，导致整整一个乡的玉米绝产，农民联名将他告上法庭，索求赔偿。这还不算，银行的还贷期限已到，而这几年，二歪只还了一半，还欠一万。小没是二歪的经济担保人，银行通过法院，起诉了小没。小没无奈，只得东挪西凑，帮二歪还款。县技术质量监督局查封了二歪的商铺，他急得像条疯狗，上蹿下跳，拿小没家的东西撒气，忽而将椅子折断一条腿，忽而将糖罐打翻。他也是冤枉，他按优玉米种子的价钱进的货，它们看上去圆润饱满，金光灿灿，谁知却是哑巴种子？二歪手里有买种子的收据，他追根溯源，乘火车去找卖给他种子的公司问罪，可是那家公司已经无影无踪了。二歪像个被遗弃的孤儿，在异乡街头号啕大哭。

二歪的事情还没有结论，小没又出事了。有人举报他利用职权，私自放行被扣押的不交养路费的车辆，给国家造成了近五万元的经济损失。检察院的人前来调查时，小没说那些大型车辆的放行，都是领导交办的；他自作主张的，不过是一些农用四轮车。他还说，大型车辆如同牛马之类的大牲口，对路的伤害大；小型的农用车，不过是山羊，对路毫发无损。可是当检察院的人问到公路管理站的领导时，他们矢口否认。他们说，难道我们还不知道权大还是法大？怎么可能让周明瓦同志执法犯法呢！小没有口难辩，他提供不出任何领导让他那么做的证据，只能一个人承担罪责了。这样，周明瓦的干部被撤销了，他沦落为工人，工资减了一半，在单位做清扫员。

小没一落魄，亲戚们也跟着丧气。二歪将店铺卖了，回村了。这几年他钱没挣着，倒惹上了官司，直叫“背时气”。他希望法院最终能找到那家卖假种子的公司，这样他就能从官司的泥潭中拔出脚了。明斋和文秋家轮流而来的穷亲戚，如常住着，不过因为小没家的气氛不如从前，他们也谨言慎行，帮着做点家务了。文秋和小没，就像两个疲惫的旅人，终于走累了。小没一回家就歪头打盹，文秋也常常哈欠连天，做什么都提不起兴致。以前她常常会因为鱼被杀后又扬起尾巴、被子叠得歪斜后“呼啦”倒下而大笑，现在就是彬彬和兜兜冲她扮鬼脸，她也没笑模样了。晚上，她和小没是各睡各的。

文秋变得邋遢了，雨天踏脏的泥鞋她不刷，照穿不误；衣裳沾上了面嘎巴儿，她也不洗。以前她每周上浴池洗个澡，现在呢，一个月才去一回。她的身上，再没有那股诱人的奶味了。小没看不下眼，有一天说她：“你真是啊，没个女人的模样了！”文秋反唇相讥：“看看你，有没有男人的样子呢？”小没站在穿衣镜前，立刻，一个衣衫不整、头发蓬乱、胡子拉碴、面黄肌瘦的人浮现在镜子中，他耷拉着眼皮，灰着嘴唇，像是坐了二十年大牢刚出来的人。小没看了一眼，便透心地凉，转身离开了。从这天开始，文秋赌气似的打扮自己了。她两天进一回浴池，一天换一件衣裳，把家务都推给小没。不仅不做饭了，连房间也不打扫了。灶房里盆朝天碗朝地，苍蝇横飞，污水满地。房间里灰尘累累，没有一件器皿是透亮的。彬彬和兜兜她也不爱管了，兄妹俩由于很少换衣服，又常在地上爬来爬去地玩，简直成了两只小泥猴。一个下雪的日子，小没下班回家，一推门，见文秋烫了头，这深深地刺痛了他，因为结婚的时候，他跟文秋讲过母亲是怎么死的。小没低下头，对文秋说：“咱俩过到头了，离吧。兜兜我来带。”文秋问为什么离婚，小没说：“没缘了。”文秋哭着说：“我不离！”小没决绝地说：“离吧，没缘了——”

小没和文秋离婚了。兜兜判给他，他带着她回到养父那里。家一散，亲戚们自然也跟着散了，明斋回永望村了，文秋的亲戚也返乡了。这个为亲戚们无偿提供食宿的“客店”，终于打烊了。文秋带着彬彬，依然开着她的小店。有一回小没在街上碰见她，发现她把头发染黄了，那黄色的鬈发在寒风中一簇簇飞舞着，像纸钱。小没埋怨道：“好好的黑发染它做什么？”文秋说：“我乐意！”说完，背过身去，眼泪簌簌落下来。她没有告诉小没，离婚后，她的头发白了多半，只有染了。

小没的归来，让王琼阁夫妇愁眉不展。不过时间长了，机灵乖巧的兜兜让他们又有了笑脸。小没过上了安稳日子，脸色渐渐好起来。转年春天，不爱出门的他也喜欢到街上转悠了。他和那些摆摊儿的小商贩在街头下象棋，也和单位的同事到澡堂泡澡。然而舒坦日子就像被上了咒语似的，两年后，退休的王琼阁得了股骨头坏死，行走日渐困难。他嫌县城的医院看不明白，一趟趟地往大城市跑，小没只得请假陪着。几家大医院给王琼阁的建议都是做手术。王琼阁说：“他们就知道给人动刀子，来钱多啊！”他说自己不能像猪似的，被摆在屠宰台上，任由肢解。折腾了几次，徒劳而返后，王琼阁开始在报纸上留意那些医疗小广告，凡是有关治疗股骨头坏死的，都被他剪下，贴在一个笔记本里。广告里宣称的“祖传秘方”的神奇疗效，宛如一道道阳光，把王琼阁灰暗的心照亮了。他的理论是，能够吃药治好的病，绝不打针；而能打针治好的，绝不做手术。药物治疗，在他眼里是最佳方法。于是，按照广告的说明，他带着小没，先后去了内蒙古的赤峰和安徽的蚌埠。两次求医路没少跑，钱没少花，药没少吃，可王琼阁的病情却没有明显的好转。小没在工作上三天打鱼两天晒网，而单位是不能没有清扫员的，只能又雇用了一位。这样，公路管理站精简人员时，他第一个被拿掉，失业了。

有一天，王琼阁拄着拐遛弯的时候，碰见一个老相识，他告诉王琼阁，气象站的古师傅，几年前也得了股骨头坏死，当时一条腿几乎不能动弹了。经人介绍，古师傅去了丹东的一个老中医那里，住了一个月，针灸、糊膏药，病情得到了缓解。回来后，又服了三个月的汤药，现在几乎没什么事了。王琼阁欣喜若狂，心想这下有救了，他找到古师傅家，一探究竟。古师傅正在院子里给果树剪枝，王琼阁见他身手敏捷，知道那个老中医确实神灵，便朝古师傅要老中医的地址和电话。古师傅说："那人怪，只留地址，不留电话，你想找他，只能去。"王琼阁于是揣了地址，回家打点行装，带着小没上路了。

丹东在鸭绿江畔，与朝鲜相望，人口不多，环境清幽。小没和养父一下火车，直奔老中医的诊所。诊所在一条繁华的街道上，是座小二楼。一楼是诊室，二楼是旅店，住的都是患者。老中医八十多了，面容清癯，一把白胡子。他看了王琼阁带来的片子后，说他的病不重，一个月就能治好。这样，王琼阁和小没安心住了下来。小没不想闲着，他到一家空车配货站打零工，给人装车，一天挣三十块。王琼阁上午针灸，下午糊膏药。他们的早饭在诊所吃，中饭各吃各的，晚饭呢，聚合到一起后到街上吃。丹东朝鲜风味的冷面馆随处可见，冷面是夏日的美食，便宜而好吃，他们父子的晚饭几乎都是它。吃过饭，他们回到旅店，把窗户敞开，关掉灯，躺在床上，享受着清凉的晚风，聆听市井的声音，在唰唰的车声中，时常传来叫卖声。卖凉糕的，卖茶叶蛋的，卖花生瓜子的，卖棉花糖的，声音有高有低，疾徐有致，就像一首夜曲。小没羡慕那些吆喝着的人，他们活得是多么有生气啊。诊所旁边，是一家小戏院，平素以放录像为主。那些录像不是凶杀悬疑类的，就是搂搂抱抱的三级片，票价不贵，看的人还真不少。戏院有演出的时候，预告板就会张贴出海报。演出多是外来的民间剧团，三五人不等，主要游走在中小城市。他们中有唱二人转的，有唱京戏的，也有跳劲舞的。小剧院的窗户敞开着，唱戏的声音和为劲舞伴奏的高分贝音乐清晰地传到旅店，他们父子等于看了免费的演出。

有一天晚上，剧院又有演出了。小没那天装货累了，吃过饭，回到旅店倒头便睡。九点多钟，他被一阵牲畜的叫声唤醒。马儿咴咴，牛儿哞哞，羊儿咩咩，让他以为睡在了牲口棚里。那声音听上去是那么的亲切、温暖，好像回到了童年，他的眼睛湿了。王琼阁见小没醒了，说："这人学得还真像！"原来，小剧院里正有人表演口技。牲畜的叫声消失之后，是鸟儿的歌唱，你能听到麻雀叫，黄鹂叫，喜鹊叫，燕子叫。王琼阁说："这比《百鸟朝凤》还好听，了不起啊，人家凭着一张嘴，就能让万张嘴开口啊。"鸟儿婉转的叫声，把小没埋藏在心底的那一缕缕最绚丽的情感丝线挑出来了。小没被这彩虹般的丝线缠绕着，一夜无眠。

第二天，吃过早饭，小没没精打采地去配货站。路过小剧院的时候，他看了一眼张贴着的演出海报。昨夜演出的，是一个叫"五台"的戏班子。五个艺人中，一个是说快板的，一个是变魔术的，两个唱二人转的，另一个呢，就是表演口技的。每个演员的简介旁边都有一张彩色照片。当小没看到口技表演者的照片时，那人的眼睛好像发出一股电流，把他击中了。这人斑白的头发，面容清瘦，疏朗的眉毛，一侧的嘴唇微微翘起，圆圆的耳垂。除了鼻子之外，他简直就是父亲的形影啊！父亲的鼻子塌，不像照片上的人鼻梁这般挺直。小没心跳加快，赶紧看这人的简介：

> 邹进，七十三岁，自幼随父亲学习口技，一生登台无数，能模仿各种动物的叫声，有“声王”的美誉。

邹进，难道不是“周巾”的谐音吗？父亲为了活下去改了姓名，也会改容貌啊，他一定做了“隆鼻”手术。在小没的记忆中，父亲的口技，与爷爷是不能相比的，这些年他是如何修炼技艺，达到如此纯熟的境界的？

小没记得，父亲的右耳垂背后，长着一颗红痣，母亲跟父亲开玩笑时，爱说：“你丢了好找，耳垂后藏着颗红豆呢！”小没下意识地把手抚在照片上，想掀动这个人的右耳垂，看个究竟。然而那耳垂就像一页翻过去的日子，回不来了，照片上只不过留下了他的点点指痕。

小没仔细看海报，发现他们今晚还有一场演出，这让他欣喜若狂。他凑到售票口，要买演出票。售票员说：“取消了，要不你看录像吧。”小没急了，问：“怎么取消了？”售票员说：“昨晚那场没多少人看，谁做赔本的生意啊。今儿一早，戏班子就走了。”小没问：“他们去哪儿了？”售票员不耐烦地说：“戏班子跟刨食儿的鸡一样，哪儿有食儿，就奔哪儿呗！”

小没趔趄着离开售票口，自言自语地说：“没戏了——没戏了——”他没有上工，而是到了江边的一家小酒馆，要了几碟小菜，喝了一天的酒。晚上回到旅店，王琼阁见他醉了，大惊失色，问他为什么难过，小没笑着说：“没难过啊。”的确，自打他十一岁进城后，从没有像今天这样，心底这么温暖过。小没安然睡了。夜半，他被暴雨扰醒，猛然间想起父亲，连忙从床上爬起，拿起手电筒，打着伞下楼。小剧院门口预告栏上张贴着的演出海报，已被雨淋得面目模糊，小没心疼极了，他把伞遮过去，直至雨息。

王琼阁的病神奇地好了起来，他走路可以不拄拐了。病有了起色，他的心情自然也跟着好了。可是当治疗只差三天就结束的时候，老中医突然谢世了。王琼阁哭老中医，真比亲儿子哭得还凶啊。他跪在灵前，鼻涕一把泪一把地说："就差三天啊，您不管我了，让我怎么好啊！"其实老中医已把他的秘方传授给了儿子，可王琼阁只认老的，不认少的。就这样，父子俩打点行装，踏上了归乡的路。

从丹东回来后，小没一直闲在家里。他最受不了的，就是养父的唠叨。那没有完成的治疗，是他永久的一块心病，终日里长吁短叹。他一刻不能离开小没，一会儿让他端茶倒水，一会儿又让他揉肩捶背。他挂在嘴上的一句话是："把你养大成人，现在是用你的时候了。"小没乖乖听候他的使唤。烦闷的时候，小没要么跟兜兜做游戏，要么到街上走走。有一天，他不由自主地踅进了文秋的店，可是卖货的是一个又矮又胖的姑娘。他问："文秋呢？"那姑娘说："旅行结婚去了！"小没立时软了腿，他出店门时，被门槛绊倒了，半晌才爬起来。养母见小没从街上回来后耷拉着脑袋，便对他说："你知道了吧？文秋跟彬彬他爸复婚了。你看文秋舍得下你和兜兜，舍不得儿子和那个有钱的主儿吧？你不用怕，兜兜我们帮你带，不会屈着她的！只是你自己还年轻，不能这么一个人过一辈子啊。"

小没没吭气。他想人要是能一个人过日子，脱离人群，该有多好啊。

机会来了。秋末的一个傍晚，小没在家看电视时，本地电视台播发的一条招聘广告吸引了他。园林规划局在距离县城五十公里的原始森林保护区里，开辟了一个鸟类繁殖地，名为“百雀林”，现在急需一位养鸟员。由于那里前不着村，后不着店，不通水电，所以尽管月薪不低，一千多块，可是几个应征而去的人，受不了孤独，接二连三地打了退堂鼓。而小没梦寐以求的，正是这样的地方。他没有跟任何人商量，就去了园林规划局，签下这份工作。

小没离开城里，上山来了。他在百雀林里养鸟，又做更夫。那些花花绿绿的鸟，因为脾性的不同，从早到晚地歌唱，小没觉得自己掉到福堆里了。百雀林有名技术员，每周上山一次，是小没能见到的唯一的人了。大多的时候，他是一个人跟鸟儿在一起，听松涛，听风雨。冬天的时候，鸟儿进了室内，他和它们在一起，等于住在春天里。夜晚，鸟儿低吟的时候，小没会想起爷爷，想起父亲和母亲，想起文秋，想起养父养母，想起兜兜，想起永望村的亲戚们。真是奇怪，远离了他们，他反而觉得他们近了，亲了。

小没来百雀林的第二年，亲戚们知道了他的遭遇，分外同情，辗转着来看他。明斋安心种地了，他老婆当上了民办教师，他一脸知足的表情。二歪呢，他满面喜气，多年不孕的明霞终于为他生了个儿子，而且假种子官司的风波也平息了。他们来百雀林，很少过夜，总是说家里忙，待个把小时就走了。他们来，从不空手，总要给他带点东西，罐装的茶叶、花碗、茶壶、拖鞋等等。它们虽然不是新的，但小没已觉得很温暖了。有一天，小没擦拭落在茶壶盖上的鸟粪的时候，突然发现上面有道闪电形态的裂纹，他这才认出，这是当年家中丢失的茶壶啊。小没便仔细打量亲戚们送来的其他物件，最后他确定：这些东西无一不出自他家啊。只不过拖鞋穿得旧了，退色了；而茶叶罐里剩下的茶，陈了。

这些失而复得的老物件，让小没哑然失笑。他想幸亏文秋的表弟没来，如果他把拧走的灯泡还回他，在百雀林，还真没用呢。

塔里亚风雪夜

一到落雪的日子，塔里亚小城信用社的勤杂工孙秀莲，就噘嘴膀腮的。因为顾客进了门，大多不把铺在入口处的棕毛地垫放在眼里，自觉地踏掉脚上的雪，而是径直步入营业大厅。室内外温差总有个四五十度吧，顾客鞋帮上沾的雪，在进来的一瞬还如一口闪亮的白牙，可是暖流一扑上来，这白牙立刻就落了。融化了的雪水的气质是不一样的，从屋檐淌下的，不仅清亮，还挟着丝丝缕缕阳光的芬芳；而从鞋底漫出的呢，由于尘土的作祟，无疑就是泥水了。可以想见，那一块块光滑洁净的米色大理石地砖，被这样的鞋子踩过，该是怎样的情景。此时的孙秀莲握着拖把，被脏脚印牵制得团团转，气得她直骂天。她也想骂那些让她无端受累的顾客的，可是不敢。顾客是上帝嘛，她只好做奴隶了。

十一月的最后一天，上午十点，孙秀莲刚拖完地，一对中年男女，一前一后走进信用社。女的在前，高而丰腴，穿绿底白花的中式棉袄，扎月白色兔毛围巾，黑红的脸庞，乌溜溜的大眼睛，唇上的汗毛很重，像是长了胡子。她推开门后，见地才擦过，赶紧停下来，双足倒蒜般的，在地垫上跺来跺去，将雪弹掉。即使这样，她迈步的时候，还有些不信任自己的鞋子，踮着脚走。而她身后的男人，见先于她而行的女人即便这样走，地面还是印上了浅浅的污痕，干脆将笨重的大头鞋脱在门口，光着脚走，这让孙秀莲对这对男女充满了感激和喜爱。这男人看上去比女人小上一号似的，矮而瘦削，穿藏蓝色羽绒服，灰裤子，肩上背着一个土黄色皮包。孙秀莲一看皮包硬挺的姿态和发出的贼光，便知那是人造革的。若是真皮的，皮包的棱角会有着柔美的弧度，而且光泽也是柔和的。当男人走近了的时候，孙秀莲发现他穿的袜子有一只被大脚拇趾顶破了，便想手中若是有针线，一定帮他补上那个洞。

女人到了窗口后，回了一下头，她看着男人先是愣了一下，然后从上往下扫了他一遍，发现他把鞋子脱了，咯咯笑了，说："我说你怎么矮了一截呢！"

男人指着在墙角清洗拖把的穿着蓝大褂的孙秀莲，文绉绉地说："咱得尊重人家的劳动成果吧。"

女人说："还是穿上吧，万一脚底受了凉，伤着肾，麻烦就大了。"

男人嘿嘿笑着，说："我肾旺，你又不是不知道，不碍事。"

话说到这个暧昧份上，孙秀莲便想这对男女若不是一对夫妻，就是一双野鸳鸯了。从他们的面貌和打扮看，不像是本镇人，应该是从沟里来的。塔里亚人，习惯把居住在偏远山里的人称为"沟里人"。那些地方，也的确是以"沟"来命名的。比如距离塔里亚五十里路的二岔沟，距离七十里的三岔沟，距离一百三十里的雪龙沟。

孙秀莲放下拖把，走到门口，把那双大头鞋拎给男人，说：“穿上吧，刚拖过的地，潮乎乎的。要是弄湿了袜子，穿鞋子就费劲了。”

男人受宠若惊地接过鞋，谢过孙秀莲，将鞋底在裤管儿上蹭了又蹭，这才穿上。鞋干净了，他的裤子却脏了。女人白了一眼男人，嗔怪道：“就知道心疼别人——”

男人赶紧说：“晚上回了雪龙沟，我自己洗还不行吗？”

女人不依不饶地说：“你洗的东西，哪回透亮过？”

男人柔声安抚女人说：“你就当我摔了一跤还不行吗？”

女人叹了口气，不再计较了。她摘掉手套和围巾，把它们塞到男人怀里，然后解开棉袄的盘扣，从里面的暗兜里，取出一张存款单，顺着玻璃幕屏下的半月形小孔，递给营业员。

孙秀莲很羡慕那个女人的叹气，因为那声气叹得很甜蜜，像和着花香的空气。不像她，叹出的气总如深渊中升起的雾，说不出的迷茫。她没猜错，这对男女的确来自沟里，而且是最远的沟。雪龙沟只有五十多户人家，前年才通上电。那一带的宽叶杜鹃漫山遍野的，农民们除了种地，夏秋之际，还采摘杜鹃叶，晒干后，卖给塔里亚的药材公司。药材公司收购这叶子，会转手卖给南方的一家制药厂，用它做治疗气管炎的药。所以雪龙沟的人，没有太穷的。春节前沟里人来塔里亚采办年货时，二叉沟和三叉沟的人，只拣紧要的买；而雪龙沟的人，吃的用的，样样不落。

看起来，女人是当家的。她办理业务时，男人无所事事地坐在等候区的长椅上。他拉开皮包，把女人的围巾和手套塞进去，然后从中取出一个琥珀色的细长玻璃瓶，十来公分高的样子，旋开盖儿，放到鼻子底下，眯缝着眼，轻轻闻了闻，陶醉地说了句："不赖。"把瓶盖又拧上，知足地放回去。就在这个瞬间，孙秀莲闻到了一股奇异的芳香，这香气清清爽爽的、亲亲切切的，像无形的小笤帚，扫着她心里的阴霾，让她心底生起了从未有过的宁静。她满怀热望地走过去，急切地问男人："瓶子里装的是什么呀？"

男人以为孙秀莲不喜欢瓶子里跑出的香气，怕把它没收了，于是双手挡着皮包，说："哎，这香水是我造的，看来不是所有女人都喜欢。"他略带埋怨地，指了指窗口前的女人说："我们家黑妹非说是女人都爱闻它。"

孙秀莲刚要说她也喜欢，被称作"黑妹"的女人，忽然回头吆喝男人："李贵，快过来帮我看看，是不是我眼花了，咱重新存的钱，到期的数儿，怎么跟以前的不一样了？"黑妹把男人的"贵"字咬得很长，成了"贵儿——"，说不出的娇嗔，看来她平素在家里，是被男人宠惯了的，这让孙秀莲又羡又妒。

男人抬脚走了没两步，营业员就对黑妹说："利息降了，钱数是对的。"

"降利息了？啥时候？"黑妹脸色大变。

"二十六号发布的，二十七号执行，没几天。"营业员遗憾地说，"你们的存单，二十三号就到期了，要是按期来，就不会有损失了。"

"降了多少？"李贵走过来，将下巴搁在窗口的大理石台子上，焦急地问营业员。

"一点零八个百分点。"营业员有些不耐烦地说。看来这样的话，她近几天回答无数次了。

“什么？降了足足一个百分点？”李贵说，“以前降息，不都是零点二七个百分点吗？这回怎么这么狠啊。”

“全球金融危机，知道吗？不光中国，国外的银行也在大幅度降息。”营业员说这话时，使用了扩音器，大约觉得这话是重要的吧。

黑妹听不懂什么是百分点和金融危机，她一脸迷茫地盯着新存单，百无聊赖地、“噗——噗——”地往它身上吹着气，好像她这一吹，数字又会变幻成以前的似的。

“麻烦帮我算一下，我们晚来这三天，损失了多少钱？”李贵又问营业员。

黑妹牢牢记着以前的利息数，她对李贵说：“这个我知道，以前存这些钱，能得一千六百多块利息，现在是一千二百多一点，差四百多块呢！”她把存单轻轻对折了，叹了口气，对李贵说：“都怪你，二十四号那天我说要来的，你非说香水没造好！这下好，少了四百多块，能买多少瓶香水啊。”

黑妹的话，恰好被一个刚走进营业厅的穿卡腰皮衣、披散着一头大波浪卷发的女孩听到，由于她没戴围巾，沾了满头雪，所以进来后雪一化，头发湿漉漉的，像是刚焗过油。她扫了一眼黑妹，不无炫耀地接过话茬说：“要是买法国香水，四百多块还不够买一瓶的呢。”

“法国——哼，我家李贵在雪龙沟能造那么好的香水，凭什么使法国的？”黑妹瞟了那女孩一眼，一边把存单往棉袄的暗兜里放，一边鄙夷地说，“才不当那个冤大头呢，有那个钱，我买一角猪肉，上顿排骨炖酸菜，下顿红焖五花肉，吃个够！”

黑妹的话，把营业员逗笑了。由于她的嘴巴仍然对着扩音器，所以她送出来的笑声，有着嗡嗡的回音，仿佛一群人在笑。

“这个金融危机怎么才能过去啊？！”李贵惆怅地叹了口气。

被黑妹抢白了的女孩一撇嘴说：“没看电视吗，把钱从银行取出来，多消费，金融危机过去得就快了。”说着，以身作则似的，把一个朱红的活期存折递给营业员，扭了扭腰，说：“取两千！”

黑妹撇着嘴，说：“俺们家上有老下有小，不攒点钱，万一老人孩子有个病有个灾的，谁管呀？再说了，要是人人都把钱取出来大把大把花了，银行不就空了吗？银行空了，不就跟家里的东西都被小偷给卷走了一样，日子还有个过吗？那不是更危机了吗？”

孙秀莲像一个捕蛇者，手持拖把，满心不快地尾随着女孩高靿靴子踏出的那串蛇形脏脚印，正唉声叹气地一路擦过来，黑妹的话，让她笑得身子发软，连拖把都握不住了。

黑妹对突然降息后损失的那四百多块钱仍然耿耿于怀，她虽然把新开具的存单放好了，也系上了棉袄扣子，但还是絮叨着这事儿：“啊，晚来三天，四百多就没影儿了。平均一天亏一百多块！你说那三天的日子，值这个钱吗？”她见男人不吭气，又嘟囔道：“造香水，哼，李贵，你这香水成了金水了！”

李贵从皮包里把黑妹的手套和围巾掏出来，递给她，面带愠色地说：“黑妹，你有完没完了？全中国就你一个人损失了利息吗？”

“我最恨你动不动就说全中国怎样怎样的，拿别人教训我，唱什么高调呀？！”黑妹的火气上来了，“我早说过，你要是嫌我觉悟低，找个高的去呀——”黑妹红了眼圈，放开大步，率先走了出去。

李贵无奈地叹口气，把羽绒服帽子扣到头上，“黑妹——黑妹——”地呼唤着，追出去了。

孙秀莲本想拉住李贵，问问他那自制的芳香开窍的香水，是怎么造的，能不能匀给她点，可是一看这对夫妻起了纷争，哪还好意思张口，只能呆呆地看着他走了。

黑妹出了信用社，眼泪就哗哗地下来了。她哭得不藏不掖的，因为这是在异乡，没什么人认得她，更何况，纷纷扬扬的雪花模糊了人的视线。本来，早晨她和李贵从雪龙沟出发时，高高兴兴的，他们打算把两万块钱续存完后，用这两年得来的一千多块利息，下顿馆子，给爱喝酒的父亲买点五香牛肉和卤猪舌做酒肴，给儿子买个玩具手枪，给母亲买几斤酥软可口的点心，然后再置办一台录音机。雪龙沟自从通电后，很多人家买了录音机，弥补了没有电视的缺憾。那时他们的钱刚进银行半年，不舍得提前支取，而不多的现钱用于日常开销了，所以没买。家里的老人孩子眼馋别人家的录音机，常去人家串门，蹭听的。所以当这笔存款终于瓜熟蒂落，利息脱颖而出时，李贵和黑妹，都没主张买洗衣机，因为家里人个个勤快，茶余饭后就把衣服洗了。而有了录音机，等于在家里搭了一个戏台，想让它什么时候开戏，就什么时候。为了买录音机，他们还特意问了家人，都想听什么，好把磁带顺带着买了。儿子说要听童话故事，父亲说要听相声，母亲呢，喜欢黄梅戏。李贵，他钟情的是二人转。而她自己，只想买盘空白磁带。她要录门前树梢上鸟儿的歌唱和树下公鸡啼晨的声音，要录入夜时蟋蟀的叫声和水边的蛙鸣，要录开春时屋檐的滴水声、羊归栏时“咩咩——”的叫声以及猪“欻——欻——”的吃食儿声。在黑妹的心中，这都是人世间最动听的声音。当然，她还想录录父亲的咳嗽声和母亲呼唤孙儿的声音，有一天他们不在了，听听声音，总比去坟上哭好啊。此外，她还存了点坏心思，想悄悄录上一段夜里和李贵的欢娱声，等他们岁数大了，动弹不了的时候听。

黑妹迎着风雪，想着李贵这回不是在家里，而是当众奚落了她，哭得愈发凶了。李贵在她身后的呼唤，其实她是听见了的，可她不想回头。她怕一时忍不住，会和他当街打起来。那样，塔里亚人，就有热闹瞧了。

李贵在雪龙沟，被人称为“李怪”，因为他做的事情，往往是沟里人不做的。远的不说，就说这个鼠年吧，就有两桩事让黑妹跟着他遭人讥讽。五月份汶川大地震的时候，因为雪龙沟没有募捐点，李贵竟专程奔赴塔里亚。他不顾黑妹的阻拦，从鸡舍里捉了四只下蛋鸡。结果他到了设在塔里亚医院的红十字会后，人家说什么也不肯接收，说是捐赠物品不能收活物。李贵没办法，去菜市场卖母鸡，结果被工商局收费的给抓住，说他非法经商，罚了二十块钱。四只鸡，他最终卖掉三只，得到的一百零五块钱全都捐了。晚上他搭着长途车回雪龙沟的路上，还怀抱着一只鸡。他一路睡着，那只鸡呢，也没闲着，把憋了一天的蛋，生在了他温暖的怀抱中，一时成为笑柄。还有，八月初，北京奥运会开幕的前几天，李贵就跟小孩子盼来了年似的，美滋滋的。他挨家挨户地问，谁愿意跟他一起进城看电视直播的开幕式，说是中国人自己办的奥运会，这辈子可能只经历一回，不能去现场看比赛，错过开幕式太可惜了。那正是农忙和采摘杜鹃叶的时节，没有不忙的人家，所以没谁响应他。最终，八月八号那天，只有他一个人去了塔里亚。他背着干粮和水，不舍得住店，用半斤猪头肉和一瓶二锅头，疏通了在种子公司打更的老头，容他在那儿看了开幕式的直播，并睡了小半宿觉。打更的不敢多留他，因为公司经理神经衰弱得厉害，常常五六点钟就起来了。经理起床后遛街，路过传达室的时候，往往喜欢透过窗口往里看上一眼。所以凌晨五点，太阳刚冒红，李贵就被打发出来了。他漫无目的地在街巷中穿行，不知不觉，走到城边。因为缺觉，他犯迷糊，看见一户人家的门口摆着口黑乎乎的箱子，便一屁股坐上去，想打个盹。其实那是养蜂人刚搬出的蜂箱，他每天早晨都让蜜蜂晒晒太阳的。结果养蜂人搬起第二只蜂箱，还没走出院子，就听家门口传来一个男人的惨叫。幸好蜂箱的四柱是用钢筋固定的，所以李贵并没有把它坐烂，不然倾巢而出的蜜蜂，围歼的就不仅仅是他的屁股了。养蜂人不是刁蛮之主，虽说自家的蜜蜂受了惊，折损了一些，但他同情这个自称是沟里来的人，没让他赔偿。结果那天搭长途客车回去的李贵，屁股肿得连裤子都穿不住了。幸好黑妹做的那条花裤衩又肥又大，不然他就得光着屁股了。李贵没法坐下来，只得像只蛤蟆似的，趴在客车的机器盖子上，让开车的顾大烟袋和同车的旅客笑了一路。所以，李贵因看奥运会开幕式挨蜇这件事，不光雪龙沟人耻笑他，与他同车的二岔沟和三岔沟的人，把这消息也带回了各自的地方，在沟里传遍了。当黑妹看着穿着一条大花裤衩，猫着腰，撅着屁股，步履蹒跚地跌进家门的丈夫时，气得她一瓢接着一瓢地喝凉水，也浇不灭心中的怒火。她一连多日不和李贵住一个屋，说是不愿意和傻瓜睡在一起。

黑妹在雪龙沟，就算是美人了。因为沟里人看待女人的美，与沟外人的眼光是不一样的。首先，女人要丰腴，瘦骨嶙峋的女人没男人得意，说是一把摸过去都是骨头，会想着往灶坑填，当柴烧了。其次，女人的脸庞要大，显得富态。其三，女人眼睛不能太小，他们认定那样的女人心眼也小。其四，嘴唇要厚，这样的女人生性敦厚。其五，耳垂最好如满月，又圆又垂，据说这样的女人能让家里仓廪殷实。其六，胯骨要宽，这样的女人好生养。这些被雪龙沟人总结出的女人的优点，黑妹占全了。她唯一的缺憾是，脸过于黑了，而且唇上的汗毛过重。当年惦记黑妹的男人，有好几个。可是黑妹偏偏嫁给了比她小两岁又比她瘦小的李贵。她选李贵，看上的是他的家世和聪明。李贵自幼丧母，他父亲是雪龙沟的民办教师，没有再娶。黑妹虽然勤快，但有个嗜好——贪图懒觉。若家里有个婆婆，她得起早做饭，就不能那么随心所欲了。没母亲的李贵，在这点上与黑妹的生活节奏合了拍。再说了，李贵的父亲是个教书先生，李贵受的教育自然比别人要全面。小学毕业的黑妹，对比她文化高的男人，怀揣了一分敬意。李贵爱读书，有的人读书读成了呆子，李贵却是读出了智慧，这点雪龙沟人无人不晓。比方说他不是兽医，可牲畜害了什么病，找到他，没有看不明白的。再比如他在自家园田辟出一小块地，自制了一个风向标，竖在那儿，并插秧似的，插了几根温度计，用最简陋的方式，结合观察到的天象，竟然能预测出天气走向。所以，李贵要是在初秋预报今年霜冻来得早，雪龙沟的人就会提前收秋。他的推断很少有失误的时候。像李贵这样的男人，黑妹又怎能不爱呢？黑妹嫁给李贵时，公公还在。黑妹生下孩子后，公公去世了。所以，命运最终让李贵成了上门女婿。黑妹很知足，李贵顾家，孝敬岳父岳母，对她百般体贴，对孩子无比疼爱。她唯一不喜欢的，就是他太爱关心国家大事，并以此奚落黑妹和那些不闻世事的雪龙沟人。在黑妹眼里，一个农民，把自己的小家过好了，就是对国家这个大家的关心。小家都好，大家不也就太平了吗？李贵对她的说法总是嗤之以鼻，说她是井底之蛙。所以大家叫李贵为“李怪”时，黑妹觉得一点也没冤枉他。李贵信誓旦旦地说，他儿子长大了，他会让他先参军，当几年兵，培养出了男子汉气概，然后再考大学。黑妹都想好了，真要是到了那一天，她就以死相逼，她不信李贵会不要她的命，他是多么喜欢她黑红的脸庞呀。黑妹本来叫“凤美”的，结婚后，李贵硬是把她的名字给改了，说她黑得好看，该叫“黑妹”，于是雪龙沟人也跟着那么叫。打那儿起，李贵用的牙膏，就是黑妹牌的了。若是黑妹与李贵闹了小别扭，无论什么时辰，李贵都会往牙刷挤上一点黑妹牙膏，唰啦啦地刷牙。本来事端就像那点雪白的牙膏似的微不足道，可是李贵这么一刷，事态就如牙膏泡沫一样膨胀起来，扩大了，黑妹认为李贵这么做，是报复行为，她会呜呜哭着说：“你这是想把我刷没影儿了，好再娶一个！”李贵那时就会放下牙刷，涎着脸凑到黑妹跟前，大张着嘴，让口腔的清新气息熏着黑妹的脸，然后说：“这么好的黑妹味儿，我哪舍得让她没影儿啊。”黑妹就会破涕为笑。次数多了，黑妹明白了李贵这么做，其实是和解的表现。可是事到临头，当李贵“噗噗——”地往出吐黑妹牌牙膏泡沫时，她照例还是生气，好像不这么冤枉一下李贵，日子就没趣味了。

存款到期的那天，黑妹本来要来塔里亚的。可是李贵那几天正不分昼夜，用杜香油、野玫瑰和融化了的雪水造香水。他说等香水熬成了，顺路带过来，让百货公司卖化妆品的闻闻，若是这香水的脾性对女人的路子，以后他就造香水，申请专利，命名为“黑妹牌香水”，让满城的女人，都洒它。当时黑妹还跟他开玩笑：“女人要是都使这香水，不成了一个味儿了吗？要是男人被蒙上眼睛，还怎么闻出他自己的女人呀？”

黑妹走过了一家洗染店、一家首饰店、两家鞋铺和几家小饭馆。心底有爱的女人，眼泪毕竟是有限的。黑妹痛快地哭了一阵子，再也挤不出泪水了，就有点心疼跟在身后的李贵了，于是放慢了脚步。李贵一看黑妹做出走不动的样子，心领神会地，赶紧追上来。他指着洋洋洒洒的飞雪，说：“都怪你们，眯了我家黑妹的眼睛！”把黑妹的哭，归结到雪花身上了。黑妹怨艾地看了一眼李贵，说：“真是被你气昏了，给我洒点香水，清凉清凉！”李贵赶紧拉开皮包，取出香水瓶，打开，朝黑妹洒香水。那一刻，刚好有个老头牵着条花狗走过，黑妹一躲闪，香水都飞到老人和花狗身上了。老人大概嗅觉不灵敏了，照旧走他的，花狗却是被香气撩拨得昂起头来，翕动着可爱的黑鼻头，兴奋得汪汪直叫。黑妹见状，“扑哧——”一声乐了，说李贵：“这香水不能叫‘黑妹牌’的了，得叫‘花狗牌’的了！”

天虽然没晴，李贵和黑妹的脸却晴了。他们打算先把午饭吃了，再去采买东西。他们进了一家火锅店，见环境不错，价码公道，就选了临窗的一张桌子，坐定了，点了羊肉、血肠、酸菜、冻豆腐和大白菜，还要了一壶烧酒。窗外的雪是白的，铜炉中的炭火是红的，这一红一白，再加上个黑妹，李贵还没喝酒，就被这三色弄得三分醉了。他们碰杯的一瞬，彼此都湿了眼睛。

李贵和黑妹从火锅店出来，怕对方被雪滑倒，彼此搀扶着走。

他们准备先买录音机，再买其他的东西。雪本来是无声的，但因为它下得太大了，再加上他们喝了酒，李贵和黑妹，不约而同地说今天的雪花有响声。黑妹说那是银子落地的声音，李贵说那是饺子落水的声音。黑妹说李贵："就认吃！"李贵说黑妹："就认钱！"夫妻俩打打闹闹地，走进了鹏发家电城。

也许是雪天的缘故，家电城除了他们，再没别的顾客了。货架上摆着三种牌子的录音机，一种是名牌产品，另两种是杂牌子的。女营业员热情地向他们推荐一种杂牌子的，说是可以打折。黑妹说："选马要选跑得快的，找男人要找聪明能干的，录音机呢，打折的还不得跑调儿呀，要买就买好动静的！"好动静的，当然是名牌产品了。他们把这个牌子的三种型号的录音机都试听了一遍，发现音色都很清亮，难分伯仲，就把目光放在对外形的选择上了。黑妹喜欢底座镶嵌着嫩绿色金属条的那款，说是看上去像是插着根柳枝，温暖，李贵也相中它了，说是感觉录音机像是别了支笛子，喜庆。他们问过价钱，付了五百二十块，李贵将一台崭新的录音机抱在了怀里。瞧他那欢天喜地的样子，就像是当年怀抱着刚出生的儿子。他们即将走出家电城，准备着去音像店买磁带的时候，李贵忽然想起了什么，他停住脚步，回头对营业员说："你忘了给我们开发票了。"

营业员问："你们不是自己家用？能报销？"

黑妹说："报销啥呀，自己家听。"

营业员说："那开发票干啥呀？录音机包装盒里有保修卡，购买日期我都给写上了。这种品牌机，要是出了故障，不拿发票都一样保修呢。"

“发票必须开。”李贵执拗地说，“你们不开发票，就是逃税，你们赚了，国家可就亏了。”

营业员说：“发票都用光了。再说了，我是按不开发票的价格卖给你们的，要是开发票，比这要贵好几十块呢。”

黑妹一听营业员这么说，赶紧扯着李贵的袖筒说：“咱开发票又用不着，快走吧！”

“没发票你们就敢经营？这是违法的！”李贵较真了，“是不是你们压根儿就没有发票呀？”

营业员火了，她将柜台上的圆珠笔抓到手上，用它点着李贵，说：“就你这态度，有发票我也不给你开！”

“你敢不给我开发票，我就去税务局告你们！”李贵说。

“告吧！”营业员冷笑一声，说，“一看你就是沟里人，不知道税务局在哪儿吧？我指给你——出了门往左，一直向前走，到第二个十字路口，穿过去，就是税务局了。”

黑妹本以为，李贵只是说气话，谁知他出了家电城，真的要去税务局。雪仍旧下，黑妹站在飞雪中数落着李贵，说他脑子有病，自寻烦恼，真是个李怪。她威胁他，若真去税务局，从此后就不跟他过日子了。李贵负气地说：“你不跟我过，我就跟天过。”抬腿就走。把黑妹气得直想让这场大雪把自己埋了，省得再跟李贵操心。在黑妹眼里，李贵抱着的，不是美妙的录音机，而是一个火力十足的炸药包。那纷纷扬扬的雪花，就是爆炸后引起的阵阵白烟。

看着李贵愈来愈模糊的背影，黑妹难过极了。她有些恨他了。这些年因他的怪而受到的奚落和委屈，那一瞬，就像桃花水一样在心中泛滥着。其实家里本来是太平的，是他自己在找不太平。这种不太平，黑妹以为随着年龄的增长，会有收敛的迹象，谁知却是愈演愈烈。

黑妹满心不快地去了音像店。她买了一盘童话故事、一盘黄梅戏、一盘马三立的相声和一盘空白磁带。李贵想听的二人转，她一赌气，没有买。买完这些东西，她回到街上，心想自己备好了鞍，马要是跑了，鞍有什么用？因为她不能保证这个一根筋的李贵，怀抱的录音机会没有闪失。这么一想，她很后悔让李贵抱走了那个价值五百二十块钱的东西。黑妹正踌躇着，忽然听见有人喊她。抬头一看，是顾大烟袋，他正拎着几根猪大肠从肉铺出来。他龇着一口黄牙对黑妹说："这雪下疯了，看样子今天是停不了了。这路没法走，客车下午就不往回发了。你们得在塔里亚过夜了。"顾大烟袋是雪龙沟最富的人，他承包了塔里亚至二岔沟、三岔沟、雪龙沟的运营线路。当年，他也是相中黑妹的人之一。顾大烟袋见黑妹一副失魂落魄的表情，以为她心疼住店的钱，就开玩笑说："要是你家李贵同意，我就把你领亲戚家住一宿，刚好他家闲着一铺炕！"他晃了晃手中的猪大肠，说："咱熘个肠子，再扒拉个花生米，喝上一瓶高粱烧酒，一起睡在热炕上，咋样？"黑妹孩子似的不识逗，她大声说："不咋样！"顾大烟袋哈哈大笑着，说："你那么黑，我也觉得不咋样！"开完玩笑，他又叮嘱着："要是雪停了，明早八点就发车，你可记住哇，别和你们家李贵在旅店懒被窝！"黑妹咬牙切齿地说："谁跟他懒被窝！"

顾大烟袋开着的那台中客，有二十八个座位。要是客满了，没地方坐了，他准备了一些小马扎，会让乘客坐在过道上。顾大烟袋与进出城公路管理站的人有交情，所以即便超载了，他们权当没见，照例放行。他淡季时一天跑一趟，旺季时一天两趟。发车时间依照季节和天气的变化，是不固定的。在黑妹的眼里，那辆中客就是个羊圈，顾大烟袋是农场主，而乘客就是羊群。每天早晨，顾大烟袋把羊从雪龙沟、三岔沟、二岔沟收归在圈里，带到塔里亚这个大牧场，让他们尽情地撒完欢儿，晚上再把他们赶回老窝。说实在的，以往黑妹和李贵闹别扭，从来没有想过嫁错郎。但今天，她却想，当年跟了顾大烟袋，是不是日子过得更随心呢？黑妹刚动了这个念头，立刻又把它否定了。因为顾大烟袋肉头肉脑的，只会开车，不过是个挣钱的机器，没趣味；李贵呢，清秀俊朗，灵光闪烁，连香水都造得出来。这么一想，她知道跟李贵的日子是不能不过的，又折回音像店，给他买了盘二人转的磁带。黑妹再次回到街上的时候，开始担忧李贵了。他去税务局，万一不顺利，与人吵起来怎么办？她想女人和女人毕竟好说话，自己不如再去趟家电城，替丈夫给营业员赔个不是，哪怕添点钱，只要能把发票开了，李贵也就不会折腾了。黑妹一旦想好了主意，赶紧行动。雪小了一些，风却大了。北风呜呜叫着，将雪花撕得粉碎。可怜的雪，未等落地就丢魂了。黑妹踩着雪，就有心疼的感觉。

其实黑妹也不喜欢家电城的那个营业员，她说他们是沟里人的时候，那一脸的不屑，让她很反感。可是为了李贵，她又不得不硬着头皮求她。营业员一见黑妹进来，冷着脸子问：“告完了？”黑妹说：“有啥好告的，不就是一张发票吗？你看能不能少要个十块八块的，把它给开了？”营业员说：“我从来没有见过像他那么拗的人，为了一张没用的发票，非要开！”黑妹低眉顺眼地说：“他就那么个人，就依了他吧，唉。”女营业员听见黑妹叹气了，口气和缓了，她低声对黑妹说：“既然不报销，我给你开一张假发票吧，能把你男人糊弄过去不就行吗？”黑妹喜出望外地说：“有假的？太好了！”营业员说：“不瞒你说，谁家的店，不备着两种发票？都用真的，怎么赚钱啊？”黑妹一想能得到一张发票去哄骗李贵，而又不用掏一分钱，赶紧附和营业员：“就是啊。”结果不出五分钟，黑妹就把问题解决了。她把假发票仔细折好，揣在兜里，谢过营业员，去找李贵。临出门时，她怕自己和李贵会走岔了，嘱咐营业员：“他要是回来开发票，你就说让他媳妇给开走了。”营业员满怀同情地说：“知道了。”

黑妹侧着身子走在街上，以削弱迎面而来的北风的侵袭。她想，一会儿找到李贵，他们得先去给儿子买玩具手枪，因为雪天经营儿童用品的店铺，生意不会太好，可能关张得早。至于给母亲的点心和父亲的熟食，今晚也得拿在手上，因为她不知道明早八点以前，点心铺子和卤味店会不会开张。买完东西，估计三点来钟的样子，他们去趟百货公司吧，看看李贵造的香水有没有商家感兴趣。如果从那儿出来时间还早，就随便逛逛。不管怎么的，要把时间耗到六点再去找旅店。因为六点以前，往往还要加收半天的房费。

塔里亚黑妹来了无数次，她对商铺是熟悉的，而对衙门却是陌生的。因为前者与她的生活有着千丝万缕的联系，而衙门在她眼里则是广寒宫，不是自己这种俗人出入的地方。所以不光是税务局她不知道在哪儿，塔里亚的政府机关在哪儿，她也是糊涂的。黑妹一路打听着，来到一个十字路口。一个穿驼色大衣的女人告诉她，越过马路，看见一座灰楼，就是税务局了。黑妹还没过马路，就隐约闻到了一股香气。雪天中的香气，有点春天的味道，让人觉得亲切。待她走到十字路口的中央，这股香气蓬勃而起，像久别重逢的老友的怀抱，紧紧地将她拥住。黑妹闻出来了，这香气，就是李贵造的香水的气味啊。她在心底埋怨着李贵，一定是他自己不小心，过马路时跌了一跤，把香水给弄洒了。他急什么呀。黑妹低下头，她想看看，是不是香水瓶碎了。结果，她发现了血迹。虽然雪仍然下着，但那摊血迹，还没有完全被掩盖住，看上去像是她在梦中见到的来世的花朵，明艳而又朦胧。黑妹捂住嘴，“啊——”了一声，泪流满面地呼唤：“李贵——你在哪儿——李贵——你可别吓唬我呀——”往来的行人，见一个女人跌坐在路上，如此哭，大都停下脚步，看看她。不过他们看过后，顶多叹息一声，接着走他们的路了。安慰黑妹的，只有一条狗。那是上午时黑妹和李贵在街上碰见的花狗，李贵意外喷到它身上的香水，气味还没消散呢。花狗低声呜咽着，伸出舌头，舔舐着黑妹脸上的泪痕。它那粉红的舌头，在风雪中，异常娇艳，就像一簇火焰。牵着它的老头悠长地“唉——”了一声，对黑妹说：“上午跟你在一起的那个男人，被救护车拉医院去了。他也真是的，这么大的人了，走路急什么，也不看着点车——”

黑妹跌跌撞撞挪到医院的时候，雪停了。被老天雪藏了一天的太阳，大约还想露露头，所以西边的天际竟然浮现出一抹嫣红。一路上，她踏碎了好几只小孩子们堆砌在街头的雪老鼠。车祸中的遇难者已出了抢救室，被拉到停尸房了。医生领着黑妹去认尸的时候，她有被尿憋急的感觉，老想着逃跑。停尸房的铁门一打开，一股阴冷的气息朝她扑来，黑妹忍不住打了一个喷嚏。由于停尸房没有窗子，医生开了门后，随之将灯打开。黑妹最先看见的，是摆放在停尸床下的一双大头鞋。橘黄的灯影下，它们看上去就像黄昏时停泊在港口的小船，带着股摆脱了风浪的安闲。为尸体蒙白单的人太粗心了，没有把已故者的脚罩住。那双裸露在外的僵硬的脚，穿着黑妹眼熟的灰蓝条的袜子，其中一只还露着大脚拇趾头。那探出来的青白的大拇脚趾头，在黑妹的泪眼中，一闪一闪的，异常明亮，宛如李贵教她认得的夜空中最亮的星星。李贵说，离地球最近的是金星，它有的时候是“昏星”，黄昏后出现在西方天空，叫“长庚”；有的时候又是晨星，黎明前出现在东方的天际，称“启明”。黑妹跟着李贵看过无数次“昏星”，晨星却是一次也没见过，因为她太爱睡懒觉了。黑妹想着以后再没机会跟着李贵认启明星了，昏厥过去。

黑妹醒来的时候，天已暗淡得不能再暗淡了。她的病床边站着三个人，一个是穿白大褂的医生，一个是顾大烟袋，还有一个是穿黄棉袄的大胡子男人。顾大烟袋见黑妹醒了，舒了一口气。黑妹有气无力地对顾大烟袋说：“明天早晨，李贵还是得跟我一起回雪龙沟，我不能把他一个人扔在这儿啊——”顾大烟袋说：“放心吧，黑妹，明天这车，就拉你们俩回去。”顾大烟袋说着说着，眼圈红了，“我一听亲戚说税务局门前的十字路口轧死了一个沟里人，就为你担心，从亲戚家跑出来打听。谁知道会是李贵呢！这王八蛋，真是不咋样，他凭什么抛下你啊？要知道有今天，我当年就是跟他拼命，也不能把你交给他啊。”顾大烟袋用手捶着脑袋，一副痛心疾首的表情。一直垂头丧气站在一旁的大胡子男人，突然“扑通——”一声跪倒在地。顾大烟袋指着那人对黑妹说，这是肇事的卡车司机，刚从交警队录完口供，非要来先看看她。大胡子司机哑着嗓子说："你家男人有什么急事啊，人行灯还没变绿，他就走，还走得那么快。我发现要出事时，赶紧踩刹车，可是雪天路滑，刹不住哇——"黑妹哽咽着说："他就是不想要这个小家了，我恨他哇。这个傻瓜，到死也不会明白，全中国就一个叫黑妹的女人为他哭哇——"司机说："我家里不富裕，老的有病，小的还不立事，全靠卡车轮子养活。虽说我不是过错方，但不管怎么的，出了人命，不赔偿你点，心里怪不落忍的。多了没有，一万行吗？"黑妹失神地说："我要钱有什么用，我要他这个人啊——"她的话，让在场的男人，都湿了眼睛。

肇事司机说，李贵出事时，把怀抱的一个小纸箱甩了出来，他把它带来了。说完，起身到病房门口，把纸箱抱过来，哆哆嗦嗦地捧给黑妹。黑妹小心翼翼地打开盒子，取出一台崭新的录音机。它看上去没受什么损伤，只不过她和李贵都钟爱的那道镶嵌在底座的嫩绿色金属条，在事故中意外地脱落了下来。那道绿，看上去像是一条游到了千山之外的春水，带着股永不回头的决绝气势。黑妹想着自己备下的录音磁带，有一种声音她永远无法录了，脑子里竟也跟那盘磁带一样，一片空白，又昏厥过去。

塔里亚小城信用社的勤杂工孙秀莲，一整天都在怀念那股撩人的香水味。傍晚，在下班回家的路上，经由税务局门前的十字路口时，她竟然与那股香水味不期而遇。孙秀莲停下来，惊奇地嗅着那气息。真是奇怪，这股香气能让她心底滋生起清凉。她多么羡慕那个脸孔黑红的女人啊，她的日子，缭绕着的就是这样的气息。虽然那对夫妻是闹着别扭离开信用社的，但孙秀莲相信，他们出了门，很快就会和解的，这从他们进门时亲昵的举止中看得出来。不像她，跟丈夫过了大半辈子了，从来没有被他疼过。不过他对自己也是不疼的，五年前他下岗后，又抽烟，又酗酒，脾气越来越坏，稍不如意，就会对她施以拳脚，而且在性事上百般折磨她。孙秀莲最怵的，就是长夜的降临。她想那个雪龙沟的男人对待自己的女人，肯定不会像丈夫这么粗暴。一个男人能调和出那么温和芳香的气息，待他的女人也一定温柔体贴。她想自己若是能和这样的男人过上一夜，也不枉做一回女人。不过她实在不明白，那个男人怎么把香水洒到十字路口了，难道他摔跤了吗？还是他觉得雪花缺乏香气，诚心洒下一些，让南来北往的人，把雪花也当成花朵来赏？

虽然孙秀莲贪恋着那股香水味，但她在十字路口，也没敢多流连，因为天色越来越昏暗了。她若晚回家一步，进门的一瞬，迎面飞来的，除了叱骂，还会有一只丈夫掷来的臭鞋。

解　冻

冰消雪融时，小腰岭人爱栽跟头的日子也就来了。

村路因解冻而变得泥泞不堪，腿脚不利落的老人和在春光中戏耍的孩子，往往走着走着，会被稀泥暗算了，“哧溜”一下，滑倒在地。孩子跌倒不冤，他们高兴的时候，又跑又跳的，忘却了泥泞；而那些老人，可是小心翼翼地走着的啊。老人们倒地的一刻，哭的心情都有了。中年人里，也有被泥泞算计的，比如酒鬼。他们飘摇着扑地的时候，往往醉话连篇，有的说自己钻进女人柔软的花被窝了，舒坦；有的说他没做伤天害理的事儿，凭什么要被领到阴曹地府的门口；还有的把稀泥当成了大酱，嚷着：“来、来棵葱，蘸蘸！”

小腰岭的女人恨透了泥泞，一旦暖阳照拂得屋顶的积雪脱胎换骨，屋檐“滴答——滴答——”地滴水了，她们便不愿意让老人出门，不愿意让男人喝酒，更不愿意让孩子玩耍。不然，她们得一天洗一盆衣服，耗力气不说，还浪费了肥皂。可是泥泞怎么能阻止得了人的日常出行呢，老人该溜达还得溜达，孩子放学归来的路上照样打打闹闹的，男人们也断不了三三两两地凑一堆划拳喝酒。你时常能在路上，逢着那些栽倒后滚了一身泥水的人。女人们没办法，只好让家人穿最破旧的衣服和鞋子。若是外乡人这时节来小腰岭，看着一村人衣衫褴褛的，会说：“这村子穷掉底儿了！”

有一个在泥泞中依旧衣着考究的人，他就是小腰岭的小学校长苏泽广。只要上班，他必得穿上皮鞋和中山装，虽然他倍加小心，可是回家的时候，裤脚还是溅上了泥点，鞋帮也跟打了一圈眼影似的，沾上了污泥。他老婆黎素扇，少不了埋怨他几句，说你看看小腰岭的人，谁像你穿成这样，让人笑话！苏泽广说：“我这么多年没穿中山装了，好不容易盼到能穿的日子了，再让它压箱底，不是可惜了吗！”工宣队进驻学校的那些年，青峰林业局机修厂一个满手老茧的锻工，取代了苏泽广，做了校长，而他则被发配到畜牧厂养猪。苏校长养猪的那些年，无论冬夏，都穿着藏蓝色的土布工作服，他的裤管让猪拱得常沾着猪食嘎巴儿。那一单一棉的皮鞋，也被搁置起来。他夏天穿球鞋，冬天则是抗踢的大头鞋。他给猪絮干草时，一旦发现猪栏门被冻住了，便抬起腿，三脚两脚地，用大头鞋把门踹开。平反后的苏泽广官复原职，做的第一件事就是去供销社买了一盒鞋油，把皮鞋打得锃亮，然后又捧出中山装，让老婆把它熨烫得板板正正的，挂在衣柜最显眼的位置。小腰岭人看他穿着中山装的样子，有的羡慕，有的则嗤之以鼻，说：“臭老九又抖起来了！”

苏校长喂猪的年月，每年初春，免不了闪失，做两三回泥猴。好像人一落魄，腿脚也软了。而这两年，他精神抖擞的，哪怕再湿滑的路，也没有跌倒过。所以黎素扇因丈夫裤脚的泥点发牢骚的时候，也会自我安慰道：“唉，比起从前，这算是小打小闹的脏了，伺候得起！”

苏泽广这天下班回家，滚了一身的泥水，显然他是摔倒了。黎素扇气青了脸，嚷着：“我说让你穿破衣服吧，你非不干！这咔叽布的中山装，洗、熨都费劲，你知道不知道?！”

“我知道。”苏泽广垂头丧气地说，“我自己洗，不劳你了。”

黎素扇心软了，她撇着嘴说：“我也就是说说，你洗，肯定在水里逛荡几下就拎出来了，洗不透亮，还得我费二遍事。”

苏泽广吁了一口气，边脱衣服边说：“你得赶快把它洗好晾干，我要去兴林开个会。”

“什么会呀？要去兴林？”黎素扇问。

“我要是知道就好了。”苏泽广说，“邮递员下午送来急件，我打开一看，是教育局发来的，让我后天到青峰报到，然后去兴林开个紧急会议，特别注明此事机密，不得外传。”

黎素扇“哎呀——”叫了一声，打了个激灵，说：“是不是出什么事了？”

苏泽广阴郁地说：“我也是这么想的。只是不知道是我个人出事了，还是国家出事了。以前通知开会，什么内容，会期几天，都说得明明白白的。这次呢，既没说会议的议题，也没说要开几天。而且，没有大事，怎么会把人召集到兴林呢？我看这次出门，恐怕凶多吉少。”

“就你一个人去吗？”黎素扇说这话时，分明带着哭音了。

“通知上写着三个人。”苏泽广说，“还有林业局招生办的主任陈树典和一中的王中健校长。”

“人家都是青峰的，基层的只有你啊。山上山下这么多学校，南沟学校、山河学校、望江岭学校，怎么单单让小腰岭学校的校长去呀？你想想，这两年，你是不是犯了什么错误呀？”

“我想了，小腰岭学校没有品德不良的老师，也没有违反校规的学生，教学工作是正常的，没错误。”苏泽广说。

“你做没做什么越权的事啊？”黎素扇苦着脸说。

“去年冬天敲钟的老王重感冒，我帮他打了三天钟，如果说越权，这算是一件。”苏泽广笑了。

“你还有心思开玩笑！”黎素扇说，“你要是出了事，我们娘仨怎么活啊？”说着，眼泪“啪嗒、啪嗒”地落了下来。

“你放心，万一有不测，我会安排好你和孩子的生活的。”苏泽广说。

黎素扇正想说什么，苏合图回家了。合图十五岁，初中快毕业了。他的相貌随母亲，团脸，大眼睛，塌鼻子，性情却随父亲，爱说，爱开玩笑。他今天用弹弓追一只乌鸦，绊了一跤，栽到泥坑里，正担心进了家门会挨母亲的骂，一看父亲换下的中山装，知道他先做了反面教材了，便心安理得地对母亲说：“爸爸的衣服得好好洗洗，我这身破衣服，就着爸爸洗衣服的水，搓巴搓巴就行！”

黎素扇泪眼蒙眬地说：“两个冤家！”

小腰岭是个两百多户人家的小山村，归属于青峰林业局。青峰林业局呢，不过是兴林市下辖的一个县级小城。小腰岭离青峰十三公里，而青峰离兴林市则有三百多公里。从青峰去兴林，要乘六个小时的火车。小腰岭人常去青峰，办嫁妆，买年货，或是串亲戚；

而去兴林，多半是因为病。但凡青峰医院看不了的病人，会被转院到那里。所以小腰岭人若是听说谁家有人去兴林了，都不往好处想，好像那里是地狱之城。

黎素扇生起火，烧了锅水，想着先洗了衣服，再做晚饭。她正要出去取洗衣盆，苏泽广提着它进来了。他先是舀了一瓢水，荡去盆底的浮灰，倒掉，然后才把清水注入盆中。当他舀完水，把手探到盆中，帮妻子试水温的时候，黎素扇红了眼圈。丈夫忽然对她体贴起来，让她觉得如果失去这个男人，日子将没有温暖可言。天色渐渐暗了，黎素扇把脏衣服浸泡到盆中，苏泽广知道这通洗要浪费不少水，而缸里的水快见底儿了，赶紧挑起水桶出了院子。

黎素扇坐在弥漫着水蒸气的灶房开始洗衣服的时候，忽然想起女儿苏彩鳞还没有回来，就吆喝后屋中的儿子："合图，去看看你妹，早该放学了！"

"她呀，肯定又帮着人值日了！要不就是跟我和爸爸一样，也摔到泥坑里，不敢回家了。真要是那样的话，妈妈，你今天可是太倒霉了！"苏合图满怀同情地说。

"你少废话，快去看看吧！"黎素扇说。

苏合图刚出门，就迎着了妹妹。苏彩鳞虽然没被泥泞害着，可她的书包受害了，书包成了泥包，彩鳞一见母亲就呜呜哭。看来，她只顾了自己，没顾上书包。而那个帆布书包，是最难洗的。黎素扇唉声叹气的时候，合图大声说："妈妈，都是烂泥惹的祸！它是咱家的敌人，我与它势不两立！"他张开双臂，用诗朗诵的形式来为母亲宽心："啊——让这不三不四的小春天——快快地过去吧，啊——让又香又甜的大春天——快快地到来吧！"

小腰岭人，确实把春天分为小春天和大春天。小春天就是初春污泥浊水横行的时节，这时的春天乍暖还寒，给人半阴半阳的感觉；到了大春天呢，真正是风和日丽了。那时道路干爽了，草绿了，花打骨朵了，燕子来了，南窗下暖风阵阵。一到这时节，小腰岭人就不爱回屋睡觉，因为星空也变得好看了。

小腰岭的小春天大抵是在每年四月的中下旬，而大春天则始于五月。一般来说，人们在小春天就开始翻地，运送积肥，擦拭农具；到了大春天，就要播种了。

苏校长连挑了三担水。他每挑回一担，天也就衰老一层。等他把缸灌满，天已老气横秋了，黎素扇洗完了衣服。他们点起蜡烛，一起做晚饭。合图坐的椅子掉了条褛儿，他声言不用请木匠，自己就能修上。他里出外进的，一会儿去仓房取锯和斧子，一会儿去抽屉里翻钉子和锤子，忙得不亦乐乎。彩鳞呢，她正把课本和文具一样样地往一个三角布兜里装，她的书包没干之前，她得提着它上学。书包四棱四角的，一副正人君子的派头；而三角布兜，却给人贼头贼脑的感觉。彩鳞往里面摆书本的时候，就有点不信任它。果然，拾掇好东西后，她试着拎了一下，三角布兜里面的书本便乱成一团，它们就像是一群无赖，横七竖八地倒在一起。彩鳞噘着嘴，抽出一支铅笔，放到膝头折断了。她生气的时候，喜欢糟蹋东西。

黎素扇从坛子里取出一块腌肉，切成薄片，摆到盘子上，覆上花椒和辣椒，放到笼屉蒸上。之后，和了一块面，烙起葱花油饼。

苏泽广说："今天菜好，我想喝两盅。"

黎素扇说："你不说我也会给你烫壶酒的。"她看了看丈夫，取出擀面杖，说："我也想喝几口。"

苏泽广学会喝酒，是在他养猪的时候。那时无所事事，闷得慌。他跟畜牧局的兽医，常聚在一起，喝得云里雾里的。

有一次他喝醉了，把酒桶里剩下的二斤白酒搅拌在猪食里，喂给了一头种猪。结果这头猪醉得连几步之遥的窝都回不去了，睡在了猪食槽子旁。第二天早晨，苏泽广醒了酒去喂猪的时候，发现它还呼呼大睡着，便用木杆扒拉它。可是种猪只是哼哼，起不来。苏泽广一看放置在猪栏外的空酒桶，知道自己把种猪当作酒友了。这头猪从那以后，就不爱吃食儿，一天天地掉膘。苏泽广想来想去，觉得问题可能出在酒上，就悄悄将猪食淋上一点酒，前去试探，结果种猪对掺了酒的食儿大为青睐。苏泽广找到症结后，委实吓着了，他供自己喝酒都难，如果再加上一头猪，还不得倾家荡产啊。从那以后，他就给种猪戒酒，可是这猪一闻猪食没有酒味，吃个三口两口的，就回窝了。等到第二年春天，它瘦得肚子松松垮垮的，走路直打晃儿，虚弱得无法交配。畜牧局的人一看它废了，就把它卖给青峰屠宰厂，供人食用了。

苏泽广沦为酒鬼后，不仅害了畜牧厂的种猪，还害了彩鳞。害那头猪，他当时就意识到了；而害了彩鳞，是这几年才察觉的。

“你喝了酒就是个兽，没命地要我！”这是黎素扇诉说那些年的委屈时，私下里常跟苏泽广抱怨的一句话。苏彩鳞，就是那个时期出生的。她一两岁在襁褓中的时候，还看不出与别的孩子有什么不同，咿呀学语，会哭会笑。到了三四岁，她的贪吃贪睡，让苏泽广隐隐担心。而五六岁以后，彩鳞的弱智渐渐显现出来。她练习查数，从一到十后，就开始发蒙，永远数不过十一的关口；黎素扇让她搬个板凳或递杯水，总要吩咐两遍，她才能明白。而且，一旦什么事情不对她的心意了，她就毁坏东西，用剪子铰掉裤腿，摔镜子，砸碗，把蜡烛扔进灶里当柴烧了，等等。直到这时，苏泽广才明白过来，自己酒后的发泄，酿了苦果。从那以后，他很少碰酒。就是前年落实了政策，这么高兴的事，他也只是微微沾了沾酒。他觉得对不起老婆和女儿。

彩鳞上了三年小学，一直蹲级，现仍在一年级跟毛头小孩混着。小腰岭的孩子，知道她缺心眼，所以轮到自己值日时，为了偷懒，就夸彩鳞扫地扫得好，彩鳞一高兴，便挽起袖子，帮着值日。只要你看见她灰头土脸地回来，就知道她又帮人干活了。

苏家的饭菜摆上桌的时候，月亮出来了。合图一见腌肉和油饼，叫了声："真哏儿啊！"拿起一张油饼就吃。彩鳞一见哥哥吃上了，也赶紧抓起一张油饼。两个孩子抢着吃的时候，苏泽广换上一支蜡烛，黎素扇则斟好了酒。孩子在场，他们不好说什么，碰杯的时候，只是意味深长地望了对方一眼。黎素扇的目光幽幽的，哀怨重重；苏泽广的目光柔柔的，万般不舍。

他们干了一杯，又一杯。合图边吃边用屁股晃着椅子，炫耀修好了它，那把椅子也就仿佛处于震中，稳当不下来。然而好景不长，只听"哗啦"一响，那条掌儿又掉了。椅子一瘸，合图的头磕在了桌角上，气得他蹦了起来，踢着它直骂："你个小春天养的，作践我不是？明儿老子劈了你烧火，再做把新的！"骂完，才觉得额头疼，他苦着脸，一边用手揉着磕青的地方，一边说："我今天怎么这么倒霉啊？我要被气成林冲了！"

黎素扇和苏泽广一听这话，忍不住笑了。

彩鳞打着嗝问："哥哥，林冲是小腰岭的吗？"

合图龇牙咧嘴地说："他呀，八百年前路过小腰岭，嫌这儿太冷，就打这儿上了梁山了！"

彩鳞不知道梁山在哪儿，更不知道八百年前是个什么朝代，距今有多远，她扳着手指头算了半晌，没有弄明白，有些失落，合图一离座，她就打着哈欠回自己的小屋了。

孩子们走开了，夫妻俩就敢说知心话了。

黎素扇说："你估计，能出什么事儿？会不会偷偷把你们下放到哪里去？"

"我们这三个人，有两个是刚刚落实了政策回到教育岗位的，另一个呢，是刚成立的招生办的主任。你说能不能是高考出了问题？"苏泽广探询地问。

黎素扇在生产队当出纳员，她虽然初中毕业，文化不高，但脑子活泛，她说："恢复高考才两年，不可能又取消了吧？就是取消的话，别说是小腰岭和青峰，就是全中国的学校，哪一个跑得了？干吗单单找你们三个？"

"说的也是，当时恢复高考，下发的可是红头文件。"苏泽广说，"不过为什么招生办主任要跟着去呢？"

"能不能是夏老三家的孩子出了事儿呢？"黎素扇说，"你忘了，去年夏杰考上了沈阳的一个军事学校，人家不是来政审了吗？"

"他呀，学的是机密专业，当然得政审了。"苏泽广说，"他家成分好，又没有海外关系，政审早过关了，要不也不会录取他。"

"那我看这事跟高考还是没关系。"黎素扇说，"咱小腰岭不就出了这么一个大学生吗。"

"是不是落实了政策的人，还得回头看啊。"苏泽广说。

“什么叫‘回头看’？”黎素扇问。

“就是对照检查那些年劳动锻炼时，是不是有什么过失。”苏泽广说，“我们那些人，有的去粮库看库，有的去酒厂酿酒，有的去工厂抡大锤，大家干那些活儿是外行，没少出错啊。我就听说，吴校长弄坏过一台机床，王中健不会使酒曲子，几缸酒没发酵好，酸得不能喝，白白倒掉了。秦校长看粮库的时候呢，有一夜睡过去了，小偷溜进粮库，盗了好几麻袋玉米呢。”

“哎呀，我想起来了，你因为喝多了，不是害了一头种猪吗。”黎素扇说，“不过这事不就是你知我知吗？”

“有一天我跟刘兽医喝酒，一高兴，就把这事给秃噜出去了。说完，我也后悔了。不过畜牧局的头头没找我的麻烦，看来刘兽医没有出卖我。”苏泽广说。

黎素扇放下酒杯，说：“喝多了嘴不把门是不是？看来酒不是好东西，喝它惹事啊。这刘兽医调走有五六年了吧？也不知他离开小腰岭前，跟没跟别人说这事？”

“哪知道呢。就是说了，咱也没辙。真要追究起来，我认错就是了。大不了赔一头种猪。”苏泽广叹了一口气，说，“只求别给我上纲上线，说我破坏社会主义生产力就行。”

“你还真是破坏社会主义生产力了。”黎素扇笑眯眯地端起酒杯，饮了一口，说，“那头种猪要是不让酒害死，你想想，它能与多少母猪交配，能产下多少猪仔啊。要是按它可能生下的猪仔赔偿，起码有百八十头，我看咱家就是砸锅卖铁也赔不起。”

“你就知道火上浇油！”苏泽广端起酒杯，一饮而尽，说，“我们党总该懂得，一个知识分子比一头种猪更重要吧。”

“对我来说是这样哩！”黎素扇打趣着丈夫，说，“没做亏心事，不怕鬼叫门，来，咱干一个。想不明白什么事儿，今儿就不费这个脑筋了。”

苏泽广觉得妻子说得在理，于是两个人放松下来，一意吃喝。黎素扇喝多了，手脚就不安分了，她一会儿哼着小调用指甲去掐烛花，一会儿又从桌下伸出脚，踢丈夫一下，甜蜜地挑逗着。苏泽广觉得烛光下微醺的妻子就像燃烧在桌角的蜡烛，那么的细腻，那么的温柔。他想快些把妻子搂在怀中，于是赶紧帮着捡桌子，刷碗，烧洗脚水，铺上被褥。当一切收拾停当，他去拉窗帘的时候，发现月亮已到中天，好像天已经把话说尽，画上了一个圆满的句号。苏泽广拉上窗帘，吹了蜡烛。屋子陷入了黑暗，但他明白，另一种光明就要出现了。他用胸中的火焰，很快点燃了妻子。

黎素扇醒来时，曙色微露，丈夫不在身边，她觉得口干舌燥，便到灶房舀了一瓢水，畅快地喝起来。清水在她体内奔流的时候，困意渐渐消退了。黎素扇回屋后穿起衣服，出了家门。她想看看平素喜欢睡懒觉的丈夫，这一大早的，去了哪里。

空中仍能望见月儿的痕迹，那是月亮彻夜燃烧后留下的灰烬。在空气洁净的地方，日月常常同时出现。只不过太阳现出的是红彤彤的肉身，而月亮隐现的是淡白的魂儿。小腰岭的春天，早晚温差很大。白天时化得稀里哗啦的大地，到了夜晚，好像被清冷的月光给施了魔法，白亮的水洼又凝结成了冰，泥也由柔软变得坚硬。那些调皮的孩子，在上学路上，专拣那些结着薄冰的水洼去踩，“咕嚓——”一声，冰绽裂了，孩子的笑声起来了。裂纹光芒四射的样子，像是一朵怒放的雪莲花。有的时候小孩子踩得重了，鞋子会被冰下的水浸湿，那时他们就得飞快地往学校跑，早点进教室，脱下鞋子，放到火炉旁烘烤。

苏泽广不在院子里，黎素扇发现堆在厕所旁的大粪被人撮了一角，便明白丈夫这是去大地送粪肥去了。

小腰岭的住户，既有房前屋后的园田，也就是前菜园和后菜园，也有离家较远的自留地，人们称之为“大地”。一般的人家都有一片大地，但也有人口多的，有两片。大地少则两三亩，多则五六亩，一般用来种土豆、白菜和萝卜。它们既能作为越冬蔬菜，又可充当粮食。通常，家中的菜园是由女人侍弄的，而大地则由男人经管。苏泽广种地并不在行，所以他家的大地常常是野草疯长，虫害肆虐。为了这，黎素扇没少遭小腰岭女人的耻笑。有人说：“你们家的土豆，怎么长得跟牛眼珠一样，这么小，吃时都没法削皮吧？”还有人说：“你说苏校长种的白菜怎么只知道长个，不知道抱心啊？”黎素扇嘴上说：“一个吃的东西，分什么好孬啊。”可心里对丈夫也是怨恨的。他去大地干活，往往是泡上一壶茶背着，再带上一卷古诗。到了地里，草没锄几下，就坐在地头喝茶读诗了。

黎素扇朝自家大地走去。刚出村口，就碰见了生产队喂牲口的老木，他正在遛马。见了黎素扇，老木擤了一把鼻涕，说：“刚才碰见你们家老苏了，他今年可是出息啊，一大早就去大地送粪，看来你们家秋天时要有好收成了！”

黎素扇淡淡地应了一声。

老木又说：“其实你们家的大地种好种孬也没什么要紧，苏校长月月开工资，不像我们，年底要是不分红，就得穷着过！”

他的话，让黎素扇心底一沉。假如丈夫出了事，家里的经济支柱倒了，自己怎么养活这个家啊。

黎素扇心灰意冷的，没有继续向前走，而是折回身，返家做饭去了。等她生起火来，烧开一壶水时，苏泽广挑着一副箩筐，汗涔涔地回家了。

黎素扇说："我都不知道你几点起来的，睡得太死了。"

"你当然睡得死了。"苏泽广用手拂了一下妻子的脸，鬼笑着，"你昨晚醉着了嘛——"

黎素扇打了一下丈夫的手，嗔怪道："刚挑完粪，也不洗手，就摸我脸，我得晦气一天！"

苏泽广"噗噜噗噜"地洗脸的时候，说："咱家明年也得养头猪，靠这点大粪不行啊。"

黎素扇说："不是还有点鸡粪吗？"

苏泽广说："鸡粪得上到后菜园，那里不是种饭豌豆和倭瓜吗？老木说过，上了鸡粪的饭豌豆和倭瓜都面，你可得记着啊。他还说，大粪劲大，要是上到萝卜地里，萝卜爱烂心。"

黎素扇笑了，说："没听说过大粪能把萝卜烧烂心的！"

"前菜园的芹菜地，我看今年换个茬吧。年年种芹菜，那块地都死性了，芹菜也不爱长，今春种点柿子椒或是菠菜吧。人家不是说了吗？地不换茬不长，人不挪窝不旺！"

"你别交代给我——"黎素扇顿了顿，说，"这些地都等着你回来种。"说完，侧过身，偷着抹泪去了。

苏泽广擦干了手，走到妻子身后，将双手搭在她肩上，柔声说："平常老跟我凶，现在对我这么亲，看来是患难夫妻啊，我都舍不得了。"

黎素扇抽了一下鼻子，说："少跟我套近乎，一个男人，手上打那么多香皂干什么啊，是不是为了那个音乐老师？"

苏泽广一甩手，说："一派胡言！"

他们不再斗嘴，一起做早饭。做好了，唤合图和彩鳞起床。一家人吃过早饭，上学的上学，上班的上班。洗过的中山装和书包都是半干，所以彩鳞上学提的是三角兜，苏校长穿的则是一套深蓝色便服。他们出家门的时候，黎素扇总要嘱咐一句："看着点路啊！"

家中只剩黎素扇一个人时，她开始帮丈夫打点行装。内衣内裤各装了两套，外衣外裤则是一套。毛巾一新一旧，新的擦脸，旧的擦脚。肥皂香皂，各装一条。蜡烛火柴，一样一包。茶缸、刮胡刀、拖鞋、花镜，只要是丈夫用得着的，悉数装上。想想他可能要个一年半载才回来，便将刚收好的冬衣又从箱底取出。那个大旅行箱，很快就被塞得满满当当。想着丈夫一个人可能寂寞，她把半导体搁上了。再一想想他离不开书，便把几卷丈夫常看的书也装上了。不过当她拉上箱子的一瞬，突然想起书是个惹是生非的东西，万一有一天这样的书再遭禁，他不等于带去了几颗炸弹吗？于是又把书抽出来。就这样，她折腾了一上午，才收拾好行李。

小腰岭人家的午饭，一般都比较简单。但这天中午，苏家的午饭是浓墨重彩的，有金黄色的炒鸡蛋，粉红的油炸花生米，还有雪白的炝土豆丝。合图放学回来，一看饭桌的菜，叫着："妈妈，咱家不过了？"

彩鳞笑眯眯地说："有好吃的，过得好！"先就吃上了。

苏泽广小声对黎素扇说："你这么做，让我觉得要上刑场了。"

"瞎说什么！"黎素扇说，"我馋了，吃点好的还不行吗？"

苏泽广无精打采地吃过饭，一看妻子为他打点的行装，心更加沉甸甸的，他说："这像是带着半个家走，用不着吧。"

"你听我的吧。"黎素扇说，"有备无患。"

苏泽广朝妻子要了十块钱，说是晚上学校有个聚餐，不回来了，让她和孩子不要等他吃饭了。

黎素扇白了丈夫一眼，又一眼，哼了一声，说："随你吧。"

苏泽广从妻子的眼神中，明白她以为他要去找新来的音乐老师。这个老师从青峰来，二十六岁，还没成家，住单身宿舍。她生得娇小玲珑，就像一个轻灵的音符，好像随时随地能飞起来。她的手风琴拉得很好，苏泽广常常以听课的名义，去她的课上听琴。次数多了，教导主任察觉了，有一次提醒他："苏校长，音乐课您听了五堂了，地理课一堂没听，是不是安排听听？"苏泽广这才不去她的课上了。不过，音乐老师的课，有时他坐在校长室也能听到，因为琴声长着翅膀啊。

其实苏泽广对音乐老师并没有非分之想。在他眼里，她不过是落在小腰岭的一只明媚的黄鹂，专为歌唱而来的。

苏泽广下午开始清点办公室中他认为该销毁的东西。他把平素偷闲写的诗一页页从抽屉里翻出，逐一过目。这时的他宛如一个审判官，裁决着哪些诗该活，哪些该枪毙。当他读到"三更里，雨潇潇，五更后，心犹寒"时，觉得它太颓废了，就把它放到处决的行列中；而"我在月下独酌，邀一朵彩云，做我杯中的新娘"，又过于小资情调了，也被他放到阵亡者名单中。就这样，经他裁定，只剩下五首诗了。他对这五首仍不放心，又仔细端详了一番，发现"我的泪，落入黑暗，于是黑暗有了种子，生长出了黎明"，也容易惹祸，便让它作为最后的殉葬者。他把裁决的诗，连同一个断臂的维纳斯石膏像，以及一卷手抄的《纳兰词》，用报纸裹了，一并投入走廊的火炉里。只听“轰”的一声响，炉盖震颤了一下，那些东西顷刻间就被腾起的火焰吞噬了。苏泽广叹息一声，离开火炉，回到办公室，枯坐着。待到下班时刻，他锁了门，去供销社，买了一瓶高粱烧酒和一瓶红烧赤贝罐头，提着它们到王统良家去了。

王统良比苏泽广小两岁，是个伐木工，也是个出色的猎手。冬天的时候，他去山上的工区伐木，到了春天，则回到小腰岭种地，直至秋天。王统良年轻时，看上了黎素扇，他求媒人提亲时，黎素扇说，她已经和苏泽广好上了，这让王统良很没面子。因为他相貌英俊，收入不薄，在小腰岭是数一数二的男人，而苏泽广那时只是一名语文老师。王统良悻悻地跟媒人说黎素扇：“看上一个握粉笔的，她还不得跟着吃一辈子灰啊！”

黎素扇跟苏泽广结婚了，王统良也娶了女人。他老婆很能生养，每隔两三年，就要给王家添丁进口。这样，四十多岁的王统良，有六个孩子了。因为黎素扇，苏泽广平素很少跟王统良往来，他们在路上碰见了，也就是打个招呼而已。所以王统良见苏泽广登门，十分愕然。他以为孩子在学校闯祸了，苏泽广一落座，他就问：“是哪一个干坏事了？”见苏泽广不说话，他判断：“不是老二，就是老四，这俩东西不是省油的灯！”

苏泽广连忙说，他今天来，不为公事，而是私事，这私事得喝了酒才能张开口，说着，把酒和罐头呈上。

“哎，你来喝酒，还用得着拿这个吗？太见外了！”王统良赶忙去了灶房，大声吩咐老婆，“把仓房里剩的那半只兔子拿来，红烧了，再切上一盘猪皮冻，拾掇几个菜，我和苏校长要喝点酒！”

王统良回到屋子后，苏泽广问：“你又去山里套兔子了？”

“前一段闲着没事，偷着下了几个套子。大前天溜套儿去，发现还真逮着只兔子。”王统良说，“可别让森管所的人知道，又该上门罚款了。”

苏泽广笑着说：“放心，哪能说出去呢。”

王家有四个在校生，以往他们放学回家，会像一群快乐的小鸟一样，打打闹闹的，蹿来蹿去。今天他们发现校长在自己家，吓得不敢吭气，猫在后屋，装模作样地写作业去了。只有六岁的老五和三岁的老六，还溜进屋子，蹭在爸爸身边。苏泽广和王统良说的，都是些无关痛痒的话，连小孩子都觉得无趣，老五老六又纷纷跑到灶房去了。那里煎炒烹炸的，显然比屋子有意思得多。

天黑了，王统良的老婆把八仙桌子支在炕上，点起蜡烛，将菜一样样地端上来。小腰岭的风俗，但凡家中来了贵客，女人和孩子是不能上桌的，他们要么等到客人离席后吃剩的，要么在盛菜时，从每样菜中扒拉出一点，偎在灶台前吃。苏泽广一看菜码很大，就对王统良的妻子说：“弟妹，多给孩子拨些菜，我和统良吃不了这些。”

王统良的女人高个子，长脸，宽肩阔胯，浑圆的屁股。她脾气好，能吃苦，为人实在。听苏校长说让她再拨些菜给孩子，她真的去灶房取来一只空碗，每样菜又夹了些，说：“让你见笑了，我们家小崽子太多，不够吃的时候，他们会打起来。”她夹完菜，放下筷子，端着碗出去了。王统良小声对苏泽广说：“我这婆娘，实心眼，你要是再喊她进来夹点，她还会拿个空碗来的。”

苏泽广笑了，王统良自己也笑了。他们在笑声中干了第一杯酒。

王统良说："泽广，说吧，你一进来就拧着眉，好像又回到了喂猪的那些年。遇到什么难事了，只要我能帮的，没说的！"他拍着胸脯说。

苏泽广一五一十地，把紧急会议的通知悄声告诉给王统良。

"是不是又要搞运动了？"王统良"啪"地放下筷子，说，"把你们招到兴林，然后悄没声地下放到哪里去？"

"我怕的就是这个呀。"苏泽广说，"也许这一去，三年五载都回不来呢。"

"你们这些喝墨水的也是，说风光挺风光的，说倒霉就比谁都倒霉！"王统良说，"可怜素扇跟了你，吃粉笔灰不说，还过不上个安生日子！"

"要是我万一出了事，回不来了，我想求你帮着照看家。"苏泽广说这话时，额头沁出汗，说，"别人我信不过。"

苏泽广求助于王统良，是经过反复思谋的。他想王统良毕竟爱过黎素扇，爱过，就会在心里留有余音，愿意帮助她；其次呢，王统良是个正人君子，家庭和睦，这样的男人不会乘人之危，黎素扇就不会有失身的危险。

王统良沉默片刻，喝了口酒，突然说起打猎的事情来了，"泽广啊，我这辈子打得最了不起的一次猎，是二十一岁的时候。那年春天，我在乌玛河下游的一个沟塘子里，下了几只套。半个月后，我去溜套，发现套住了一头小黑熊，它已经死了。我没有摘套子，想等它腐烂了，用它做诱饵，逮个大动物。这样，我在小黑熊旁边，又下了几个大套。好嘛，五天后，果然套着了一只鹿！那是只母鹿，还活着！它一见我，就转过头，好像生我气的样子。我跑到它面前，让它正眼瞧我，猜猜它怎么着？它竟然低下头，还是不看我！我明白，它心底鄙视我，我用死去的猎物引诱了它，它不服气啊！于是，我把它被套住的那条腿，从铁丝套中卸下来，让它拔脚走。它一开始不相信我放它生路了，站在原地，动着蹄子，就是不迈步。我在它身上拍了一下，示意它走，它这才怯生生地一颠一颠地走了。不过它刚离开沟塘子，又反回身，从灌木丛中露出头，慢慢朝我走来。在距离我三五米左右的地方吧，它停下来，定定地看着我。它那眼睛啊，湿漉漉的，含着情，我从没见过世上有这么美丽的眼睛啊，真是看一眼，就让人忘不了！我知道，它临走前，想来谢谢我。我冲它拱了拱手，表示领情了，它这才转过身，朝灌木丛去了。这回它是跑着走的，它不是怕我再伤害它，估摸着好几天没跑了，它去林子里撒欢儿了！泽广，你说，这是不是我打得最好的一次猎啊？”

苏泽广明白王统良为什么讲这个故事，他无限感激地说：“素扇和我家孩子，有靠山了。”

“你放心吧，有我家吃的，你家就饿不着！”王统良说，“谁要是敢欺负你老婆孩子，我就让他有今天没明天！”

王统良话说至此，苏泽广也就不需要再嘱咐什么了。他们一杯连着一杯喝酒，不仅把自己喝红了脸，月亮的脸也红了。这时灶房里忽然传来孩子的哭声，王统良没有下桌，将头朝向灶房，大声吆喝老婆：“桂香，小崽子怎么了？”女人高声回答：“老二老四在外面玩，老二这个混蛋，把老四推泥坑去了，滚了一身泥水，我打了老二一巴掌！”王统良笑了，对苏泽广说：“这娘儿们，收拾孩子也不挑个时候。”

既然事情安排妥当了，苏泽广想早点回家，王统良也不多留他。他送苏泽广的时候，打着手电筒进了仓棚，取了一捧狍子肉干出来，塞到苏泽广的衣兜里，说：“小崽子要是知道有肉干，早给我偷着吃了！嘿，我把它藏到他们找不到的地方。你带着，明儿路上吃吧。”

苏泽广谢过王统良，回家了。村路上少见人影，他贴着边走，生怕脚下打滑。每当他经过那些有狗的人家，狗会在院子里“汪汪——”叫上两声。苏泽广想，自己家也该养条狗，狗在看门上，顶得上半个男人啊。因为是晚饭时节，村落里炊烟袅袅，空气中弥漫着草木灰的气息。苏泽广路过学校的时候，很想听上一曲手风琴。他迈进校门，不过还没走到音乐教师的宿舍，又折回身。他怕自己一身酒气地去敲人家的门，会让人误解了。

苏泽广进家时，黎素扇正用烧炭的铁熨斗，熨着中山装。合图和彩鳞坐在炕沿下，借着亮儿，看小人书。他们一见爸爸回来了，快乐地扑过来。

合图说：“爸爸，妈妈说你明天要去兴林，能不能给我买个望远镜回来啊？”

“你要望远镜干什么？”苏泽广拍着儿子的肩膀问。

“我要看天上的鸟和水底的鱼！”合图说。

彩鳞说：“我要泡泡糖，要十块！”她举起两只手，晃动十指。

“你怎么不要十二块呢？”合图问。

“你真笨，一个人只有十个手指头，比画十二，能够使吗？”

彩鳞的话，惹得合图嘿嘿笑起来。

苏泽广一边从衣兜往出掏狍子肉干给彩鳞吃，一边对合图说："到后屋去，爸爸有话跟你说。"

合图一进后屋，就坐在他刚修好了的椅子上，晃悠着腿，神气地说："爸爸，它再敢磕着我的头，我就锯了它的贱腿！"

苏泽广拎了只小板凳，坐在儿子对面。儿子坐得高，像个主子，而他坐得矮，倒像个仆人。

"合图，爸爸这次出门，说不准什么时候回来。你十五岁了，也算半个男子汉了，该顶天立地了。"苏泽广顿了顿，说，"万一爸爸不回来，你得照顾好妈妈和妹妹。"

"你不是去开会？"合图警觉地问。

"是开会。"苏泽广犹豫了一下，说，"只是怕有什么意外，你懂吗？"

"你是说这个会，还不知道是好会还是坏会？"合图一针见血地说，"要是坏会的话，你又得像前些年去养猪了？"

"养猪那算是好的，守家在地的。"苏泽广说，"我怕万一有什么新精神，把我们一火车给拉到新疆修路或是去哪个农场种地，一时就难回来了。"

合图低下头，不吭气了。他思谋片刻，突然抬起头，说："爸爸，要是你在外头待的年头长，你再回来时，我是不是也得有孩子了？"

苏泽广真是哭笑不得，他觉得儿子还不立事，把家托付于他，是徒劳的，便失望地起身。然而他刚要离开，合图突然跳下椅子，吹灭了桌前的蜡烛，"扑通"一声跪在地上，抱住苏泽广的腿，在黑暗中说:“爸爸,你放心吧,你要是不回来,我管这个家!我帮妈妈劈柴、挑水、种地,不让彩鳞受欺负!我再养上一条狗,这样夜里坏人就不敢上咱家!”

苏泽广的眼泪“哗——”的一下夺眶而出,他拉起合图,哽咽地说:“好儿子!”

黎素扇熨好了中山装,正把它们往衣架上挂。刚才苏泽广进屋,她连个招呼都没打,满怀怨愤的样子,而现在,她和颜悦色地对丈夫说:“锅里有热水,烫个脚吧,解解乏。”

彩鳞困了,回屋去睡了。夫妻俩洗完脚,吹了蜡烛,钻进被窝。黎素扇偎在苏泽广怀中说:“你去王统良家,跟我直说不就行了。”

“你怎么知道我去他家了?”苏泽广问。

“在小腰岭,只有他这个爱打猎的,家中才有狍子肉干啊。”黎素扇说。

“难怪他年轻时看上你了。”苏泽广紧紧地搂住妻子,说,“聪明女人谁不爱呢。”

“我要是聪明,就不嫁你了。”黎素扇颤着声说,“跟个知识分子过日子,提心吊胆的!”

苏泽广摩挲着妻子的秀发,说:“你可要身体好好的啊,要是有个头疼脑热的,能吃药好了的,最好别去打针。我听说,卫生所的柴医生,自打死了老婆后,一见女病号,两眼就放光。不管大病小病,动不动就让人打针。一打针,就能摸女人的屁股啊。”

黎素扇“扑哧”一声笑了,说:“我这可是老虎屁股,他休想摸!”

苏泽广热切地亲吻着妻子，喃喃说：“这么好的老婆，真是舍不得——”

那一夜苏泽广似乎把身上的力气都耗尽了，他们缠绵了半宿，以至于第二天乘汽车去青峰的时候，他两腿发软，连旅行箱都提不动了。

苏泽广走后的第二天上午，黎素扇去豆腐房换豆腐，碰到了去挂马掌的老木。他“嘿哟”了一声对黎素扇说：“真是稀奇了，我看见王统良往大地运粪肥，没送到自己家的地，而是你家的！你家买了他家的粪不成？”

黎素扇“啊——”了一声，心里明白了八九分，她含糊其词地说：“可能泽广跟他买的粪吧，男人间的事情，也不跟我们女人说。”

合图好像一夜之间长大了，自从父亲走后，他每天早早就起来劈柴，烧火。他挑不动满桶的水，就半桶半桶地往回挑。每到放学的时候，他总是等着彩鳞，一起回来。晚睡前，他要检查院门闩得牢不牢，再查看炉子的火和各屋的蜡烛是否熄灭了，以免引起火灾。有一天黄昏，他兴高采烈地跑回家，说：“妈，出奇了！我跟福生刚才去大地捕鸟，看见咱家的地里有好几堆猪粪！地里的蒿草也没了，收拾得干干净净的，我猜这是神仙下凡了！”

“神仙也真是的，要送送座金山，送猪粪做什么！”黎素扇跟儿子开玩笑。

“神仙看咱家的大地最缺这个呗。”合图很认真地说。

解冻时节的泥泞就像一个个流脓的伤口，治疗这伤口的，是阳光。只要天气持续晴好，这伤口的面积就会逐渐缩小，直至结痂。苏泽广走后，小腰岭始终春光烂漫，短短五天，路上的泥泞萎缩了，人们走路时敢挺胸抬头了。这天中午，从青峰过来的长途客车上下来一个人，他就是穿着中山装的苏泽广。他提着大旅行箱，神采飞扬地回家。那正是放学时刻，合图和彩鳞看见爸爸，欢天喜地地奔过去，迎着他回家。

黎素扇刚做好午饭，看见丈夫平安归来，她什么也没说，只是长吁了一口气，然后平静地往桌上端饭。

苏泽广打开旅行箱，把给家人的礼物一样样地往出拿。合图得到了望远镜，彩鳞得到了一盒泡泡糖，他们都如愿以偿。黎素扇呢，她得到的是一件月白色的的确良衬衫。当苏泽广抖搂着它，给黎素扇展览的时候，她说："我整天围着锅台转，白衬衫不抗染，哪有机会穿。"

吃过午饭，合图和彩鳞心满意足地上学去了。黎素扇问苏泽广："究竟是啥会啊，虚惊了一场。"

"说了你也不相信。"苏泽广喜滋滋地说，"招我们去，看了两场电影。"

"看电影？"黎素扇挑起眉毛，说，"青峰又不是没有电影院，何苦折腾到兴林，连来带去好几天，又是汽车又是火车的，耽误工夫又浪费钱。"

"青峰电影院，放的都是公映的电影，我们看的呢，是内部电影。外人看不到的！"苏泽广得意地说。

"啥电影？"黎素扇问。

"我告诉了你，你可不能出去说啊。"苏泽广说，"一部国产片，费穆导演的老片子《小城之春》，另一部是日本电影《山本五十六》。"

“它们讲的是啥呀，不让大家伙看？”黎素扇问。

“《小城之春》讲的是爱情，一个女人有两个男人爱，对了，就像你，不是也有两个男人爱吗？那里的女演员很有气质，看了让人忘不了！这片子拍得伤感、颓废，但看了让人动心啊。《山本五十六》呢，讲的是二战时日本联合舰队司令长官的故事，他叫山本五十六，他策动偷袭了珍珠港，美国人恨他，可是日本人爱他。最后，他死在战机上。”

黎素扇根本不知道山本五十六是谁，更不知道珍珠港在哪里。她叹了一口气，惆怅地说：“这世道是不是要变坏啊？男女胡搞的电影也放，小日本鬼子那么坏，还演他们的故事。”

“这是好事啊，大好事！说明思想解放的时代到了，再不会搞运动了！”苏泽广亢奋地说着，从旅行箱里翻出两盒过滤嘴香烟和一本书，说是要上班去。离开学校不到一周，他想得慌。

黎素扇指着香烟说：“你不抽烟，这是给谁买的？”

“统良啊。”苏泽广说，“我把你托付给他，虽说他还没有照顾你，但他答应了，我得谢谢。”

“那你上咱家大地看看吧。”黎素扇说，“那都是统良这几天做的。”

“他做什么了？”苏泽广问。

黎素扇没有回答这个问题，而是指着那本书问：“什么书？”

“歌本。”苏泽广说这话时，神色有点不自然。

黎素扇明白这歌本是给谁买的，她“哼”了一声，取过歌本，翻了翻，没说什么，又递还给他。

这天傍晚，苏泽广下班后，看过自家的大地，很气馁。他明白这些粪肥在妻子心目中的分量。所以他去王统良家送香烟时，心里很不是滋味。王统良见着苏泽广，淡然地说："回来了？"苏泽广犯了罪似的垂下头，说："回来了。"王统良说："回来就好。"苏泽广尴尬地笑笑，把香烟呈上。王统良说："我家一帮崽子，再抽烟，哪养活得起？早把它戒了，你拿回去送别人吧。"

苏泽广从王统良家出来时，步履沉重。他本想谢谢那些粪肥的，可最终还是没有张开口。回家后，他发现摆在餐桌上的，并没有他想象的七碟八碗，只是两个素菜，一盆大饼子。而且，也没有酒。吃过饭，黎素扇吆喝合图烧洗脚水的时候，他说："爸爸回来了，不该我管家了。"打了声口哨，拿着望远镜出去玩耍了。

那个晚上，黎素扇推托身体不舒服，睡在自己的被窝。苏泽广在暗夜中几次试探着把手伸向她，她都装作浑然不觉，动也不动。只是有一次他手重了，黎素扇火气十足地吼了声："老实点，我累！"

小春天过去了，大春天来了。冰雪完全消融了，小腰岭的村路上，再也没有因泥泞而跌跤的了。人们在春光中忙着翻地，下种。一连多日，黎素扇对苏泽广都爱理不睬的，他憋屈得慌。有天晚饭，苏泽广喝起了闷酒。他想等着合图吃完离开后，跟黎素扇谈谈。彩鳞在场，他是不忌讳的，他不认为她能领会他们的谈话。

合图终于吃完回后屋了，苏泽广呷了一口酒对黎素扇说："我这次从兴林平安回来了，好像不趁你的心意？你是不是巴望着我出事，好有人帮着你过日子？我在这个家，是不是多余的？！"

黎素扇反唇相讥："谁说你是多余的了？我是不给你吃了，还是不给你穿了，你说清楚！"

"你身为妻子，不和我睡一个被窝了，这对我是最大的不公！"

苏泽广重重地把酒盅蹾在桌上。

“凭什么非要跟你睡一个被窝啊。”黎素扇冷笑一声，“法律有规定吗？”

苏泽广气得七窍生烟，他正要发作，彩鳞忽然打了个饱嗝，用筷子敲着碗对父亲说：“吵吵什么，妈妈不和你一个被窝睡，我和你一起睡！”

黎素扇和苏泽广僵在那里，想笑，却笑不出来。从窗口飘进来的大春天的晚风，吹得烛火摇曳。好像它们知道夏天要来了，提前为苏家备好了一把金色的蒲扇。

一坛猪油

一九五六年吧，我三十来岁，已经是三个孩子的妈妈了。上头的两个是儿子，一个九岁，一个六岁。老小是个丫头，三岁，还得抱在怀里。

那年初夏的一个日子，我在河源老家正喂猪呢，乡邮员送来一封信，是俺男人老潘写来的，说是组织上给了笔安家费，林业工人可以带家属了。他让我把家里的东西处理一下，带着孩子投奔他去。

老潘打小没爹没娘，他有个弟弟，也在河源。那时家里没值钱的东西，我把被褥、枕头、窗帘、桌椅、锅铲、水瓢、油灯统统给了他。猪被我贱卖了，做路费；房子呢，歪歪斜斜的两间泥屋，很难出手。我正急着，村头的霍大眼找上门来了。霍大眼是个屠夫，家里富裕，他跟我说，他想要这房子做屠宰场，问我用一坛猪油换房子行不，见我犹豫，他就说老潘待的大兴安岭他听人说过，一年有多半年是冬天，除了盐水煮黄豆就没别的吃的，难见荤腥。他这一说，我活心了，跟着他去看那坛猪油。

那是个雪青色的坛子，上着釉，亮闪闪的。先不说里面盛的东西，单说外表，我一眼就喜欢上了。我见过的坛子，不是紫檀色的就是姜黄色的，乌涂涂的，敦实耐用，但不受看。这只坛子呢，天生就带着股勾魂儿的劲儿，不仅颜色和光泽漂亮，身形也是美的。它有一尺来高，两拃来宽，肚子微微凸着，像是女人怀孕四五个月的样子。它的勒口是明黄色的，就像戴着个金项圈，喜气洋洋的。我还没看坛子里的猪油，就对霍大眼说，我乐意用它换房子。

我掀开坛子的盖儿，闻到了一股浓浓的油香，只有新榨出的猪油才会有这么冲的香气啊。再看那油，它竟然灌满了坛子，不像我想的，只有多半坛。那一坛猪油少说也有二十斤啊。猪油雪白雪白的，细腻极了，但我还是怕霍大眼把好油注在上面，下面凝结的却是油渣。我找来一截高粱秆，想探个虚实。我把高粱秆插进猪油的时候，霍大眼在一旁叹着气。我插得很慢，高粱秆进入得很顺畅，一直到底，些微阻碍都没有，说明这油是没杂质的。我抽出高粱秆来的时候，霍大眼说，这坛猪油是新炼的，用了两头猪上好的板油，他嘱咐我不能把猪油送给别人吃，谁想舀个一勺两勺也不行，一定要自己留着，因为这坛猪油他是专为我准备的。他说我若给了不相识的人吃，等于糟践了他的心意。我答应着，搬起这坛猪油出了院子。

我领着仨孩子上路了。那时老大能帮着干活了，我就让他背着四只碗、一把筷子、五斤小米和一个铝皮闷罐。老二呢，我也没让他闲着，他提着两罐咸菜和一摞玉米饼子。我编了一个很大的柳条篓，把我和孩子的衣服放在下面，然后让老三坐在上面，这样我等于背了衣服又背了孩子。我怀中抱着的，就是那个猪油坛子。

那是七月，正是雨季。临出发时，老潘的弟弟送了我一把油纸伞。我把它插在柳条篓里。老三在篓子里待得没意思时，就把它当甘蔗，啃个不停。

我们先是坐了两个钟头的马车，从河源到了林光火车站。在那儿等了三个钟头，天傍黑时，才上了开往嫩江的火车。那时往北边去的都是烧煤的小火车，它就像一头刚从泥里打完滚儿的毛驴，灰突突的。小火车都是两人座的，车上的人不多。别的旅客看我拖儿带女的，这个帮我卸背篓，那个帮我把孩子手中的东西接过来。还没等我们安顿好呢，火车就像打了个摆子似的，咣当咣当地开了。它这一打摆子不要紧，把站在过道上的老二给晃倒了，他的头磕在座席角上，立时就青了，疼得哇哇大哭。我一想直后怕，万一老二磕的是眼睛，瞎了眼，我还哪有脸去见老潘哪。

我把猪油坛子放在了茶桌下面。一到火车要靠近站台时，就赶紧猫腰护着，怕它像老二一样被晃倒了。

带着仨孩子出门真不容易啊。一会儿这个说饿了，一会儿那个说要拉屎撒尿，一会儿另一个又说冷了。我是一会儿找吃的，一会儿领着他们上厕所，一会儿又翻衣服。天黑以后，车厢里的灯就暗了，小东西们折腾累了，老大斜倚着车窗，老二躺在座席上，老三在我怀中，都睡了。我不敢睡，怕迷糊过去后，丢了东西和孩子。熬了一宿，天亮时，我们到了嫩江。

按照老潘信上说的，我找到了长途客运站。往黑河去的大客车三天一趟，票贵不说，我们来得不凑巧，刚走了一辆，等下趟要两天呢。我怕住店费钱，就买了便宜的大板汽车票，当天下午就上路了。

什么叫大板汽车呢？就是敞篷汽车，车厢体的四周是八十公分左右高的木板，看上去像是猪圈的围栏。车上坐了三十来人，都是去黑河的。车上铺着干草，人都坐在草上。车头是好位置，稳，行路时不觉得特别颠，人家见我带着仨孩子，就让我坐在车头。我怕猪油坛子被颠碎，就把它夹在腿间。我用胳膊抱着孩子，用腿勾着坛子，引起了别人的笑声。有一个男人小声跟他身边的女人嘀咕：这女人一定是想男人了，把坛子都夹在裤裆里了。我白了他们一眼，他们就赶紧夸那只坛子好看。

坐敞篷车最怕的不是毒日头，而是雨。一下雨，大家就得把一块大苫布打开，撑在头顶，聚堆儿避雨。雷阵雨不要紧，哗啦哗啦下个十分八分也就住了，要是赶上大雨，就遭殃了。路会翻浆，不能前行，就得停靠在中途的客栈。

我们离开嫩江时天还好好的，走了两个来钟头后，天就阴了。路面坑坑洼洼的，司机开得又猛，颠得我骨头都疼了，好多人都嚷着肠子要被蹾折了。乌云越积越厚，接着空中电闪雷鸣的，没等我们把苫布扯开，雨点就噼里啪啦落下来了。我在车头，又要撑苫布又要顾孩子的，早把猪油坛子丢在一边了。那时只嫌自己长的手少，要是多出一双手来多好啊。雨越下越大，车越开越慢，苫布哗哗响着，感觉不是雨珠打在上面，而是一条河从天上流下来了。苫布下的人挤靠在一起，才叫热闹呢。这个女人嫌她背后的男人顶着了她的屁股，那个女人又嫌挨着她的老头口臭，抱怨声没消停过。不光是女人多嘴多舌，家禽也这样。有个人带了一笼鸡，还有个人用麻袋装着两只猪羔。鸡在窄小的笼子中缩着脖子咕咕叫，猪把麻袋拱得团团转。老大看猪羔把麻袋快拱到猪油坛子旁边了，就伸脚踹了一下。猪羔的主人生气了，他骂老大：它是猪，不懂事，你也是猪啊？老大小小年纪，但嘴巴厉害，顶起人来头头是道。他说：它不是人，不懂事；你是人，怎么也不懂事？苫布下的人都被老大的话给逗笑了。

傍晚的时候，汽车终于在老鸹岭客栈停了下来。尽管挡着苫布，但雨实在太大了，我蹲在苫布边上，衣服的后背都被雨潲湿了。我抱着坛子走进客栈时，店主一眼就相中它了。他问我，这是从哪儿弄来的古董啊？我说这不过是只猪油坛子。他嘴里啧啧叫着，在坛子上摸了一把又一把。他老婆看了生气了，说，你看它细发，摸个没完了？店主说，坛子又不是女人的奶子，有什么不能摸的？店主问我，它值多少钱，连油带坛子卖给我行吗？我说自己用两间泥屋换来了这坛猪油，我喜欢，不卖。店主冲我翻白眼，他老婆却给了我一个媚眼。

我们在老鸹岭等天放晴，一停就是三天。那时的客栈都是光板铺，上下两层，每层铺能躺二十几人。一般是男人住上铺，女人和孩子住下铺。人多，被子不够使，就两个人用一条。为了省点钱，我和孩子不吃客栈的饭，吃自己带来的玉米饼子和咸菜。下雨天凉，我怕孩子们受寒会闹病，就借用他们的灶房，用带来的闷罐和小米熬粥。我一进灶房，店主就和我纠缠，要买那只猪油坛子，说是多给我钱，不让他老婆知道。我讨厌和老婆隔心的男人，就说你就是给我座金山，也不换这个坛子！店主生了气了，他要收我煮粥的柴火费。我说你觉得那点钱拿在手上不烫手，就收吧！他冲我大叫：你这种死心眼的女人拿在手上才烫手呢！

在客栈里，人睡在铺上，东西什么的都得堆在地上。当然，能放在睡人的屋子的东西都是死物。活物呢，像旅客带来的猪羔和鸡，都放在马房里。但凡开客栈的，没有不养马的。小孩子们喜欢在马房玩。离开老鸹岭的前一天，我去马房找老二和老小，在那儿给马喂食的店主指着他的几匹马说，说吧，你相中了哪个，我让你牵走！我问，你怎么非要这个坛子不可呀？店主说，好物件和好女人一样，看了让人忘不了！咱没福分娶好女人，身边有个好坛子，也算心里有个惦记的！谁想这话被他老婆听到了呢。马房的地上铺着干草，所以谁也没听见她进来了。这女人真是刚烈啊，她一句话没说，一头朝拴马的柱子撞去，当时就昏了，额角裂了道口子，鲜血一股一股地流出来，把玩捉老鼠游戏的孩子们都吓坏了。

这天晚上，雨停了，月亮出来了。第二天早晨，鸡还没叫，司机就吆喝我们上路了。当我抱着猪油坛子上汽车时，看见店主的老婆站在车旁。她受伤的额头上贴着一块药布，脸是灰的。她见了我叫了一声“妹子”，扑通一声给我跪下了，让我留下那个坛子！她说这一夜想明白了，要是一个男人身边活物死物都不让他喜欢，这男人就等于活在阴天里，她不想看他男人以后天天阴沉着脸。说完，她哭了。我正不知该怎么办才好时，司机把店主找来了。店主听说他老婆下跪是为了给他要坛子时，受感动了。他把老婆拉起来，说，下了三天雨，地上潮气大，你有关节炎，要是跪犯了病，自己遭罪不是？你要是想跪，晚上就跪我的肚子上，那儿热乎。他那话，把围观的人都逗笑了。店主对我说，好看的东西都是惹祸精，咱不要那个玩意儿了，你快抱着走吧。他嘴上这么说，可他看坛子的眼神还是留恋的。

我们离开老鸹岭客栈时，太阳冒红了，店主搀着他老婆回屋了。我的眼睛湿了，觉得这个坛子没白用房子来换，真是宝物啊。大家看着他们夫妻和睦了，都跟着高兴。男人打口哨，女人哼着歌。鸟儿也跟着凑热闹，空中传来阵阵欢快的叫声。有人说，现在客栈没旅客了，店主一定是一进屋就脱了裤子，让他老婆上来跪肚皮啦！大家哈哈笑。我家老二问，肚皮那么软，能跪住人吗？一个黄胡子男人说，男人身上有根绳，用它拴女人，一拴一个灵，跪得住，跪得住！大家笑得更厉害了。老二凡事爱刨根问底，他问，那根绳在哪儿？快告诉我呀。

我们笑了一路。傍晌午时，车停在潮安河，我们到一家小店简单吃了点东西，接着赶路。太阳落时，到了黑河。

黑河是我今生到过的最大的城市啦，黑龙江就打城边流过。城里有高楼，有光溜溜的马路，有吉普车。街上骑自行车的人多，让我觉得这个地方挺富裕的。一些女人穿着裙子，露着腿，看得出这个地方挺开放的。客运站就在码头边，车还没停下来，我就望见了码头上的客船和货船。

往上游漠河去的船每星期有两趟，一趟大船，一趟小船。那儿的人管大船叫“大龙客”，小船叫“小龙客”。我们到的当天上午，小龙客刚走。大龙客要两天后才开。我乐意在黑河耽搁两天，想着这次到了老潘那里，一头扎进大山里，指不定哪年哪月再出来呢，我得给脑子里攒点好风景，空落时好有个念想啊。买了船票后，我就领着孩子逛商店，买了二十尺蓝色斜纹布、五尺平纹花布，想着过年时给孩子们做新衣。黑河的对岸就是苏联，有家商店有苏联围巾卖，我看着花色和质地都好，又不贵，给自己买了一块。除了这些，我还买了几条肥皂和几包蜡烛，把手里的钱基本花光了。上船时，兜里只剩六块钱啦。不过那时的钱真顶用呀，我们娘儿几个在船上吃一顿饭，一块钱就够了。

大龙客比小龙客慢，又是逆水走，该是一天到的路，走了两天。坐船比坐敞篷汽车要舒服多了，稳当，又风凉。白天时，我领着孩子站在船尾看山水，看江鸥，也看船上的厨子捕鱼。那时的鱼真旺呀，撒下一片网，隔半个钟头起网，起码能弄到一脸盆鱼。孩子们玩得高兴，到了下船时，个个都舍不得。

我们下船的地方叫“开库康”，有人把它念白了，就成了“开裤裆”。老潘所在的小岔河经营所，离开库康还有五十多里呢。一下船，就有一个瘦高个的小伙子走上来问我，是潘大嫂吧？我说是啊。他说，我叫崔大林，潘所长让我来接你，我等了一个星期了。我对他说，这一路出来不顺当，在老鸹岭遇雨耽搁了三天，在黑河等大龙客又耽搁了两天。小伙子说，我还想呢，要是这趟船再等不来你们，我就回林场了。崔大林接过我怀中的猪油坛子，说，潘大嫂，你可真能耐，领着仨孩子，又倒火车又换船的，还捧着个坛子！

这崔大林给我的第一印象是机灵，会说话。他说他是林场的通讯员。

我跟在崔大林身后去客店的时候，心里想，老潘当了所长了，看来在这里干得不错呀。可他在信上一个字也没透露过。他这个人就是这样，好事坏事都不爱跟女人说。

大龙客在开库康停了二十分钟，接着走了，它还有三站到终点呢。我们在开库康住了一宿，第二天一大早，就上路了。

崔大林准备了一副担子，挑着两个箩筐。他让老二坐在前筐，说是男孩子皮实，不怕日头。老小坐在后筐，说是有他的身影做着荫凉，老小在后筐就不会觉得太晒。他还把我们带来的东西分装在两个箩筐里。他挑着担子在前，我和老大跟在后面。我把猪油坛子放在背篓里，背在肩上，比抱在怀中要得劲多了。

要是轻手利脚地走五十里路，也得多半天，何况我们挑担背篓的，走的又是林间小路呢。崔大林虽然有力气，但他每挑个半小时左右，也要停下来喘口气。歇着时，老大爱问，还有多远？崔大林总是说，快了，翻过前面那座山就是。那时山上的树真多啊，水桶那么粗的落叶松和碗口粗的白桦树随处可见。林子中的鸟儿也多，啾啾地叫得怪好听。渴了，我们就喝山泉水，饿了，就吃上一把从开库康客店买的炒米。林子里的野花也多，老小坐在后筐里，时不时伸出手揪上一朵，不管是红百合、白芍药还是紫菊花，只管往嘴里填。我怕有些不认识的花会药着她，只让她吃百合花。大概她嘴里有了花香的缘故吧，蝴蝶和蜜蜂爱往她嘴丫飞，她哇哇叫着，挥着小手赶它们。要说林中什么东西最厌烦人？那就是蚊子、瞎蠓和小咬。它们都是爱喝人血的家伙。我们走着路的，它们难下口，坐在箩筐里的老二和老小可就遭殃了，到了中午，我发现老二的左眼皮让瞎蠓给咬肿了，他看上去一只眼大，一只眼小。老小呢，她的脖子和胳膊让蚊子叮了好多处，起了一片红点。我心疼坏了，心里忍不住埋怨老潘，他也不想着我领着仨孩子一路有多辛苦，只打发个人来，真心狠啊。想着到了那里后，一定不和他睡一个被窝，晾着他。

我们拖拖拉拉走到下午，忽然听见密林深处传来一阵马蹄声。

崔大林放下担子对我说，这一定是打猎的鄂伦春人。果然，一忽儿的工夫，就见一匹棕红色的马从林子中蹿出，马上是一个挎着猎枪、穿着布袍子的鄂伦春人。他见了我们跳下马，问崔大林我们要去哪里，崔大林说去小岔河经营所。鄂伦春人说他可以用马送我们过去。我让崔大林卸了担子，把箩筐吊在马上，但崔大林说他不累，非让我和老大骑马。老大胆子小，不肯骑。我也没骑过马，但看着马还算温顺，再说我累得不行了，看见马跟见了救星似的，就背着猪油坛子壮着胆上马了。刚上去时晃悠了几下，走了一会儿，就习惯了。开始时鄂伦春人帮我牵着马，后来他看我骑得稳，就去抢崔大林的担子，说是换换肩，让他歇一歇。鄂伦春人的心眼真是好使啊。

山中的路坑坑洼洼的，走这样的路，再有经验的马，也有失蹄的时候。在马上自在了一个多钟头后，我们经过一片裸露着青石的柳树丛。没想到马被一块石头绊了一下，它一侧歪，我从马上掉了下来。我倒是没怎么伤着，就是胳膊肘和膝盖破了点皮，可是那个猪油坛子可怜见的，摔碎了。一想到坛子抱了一路，快到地方却出了事，我哭了。心疼白花花的猪油，更心疼那个漂亮的坛子，早知如此，还不如把它留在老鸹岭客栈呢。崔大林见我哭，就安慰我，说是把坛子的碎瓷拨拉开，猪油还是能吃的。他把能盛油的东西都拿来了，闷罐，碗，一把一把地往里划拉猪油。这些器物满了后，我把老潘弟弟送的油纸伞打开，把余下的猪油收进伞里。好端端的猪油沾上了草，一些蚂蚁在里面钻来钻去，我那心啊，别提有多难过了！但我凡事能看得开，想着这个坛子太美了，所以命薄，碎就碎吧。

我说什么也不敢骑马了。鄂伦春人觉得过意不去，他对老大说，他可以抱着他一同骑在马上，老大吓得连连说，我走得动。鄂伦春人要把坐着老二和老小的箩筐吊在马上时，他们也都哇哇叫，不愿意。他们一定是怕像我一样被颠下来。结果这匹马最后驮着的只是散装在背篓中的猪油。怕它们互相磕碰着，鄂伦春人捋了几把青草，把它们掖在闷罐、碗和半开的油纸伞之间。每走半个小时，他就去换崔大林，帮他挑会儿担子。

就这样，我们走走停停，把太阳走落了，把月亮走升起来了，把野兔走回窝了，把眼睛锃亮的猫头鹰走出来了。晚上八点多钟，到了小岔河经营所。那时箩筐里的老二和老小已经睡过去了。老潘见了我，还有心思开玩笑，说是有两个牛郎帮我挑担子，福气不小啊。

那时经营所的房子只有七八栋，有三十来个工人，其中七八个是带家属的，比我早到不了多少日子。我们住的房子是板夹泥的，很旧，老潘说那还是伪满金矿局留下的呢。我说，那我得留神点，说不定哪天挖地，挖出块狗头金呢！

鄂伦春人把我们送到后，骑着马走了。我嫌老潘没留他过夜。老潘说，他们睡不惯屋子，喜欢住在林子里，你留他，他也不会答应的。

我折腾得骨头都快散架了，安顿好孩子后，我烫了个脚，上了炕。快两年没见老潘，我有一肚子的委屈。猪油坛子碎了时，想着晚上给他点颜色看，可一见着人，就刚强不起来了，看他哪里都亲，最后还不是睡在一起了？

只一两天的时间，小岔河的孩子们就熟悉起来了。老潘说年底时还要上一批工人，到时组织上会派来一个教师，那时老大就有学上了。不然他这种年龄不上学，在大山里就耽搁了。

我把猪油从闷罐、碗和伞中用勺子刮到一个脸盆里，用它做菜。那时小岔河开垦出的土地不多，再加上菜籽不全，男人们只种了豆角和土豆。我们这些留在家里的女人就找了一个在山中游猎的鄂伦春人，让他教我们认野菜。采了水芹菜、山葱、老桑芹后，我们就掉着样地给男人们做菜，把他们吃得天天叫好，上山伐木时更有力气了。野菜用猪油烹调最对路了，野菜吃油啊。有时吃着吃着，会在菜里发现蚂蚁，那是猪油洒了时，蚂蚁趁乱溜进去的。它们贪了口福不假，小命却是搭上了。老潘夹着蚂蚁时，也不挑出，说是蚂蚁浸了一身的油，扔了可惜，连同它一起吃了。到了小岔河没两个月，我怀上了。兴许是吃猪油的缘故，这胎儿特别显怀，秋天蘑菇下来的时候，谁都看出我有了。男人们就拿老潘开玩笑，说，潘大嫂才来两个来月，你的种子就发芽了，本事大啊。老潘笑着说，都是猪油里的蚂蚁搞的，那东西长力气啊！

大兴安岭一到十月就进入冬天了。那时的雪真大啊，一场连着一场。天是白的，地是白的，树和人被这一上一下两片白给衬的，都成了黑的了。男人们采伐，女人也不能闲着，除了带孩子做饭，还得上山拉烧柴。碰到樟子松身上有明子疙瘩的，我们就锯下来，把它劈成片，用来引火。我们还把明子疙瘩放到大铁锅里，填上水，熬油。熬出的油像琥珀似的，可以用来点灯。这样的灯油散发的烟有股浓浓的松香气，好闻极了。我就是在熬松油的时候要临产的。那是一九五七年的四月，要是在南方，麦苗都青了，可小岔河还在下大雪，黑龙江也封冻着呢。当地虽然有个卫生所，但唯一的医生只能治个头痛脑热、处置点小的外伤什么的。碰到大毛病，就傻眼了，到时就得套上爬犁，用担架把重病号送到开库康。

那时的女人最怕生孩子难产了。在那种地方，人说扔就扔了。按理说我生过仨孩子了，不该怕了，可是胎儿太大了，疼得我满炕打滚，就是生不下来。幸亏那是傍黑的时候，男人们从山里回来了。卫生所的医生看我那样子，害怕了，她让老潘赶快想办法送我出山。如果去开库康，快马也得三个钟头，何况我上不了马。这时崔大林说，要不就送江对岸吧，苏联那里的医院好。

那个年月，住在黑龙江界河沿岸的村落，比如洛古河、马伦、鸥浦，如果碰到了来不及去大医院救治的重病人，便就近送到苏联去了，比如加林达、乌苏蒙。虽说过界是不允许的，苏联那边有岗哨，但他们看见抬来的是病人的话，就会让我们入境。老潘是个党员，又是经营所的领导，按理说不管我和孩子是死是活，该把我往开库康送，免生麻烦。但老潘就是老潘，他一点也没犹豫，立马吩咐人套马爬犁，准备担架，领上崔大林，把我用两床棉被包裹上，去了苏联。那个小村当地人叫它“列巴村”，“列巴”就是面包的意思。苏联人喜欢吃列巴，夏季时能从江边闻到对岸烤面包的香味。那时黑龙江还封冻着，省却了渡船的麻烦。我们一越边界，苏联岗哨的两个士兵就端着枪跑来了，没谁会说俄语，老潘指着马爬犁上的我，拍了一下我的大肚子，然后摇摇头，苏联士兵便明白这是遇到难产的病人了，点了点头。其中的一个带路把我们送到了医院。那家医院虽小，但设施全。接诊的是个年岁很大的男医生，胡子都白了。他看了看我的情况后，先是给我打了一针，然后给我做了剖腹手术，取出了个哇哇哭叫的胖男娃。他快十斤重了，怪不得我生不下来呢。老潘一看母子平安，一个劲儿地给那个医生作揖。由于出来匆忙，我们什么礼物也没有带，老潘有块手表，他从腕上撸下来，送给医生，人家笑笑把表又套回他手腕上了。老潘满身翻，翻出半包烟和两块钱。钱是人民币，给他也不能使，老潘就把烟递给医生。医生指了指我，摆摆手，示意在病人面前不能抽烟。由于开了刀，当天不能返回，我们在那儿住了两天。苏联医生招待我们吃喝，还帮我们喂马。医院的女护士给我带来了鸡蛋和面包，还送给孩子一套棉衣裳，蓝底红花，怪好看的。临走的时候，我很舍不得，我亲了女护士，也亲了给我做手术的男医生。岗哨的士兵拿出一页我们谁都看不懂的纸，让老潘在上面签了字，按了手印。

回到小岔河林场后，老潘就去了开库康，辞他的所长去了。他说自己无组织无纪律，为了让老婆平安生产，越了边界，不配做所长了。但组织上只给他一个口头警告，没处分他。他从开库康欢天喜地地回来了，买了二斤喜糖，给小岔河的每户人家都分发了几颗。这孩子是在苏联生的，我们给他起的大名是“苏生”，小名呢，就叫“蚂蚁”。老潘说不是因为猪油中的蚂蚁滋养，他的精血不会那么旺，致使我怀的胎儿壮得生不下来。

苏生是几个孩子中长得最漂亮的了。宽额和浓眉随老潘，高鼻梁和上翘的唇角随我。眼睛呢，既不随我，也不随老潘，不大不小，黑亮极了，老潘说随蚂蚁。他非说蚂蚁的眼睛亮。小岔河的人都喜欢他，说他生就一副富贵相。人们很少叫他的大名，都爱叫他的小名。

蚂蚁四岁时，崔大林结婚了。小岔河来了个皮肤白净的女教师，叫程英，扬州人。也许是江南的水土好吧，她长得才俊呢，杨柳细腰，俏眉俏眼的，两条大辫子乌黑油亮的，在肩后一荡一荡的，荡得男人们心都慌了。有三个人追求她，一个是开库康小学的老师，一个是小岔河林场的技术员，还有就是崔大林了。最后她还是嫁给了崔大林，人家说程英是看上了崔大林家祖传的一只镶着绿宝石的金戒指。

在当地，结婚前夜有压床的习俗。所谓“压床”，就是找一个童子，陪新郎官睡上一夜。据说这样婚床才是干净的。崔大林和程英都喜欢蚂蚁，就让他去压床。一般四岁的孩子，离不开父母的怀儿，可我们跟蚂蚁说，让他跟崔叔叔睡一夜的时候，他高高兴兴地答应了。崔大林抱他走的时候，蚂蚁还问，我是睡崔叔叔呢，还是睡程阿姨？把我和老潘笑得哇，说，你要是睡了程阿姨，崔叔叔就该打你的屁股了！

蚂蚁没压好床，崔大林说，这孩子突然肚子疼，哼唷了一宿。到了天明，这才消停了。老潘去接蚂蚁的时候，他的肚子已经好了，他还拿着赏给他的两块压床钱，跟老潘说他能给家里挣钱花了。

崔大林的婚礼才热闹呢，小岔河林场的人都到场了。那是一个夏天的礼拜天，我们在屋外搭起帐篷，支上锅灶，女人们七碟八碗地做菜，男人们喝酒，孩子们咂着喜糖做游戏，一直闹腾到晚上。年轻的小伙子又去闹洞房，把新郎新娘折腾到了天明。

我们在婚礼上见到了新娘子手上戴的戒指。金戒指上果然镶着颗菱形的绿宝石，那宝石看一眼就让人忘不了，是那种没有一点杂质的透亮的绿，醉人的绿！我们这些女人拉着程英的手，个个看得“啧啧”叫，羡慕得不得了。有人说它值一栋好房子，有人说它值一车皮红松，有人说它值五匹好马，还有人说它值一千丈布。只要是我们能想得到的好东西，都被打上比方了。从那以后，我们见到的程英就是手指上戴着绿宝石戒指的样子。她握着粉笔在黑板上写字的时候，学生们都说那字被映得一闪一闪的。冬天时，她戒指上的那点绿看了让人动心，好像她的指尖上藏着春天。

孩子们在小岔河一天天长大了，林场的人也越来越多了。小岔河学校又增加了一名男教师，是个单身，人家都说崔大林很不高兴他和程英一起工作。

说来也怪，程英结婚好几年了，一直没有怀上孩子。她的身体看上去挺好，不像是不能生养的，有人就嘀咕崔大林有毛病。有一年春节，他们俩回程英的娘家探亲，回来时带来了大包小包的中药。从那以后，崔大林家就老是飘出汤药味。我们猜那是治疗不孕症的药。至于是谁吃，我们猜不出来，也不便问。

山中的日子说慢很慢，说快也很快。好像是一忽儿的工夫，我的鬓角就白了，老潘的力气也不如从前了。尽管生了蚂蚁后我又怀上了两回，但没一个能站住脚。头一个三个月时就流产了，第二个倒是生下来了，是个女孩，才四斤多，我没奶水，只得喂她羊奶。她弱得三天两头就病，三岁时，一场高烧要了她的命。从那后，我就跟老潘说，咱也是奔五十的人了，有四个孩子了，再不要了。老潘说，不生也够本了，咱最后那一笔多带劲啊！那一笔当然指的是他心爱的蚂蚁。

“文革”前，老大参加工作了，在小岔河林场当木材检尺员。老二喜欢上学，我们就让他在开库康上中学。老姑娘在小岔河上小学，她一拿课本就迷糊，脑瓜不灵便，程英说别的孩子记一个生字三五分钟就够了，她呢，一天也学不会一个字，都五年级了，没有一篇课文能读连贯。不过她手工活儿巧，会钩窗帘、织毛衣，还能裁剪衣裳，我想女孩子会这些就不愁嫁人了。最让人省心的是蚂蚁，他功课好，又勤快，还仁义。学校冬天得生炉子，他那个教室的炉子，都是他烧的。每天天还没亮，他就去烧炉子了。等到上课时，教室就暖和了。

“文革”开始了，中苏关系也紧张了。因为我在苏联的列巴村生的蚂蚁，旧账新算，非说老潘是苏修特务。说老潘当年签的字是卖国的证明，他的经营所的所长给撤了，人被揪斗到开库康，在船站打杂。崔大林也跟着倒霉了，被发配到开库康粮库看场。后来是老潘把责任都揽到自己身上，说当年是他主张送老婆去苏联的，而且字也是他签的，跟崔大林没丝毫关系，让他还是留在小岔河。说是崔大林在开库康，跟老婆分居，耽误下种。人家都知道崔大林没有孩子的事情，就把他放回小岔河了。不过他不能坐办公室了，跟工人一样上山伐木了。

可是崔大林回到小岔河没多久，程英就死了。

要了程英命的，是那只绿宝石金戒指。

自打程英结婚后，那戒指就没离过手。她教书时戴着，挑水时戴着，到江边洗衣服时还戴着。也许是一直没有孩子的缘故，程英后来脸色不如从前了，人也瘦了。有一天，程英去江边洗衣服，回来后发现戒指丢了。人一瘦，手指自然也跟着瘦了，再加上肥皂沫的使坏，戒指一定是秃噜到江中了。小岔河的人都帮着程英去找戒指，人们在程英洗衣服的那一段江面撒开了人，浅水处用笊篱捞，深水处由水性好的潜进去搜寻，折腾了两天，也没找着。

程英没了戒指后，整个人就跟丢了魂似的，看人时眼神发飘，你在路上碰见她，跟她打招呼，她就像没听见似的。她给学生上课，也是讲着讲着就卡了壳。她原来是个利索人，衣服从没褶子，裤线总是压得笔直的，辫子编得很匀称。可从戒指丢了后，她等于失去了护身符，衣衫不整，头发蓬乱，牙齿缝塞着菜叶也不知剔出来。从她的表现看，人们暗地都说，当年她嫁给崔大林，确实图的是财，而不是人。

有天晚上，程英没有回来。崔大林把小岔河找遍了，也不见人。四天后，在黑龙江下游一个叫"烂鱼坑"的地方发现了她。尸首荡在岸边的柳树丛里，已经腐烂了。人们都说，程英要么是去江中找戒指时让急流卷走了，要么就是自杀。没了心爱的东西，她就活不起了。

我想起蚂蚁当年去崔大林那儿压床时害肚子疼的事情，看来童子是有灵光的，他们的婚床没给那对新人带来好运。

崔大林从此后腰就弯了，整天耷拉着脑袋，跟谁也不说话了。不到四十岁的人，看上去像个小老头了。他家从那以后再也没有汤药味飘出来了。

崔大林没了老婆，再加上他因为老潘受了牵连，我很过意不去。蚂蚁在家时，我常打发他去帮崔大林干点活儿，劈个柴啦，扫个院啦，挑个水啦。有时候做了好吃的，就送给他一碗。小岔河的人也可怜他，常有人往他家送菜和干粮。

蚂蚁那时已经大了，他知道爸爸因为他而遭殃了，很不开心。他开始逃学，也不给学校生炉子了。有的时候，他一个人扛着红缨枪，步行几十里，去开库康看他爸爸。说是谁若敢在他爸身上动武，他就用刺刀挑了他！他十四岁时就有一米七了，体重一百多斤，胡子也长了出来，像个大小伙子了。开库康的人没有不知道蚂蚁的，他来到那里，总是雄赳赳的模样。就连批斗老潘的人都说，你这辈子值了，有这么个好儿子！

蚂蚁不上学后，冬天就上山伐木；夏天呢，他跟着人去黑龙江上放排，把木材从水上由小岔河运送到黑河的码头。每放一次排，总要十天八天的时间。放排是个危险的活儿，蚂蚁一跟着上排，我就睡不着觉，想着黑龙江上有许多急流险滩，万一出了事，可怎么好？所以蚂蚁放排时，我总要请把头喝一次酒，托付他照应好蚂蚁。木排上的把头又称“看水的”，掌管棹，棹相当于船桨，起舵的作用。放排是否平安，取决于掌棹人的手艺。看水的把头都喜欢蚂蚁，说是他一上了排，一路风平浪静。他是福星。一般的木排有一百多米长，三十多米宽，排上能装二百多立方米的木材。一个排上放排的人总要有七八人，排上有锅灶和窝棚，可以在上面做饭和睡觉。把头说，蚂蚁最喜欢站在排上往江里撒尿，说是畅快。赶上月亮好的夜晚，他们在排上喝酒，蚂蚁就说快板书。他说书的内容是自编的，全是英雄美人的故事，放排的人都爱听。

一九七四年吧，蚂蚁虚岁十八了。好多人都给他介绍对象，可蚂蚁说大丈夫四海为家，娶了女人累赘。这年夏天，他又去放排了。这次放排改变了蚂蚁的命运。

从小岔河往黑河去的水路上，要经过一个叫“金山”的地方。金山的对岸，是苏联的一个小镇。一般来说，放排是昼行夜宿的，就是说每天晚上要找一个地方停排，第二天早晨再开排。金山那段水路石砬子多，赶上那天风大，看水的把头在停排时掌握不住棹了，木排打着旋儿，顺着风势，一直往苏联那边漂，一忽儿的工夫，就撞到人家的岸上了。那时苏联在黑龙江上增加了防御，常有被我们称为“江兔子”的巡逻艇在江上窜来窜去。木排一靠那岸，江兔子就追过来了，苏联士兵端着枪下来，哇啦哇啦地冲放排的人叫嚷。语言不通，把头就指着天，意思是说老天爷把我们吹来的，我们并没想越界。蚂蚁鼓着腮帮子，呜呜呜地学大风叫，把苏联士兵都逗笑了。那时正是傍晚，小镇的人家都在忙活晚饭，烤列巴的香味飘了过来。把头说，岸边有几个织渔网的姑娘，其中一个姑娘穿着蓝色布拉吉，金黄色的头发，梳着一条独辫，水汪汪的大眼睛，白净的皮肤，鹅蛋形脸，嘴唇像是刚吃完红豆，又丰满又鲜艳。她不看别人，专盯着蚂蚁。把头知道苏联人喜欢喝酒，就把木排上的几瓶烧酒拿来，送给他们。他们呢，吩咐岸边的姑娘进镇子拿来了酸黄瓜和列巴。苏联士兵和放排的人围坐在岸边，一起吃喝。那个姑娘呢，就站在蚂蚁身后，一会儿帮他掰面包，一会儿帮他添酒。蚂蚁也喜欢她，看她一眼脸就红一阵。吃喝完了，天黑了，风住了，月亮升起来了，把头预备把木排摆回金山岸边了。那个姑娘看蚂蚁上了排，眼泪汪汪地从兜里掏出一个小木勺，送给他。木勺的把儿是金色的，勺面呢，是金色的底儿，上面描画着两片红叶，六颗红豆。蚂蚁接了木勺后，把它插在心窝那儿。

这次放排回来后，蚂蚁就不是从前的蚂蚁了。他常常一个人拿着木勺，坐在院子里发呆。他每天要去一次江边，名义是捕鱼呀、洗澡呀、刷鞋呀，其实大家都明白他是为了看看对岸。

有一天，蚂蚁用网挂上来一条足有十多斤重的红肚皮的细鳞鱼。那鱼被提回家时，还摇头摆尾着。我想做个酱汁鱼，装上一罐，去开库康看看老潘。剐完鱼鳞，用刀剖膛时，我发现这鱼的鱼肚异常的大。大鱼的鱼肚是不可多得的美味，我划开鱼肚，一缕绿光射了出来，那里面竟然包裹着一只戒指！取出后一看，竟然是程英丢失的那一只，我简直不能相信自己的眼睛！我怕是自己眼花了，喊来蚂蚁，他看了一眼就说，是程老师戴的戒指啊！我们把它放在水盆中，用肥皂洗了又洗，将附着在上面的鱼油和江草洗掉，它鲜亮得就像一个要出嫁的姑娘，看一眼就让人怦怦心跳。我想这条鱼要是早打上来就好了，那样程英就不会死了。这也说明，戒指确实是在她洗衣裳时滑落到江水中的。我和蚂蚁赶紧用块手绢包了戒指去崔大林家，想把它还了。谁知崔大林见了戒指后看了一眼就哭了，说，这是命啊，命啊，我不能要这戒指了。我以为他想起程英伤心，就说，你现在看着难受，就把它锁在柜子里。你下半辈子又不能一个人这么过下去，碰到合适的还得找一个，晚上吹灯后好有个说话的人。崔大林抓着我的手，哭得像个泪人，说，潘大嫂，这戒指命该是你的，我说什么也不能要。它要是再回到我家，我非死了不可！我说，这东西这么金贵，不是我的，我不能要。崔大林竟然给我跪下了，求我救救他，留下戒指。我见他那样，就说，那就给蚂蚁吧，鱼是他打上来的，等于他捡着的，这戒指留着他将来娶媳妇用。蚂蚁将崔大林从地上拉起来，干脆地说，我喜欢它，我要！就把戒指取过来，揣在兜里了。

那时我并不知道崔大林心中的秘密，只当他没了旧人，怕见旧物了。

我把那条细鳞鱼用油煎透，放了一碗黄酱，慢火煨了三个钟头，鱼骨都酥了，盛了满满一罐，搭了一辆拖拉机，去开库康了。

那时从小岔河到开库康已经修了简易公路，走起来方便多了，两个钟头就到了。船站的人对老潘很好，并不让他干重活，我去了，还让他休息一天，陪我逛逛供销社。我跟老潘说了戒指藏在鱼肚中的事情，老潘说，听上去像是神话，只有蚂蚁才能把吞了绿宝石戒指的鱼打上来啊！

我怎么能够想到，等我从开库康返回小岔河时，蚂蚁走了。他留下了三封信，一封是给开库康的组织的，说是他爸爸因为他生在苏联而成了苏修特务，现在他离开中国了，跟家里永久断了联系，应该把他爸爸放回小岔河了。一封是给他哥哥姐姐的，说是他不孝，请他们好好待父母，为我们养老送终。还有一封是写给我和老潘的，说是他此去，永不回来了，请我们不要难过，要保重身体。在我们那封信的下面，他还画了一个磕头的男孩，说是每年除夕，只要他活着，不管在哪里，他都会冲着小岔河的方向，给我们磕头拜年的。

蚂蚁带走了那只戒指和那把描画着红豆的木勺。我明白，他这是游到对岸去了。老潘是条硬汉，我从没见过他掉泪，但蚂蚁的走，让他痛不欲生，以后只要谁一提起这个话题，他就掉泪。我也是心如刀绞，但为了老潘，只得挺住，我劝他，在哪里生的孩子，最后还得把他还到哪里，这是命啊。

我们没敢把信的内容透露出去，只是说蚂蚁失踪了，不知去哪里了。不然，老潘等于有了一个叛国投敌的儿子，罪更大了。那些日子我们整天提心吊胆的，怕蚂蚁突然被遣返回来。没有遣返的消息时，我们又担心他偷渡时淹死了，所以一听说黑龙江的哪个江段发现了尸首时，我们就打哆嗦，直到确认那人不是蚂蚁时，才会舒口气。到了冬天封江时，我们的心渐渐安定下来，想着蚂蚁一定是平安过去了，跟心爱的姑娘在一起了。

“文革”结束了，老潘回到小岔河。那时经营所已经扩展成林场，上头派来了一个场长，让老潘做副场长，他谢绝了。他说自己快六十的人了，又得了风湿病，没能力做事情了。我明白，蚂蚁的离去，等于把他油灯中的灯芯抽去了，他的心里没有多少亮儿了。

一九八九年，老潘死了。他活了七十岁，也算喜丧了。离世前，他对我说，真是馋你当年来小岔河时带来的猪油啊。我知道他是想蚂蚁了，就拿来蚂蚁留给我们的那封信，他眼睛盯着那个磕头的男孩，笑了笑，撒手去了。

在老潘的葬礼上，崔大林把折磨了他半生的秘密告诉了我。他说那个戒指确实是我的，当年他从开库康接我来小岔河的路上，猪油坛子碎了，他在帮我往碗里划拉猪油时，发现了一只绿宝石戒指。他一时贪财，把它窃为己有。开始时他不敢把它拿出来，以为那是我藏到里面的，后来套问过我几次，知道那坛猪油是用房子换来的，戒指的事我一无所知，他就敢拿出来了。程英能跟他，确实是因为这只戒指。他其实心里清楚，程英更喜欢那个追求她的技术员。婚后，他一看到这只戒指，腿就发软，做不成男人该做的事。他央求过程英，不让她戴那玩意儿，可她不答应，他们为此没少吵嘴。我问崔大林，你为什么要等到老潘死了才告诉我？他说，老潘是条汉子，他要是知道了，他看我的眼神就能把我给杀了啊。

我这才明白，当年霍大眼为什么嘱咐我不要让别人吃那坛猪油，看来他要送我那只戒指，他暗中是喜欢我的。老潘的弟弟刚好从河源老家赶来奔丧，我就向他打听霍大眼的情况。他说，霍大眼得了脑溢血，死了六七年了！他活着时，一见老潘的弟弟，就向他打听，你哥哥嫂子来信了吗，他们在那里过得好吗？老潘的弟弟说，有一回他告诉霍大眼，说我生了一个儿子，叫蚂蚁，霍大眼说了句，比叫臭虫好啊，气呼呼地走了。霍大眼的老婆是个泼妇，两口子别扭了一生。霍大眼病危时，他老婆正在鞋店试一双黑皮鞋。别人唤她快回家，她不急不慌地对店主说，给我换双红鞋吧，他死了，我得辟邪。省得老王八蛋的鬼魂回来缠我。

咳，可惜我知道这戒指的来历晚了一步。要是老潘在，我可以跟他显摆显摆：瞧瞧啊，也有别的男人喜欢我啊。不过以老潘的脾性，他听了后肯定会哈哈大笑着说，一个眼睛长得跟牛眼似的屠夫喜欢你，有什么臭美的？

老潘死后的第二年，崔大林也死了。我仍然活着，儿孙满堂。我这一生，最忘不了的，就是从河源来小岔河那一路的风雨。我的命运，与那坛猪油是分不开的。夏日的傍晚，我常常会走到黑龙江畔，看看界江。在两岸间扇着翅膀飞来飞去的鸟儿，叫声是那么的好听。有一种鸟会发出“苏生——苏生——”的叫声，那时我便会抬起头来。我眼花了，看不清鸟儿的影子，但鸟儿身后的天空，我还看得挺分明呢。

图书在版编目（CIP）数据

一坛猪油 / 迟子建著 .—北京：作家出版社，2022.9
（迟子建作品）
ISBN 978-7-5212-1796-4

Ⅰ.①一…　Ⅱ.①迟…　Ⅲ.①短篇小说－小说集－中国－当代　Ⅳ.①I247.7

中国版本图书馆CIP数据核字（2022）第014823号

一坛猪油

作　　者：迟子建
责任编辑：省登宇　周李立
装帧设计：好谢翔
出版发行：作家出版社有限公司
社　　址：北京农展馆南里10号　　**邮　　编：**100125
电话传真：86-10-65067186（发行中心及邮购部）
86-10-65004079（总编室）
E-mail:zuojia @ zuojia.net.cn
http://www.zuojiachubanshe.com
印　　刷：北京盛通印刷股份有限公司
成品尺寸：145×210
字　　数：190千
印　　张：8.5
印　　数：001—10000
版　　次：2022年9月第1版
印　　次：2022年9月第1次印刷
ISBN 978-7-5212-1796-4
定　　价：49.80元（精）